बागबानी कैसे करें

अपनी बगिया में रंग-बिरंगे फूल-पौधों को उगाकर घर-आंगन को महकाएं और खुशियों की बहार लाएं।

- टेरेस गार्डन
- रॉक गार्डन
- किचन गार्डन
- हरा-भरा लॉन
- सुंदर लताएं
- पौधों से साज-सज्जा
- औषधीय पौधे
- कलम लगाना
- बगिया में फल व सब्जियां उगाना
- पौधों की देखभाल

राजा पॉकेट बुक्स

330/1, मेन रोड बुराड़ी,

दिल्ली-110084

आपकी बगिया में लगे फूलों से आपका घर तो महकता ही है साथ ही आपका वातावरण भी स्वच्छ होता है। पौधों व फूलों को गमलों में सजाकर आप अपने घर की साज-सज्जा में चार चांद लगा सकते हैं।

कमेलियन पौधा
लगाने की
सम्पूर्ण विधि।

अपने लॉन में पेड़-पौधों को तरह-तरह की शेप देकर लॉन को आकर्षक बनाया जा सकता है।

अपने पूरे लॉन को एक अलग तरह की शेप देकर सजाया जा सकता है।

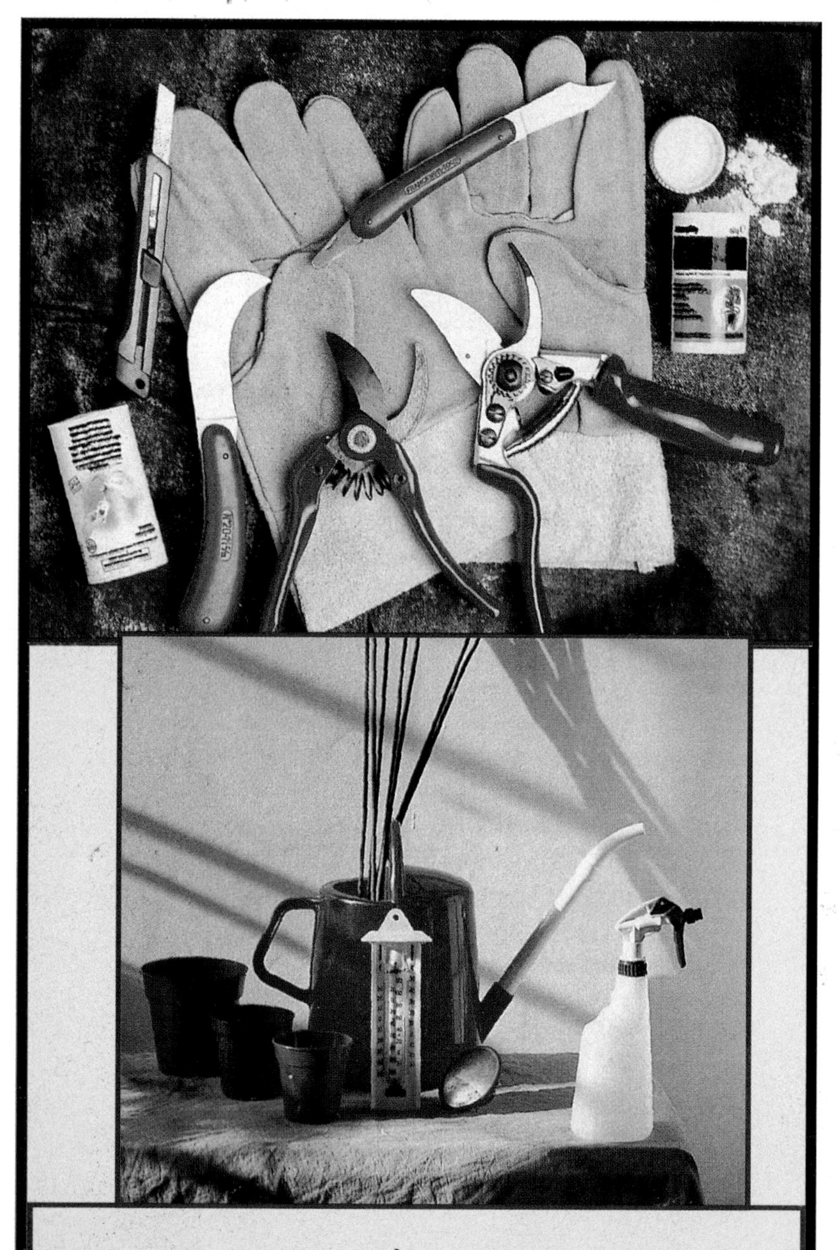

गुलाब की चश्माबंदी और टहनियां काटने के लिए प्रयोग किए जाने वाले औजार और उस पर छिड़काव करने के लिए प्रयोग किया जाने वाला फव्वारा।

पेड़-पौधों से सजी अपनी बगिया में आप अपनी छुट्टियों व पिकनिक का आनंद ले सकते हैं।

कांटेदार पौधों को लगाकर भी सजाया जा सकता है बगिया को।

पेड़-पौधों व फूलों की बेलों से भी घर-आंगन को महकाया जा सकता है।

फूलों व पौधों को सर्दी की मार से बचाने के लिए 'नेचुरल गैस हीटर' द्वारा तापक्रम सही रखा जा सकता है।

घर में रखे फर्नीचर की भी शोभा बढ़ती है गमलों में रखे फूलों व पौधों से।

तरह-तरह के फलों को भी उगा सकते हैं आप अपनी बगिया में।

गुलाब की विभिन्न किस्मों को लगाकर आप अपनी बगिया को सुंदर व आकर्षक बना सकते हैं।

रॉक गार्डन जो सुंदरता के मामले में साधारण भी है और अद्भुत भी।

एक अच्छे लॉन को बनाए रखने के लिए उसमें छोटे पौधों के साथ-साथ बड़े पेड़ों को लगाएं तो वह और भी सुंदर लगेगा।

किचन गार्डन में उगाएं अपनी मनपसंद सब्जियां।

बागबानी कैसे करें

कैसे सजाएं अपनी बगिया, कैसे लगाएं लताएं व कैसे पौधे सुंदर बनाएं उद्यान और कैसे करें उनकी देखभाल

लेखक

अरुण सागर

राजा पॉकेट बुक्स

330/1, बुराड़ी, दिल्ली-110084

नवीन संस्करण : 2013

● **बागबानी कैसे करें?** : अरुण सागर

ISBN : 978-81-760-4761-6

प्रकाशक :

राजा पॉकेट बुक्स

330/1, मेन रोड, बुराड़ी, दिल्ली-110084

फोन : 27611410, 27612036, 27612039, 27611227,
32938774, 9582646426, 9582646427

ई-मेल : sales@rajcomics.com

वेबसाइट : www.rajapocketbooks.com

शोरूम (होलसेल व रिटेल बिक्री केंद्र)

राजा पॉकेट बुक्स

112, फर्स्ट फ्लोर, दरीबा कलां, दिल्ली-110006

फोन : 23251092, 23251109, 32500860

मुद्रक :

राजा ऑफसेट

1/51, ललिता पार्क,
लक्ष्मी नगर, दिल्ली-110092

मूल्य : ₹ 120

दो शब्द

मनुष्य सदा से ही सौंदर्य प्रेमी व श्रृंगार प्रिय रहा है। प्रकृति की अलौकिक छटा को देखकर भला किसका हृदय मुग्ध, चकित एवं स्तंभित न रह जाएगा। वास्तव में प्रकृति ने विश्व में जितने सुंदर, मनोहर एवं आकर्षक पदार्थों की सृष्टि की है, उनमें पुष्पों का ही सर्वोत्तम स्थान है। खूबसूरत, सुगंधित, मन को लुभाने वाले नाना प्रकार के रंगों की छटा बिखेरते पुष्प हमारी भारतीय संस्कृति के अभिन्न अंग हैं।

सभी प्राचीन ग्रंथों में भी किसी-न-किसी फूल का वर्णन अवश्य मिलता है। अथर्ववेद में ही अनेक प्रकार के पुष्पों का उल्लेख है। कालिदास के विश्वविख्यात नाटक 'अभिज्ञान शाकुंतलम' में कमल, अशोक, माधवी लता, वकुल आदि अनेकों पौधों का वर्णन है। प्रत्येक साधना में पुष्पों को एक अनिवार्य उपादान का स्थान प्राप्त है। साधना-भेद के अनुसार गुडहल, चमेली, चम्पा, केवड़ा, पाढल, धतूरा, मदार, कचनार, कमल आदि पुष्प आध्यात्मिक साधना में प्रयुक्त किए जाते हैं। फूलों का उपयोग इस आधार पर भी किया जाता है कि किस देवता को कौन-सा पुष्प पसंद है। कुछ पुष्प ऐसे भी हैं, जो सुंदर और सुगंधित होने के बावजूद भी देवता विशेष की पूजा में वर्जित हैं। लाल, पीले, सफेद और गुलाबी रंग के पुष्प मकान, गुलदान और उद्यान की शोभा तो बढ़ाते ही हैं, पूजा में भी प्रयोग होते हैं। देवी पूजा में प्राय: लाल, गुलाबी रंग के पुष्प प्रयुक्त होते हैं।

जिस प्रकार नीलकमल का नाम विष्णुजी से जुड़ा है, उसी प्रकार सरस्वती को श्वेत रंग के पुष्प पसंद हैं तथा बगुलामुखी देवी को पीले रंग के फूल पसंद हैं। कहने का तात्पर्य यह है कि पुष्प केवल शोभा बढ़ाने के लिए ही नहीं, बल्कि हर वर्ग के लोगों के धार्मिक कार्यों में प्रयोग करने के लिए भी हैं।

पौधे जहां आपके लान, टेरेस या ड्राइंग रूम की खूबसूरती में चार चांद लगाते हैं, वहीं आपको प्रकृति के निकट ले जाकर मानसिक शीतलता भी प्रदान करते हैं, किंतु पौधे अपनी निराली छटा तभी बिखेर पाएंगे जब उन्हें कलात्मक

ढंग से सजाया व संवारा जाएगा। किस स्थान पर कौन-सा पौधा आकर्षक, उपयोगी और खूबसूरत लगेगा, इसकी जानकारी होना भी आवश्यक है।

प्रस्तुत पुस्तक बागबानी विषय पर आधारित है। वैसे बागबानी पर अनेक छोटी-बड़ी पुस्तकें हैं। अंग्रेजी भाषा में तो बहुत पुस्तकें प्रकाशित हो चुकी हैं, लेकिन हिंदी भाषा में बहुत कम पुस्तकें उपलब्ध हैं। मेरा अनुभव है कि प्रारंभिक अवस्था के बागबान को इस पुस्तक से बागबानी तकनीक का ज्ञान अवश्य ही प्राप्त होगा। पुस्तक में एक सफल बागबान बनने के लिए सभी तथ्यों की पूर्ण जानकारी दी गई है, जैसे बागों के प्रकार, किचन गार्डन, रॉक गार्डन, टैरेस गार्डन आदि को कैसे लगाएं, बाग लगाने के नियम, बागबानी के आवश्यक उपकरणों की जानकारी, विभिन्न प्रकार की मिट्टियों का चयन, वृक्ष, बेल कैसे लगाएं, माहवार लगाए जाने वाले पौधों की जानकारी, पौध तैयार करने की आधुनिक व सरल विधि, गृह वाटिका को आकर्षक ढंग से सजाना-संवारना, झाड़ियां, हेज, बेलें, पाम व बोनसाई, घर के अंदर रखे जाने वाले आकर्षक पौधे व बेलें——मनीप्लांट व केक्टस आदि की जानकारी, छोड़े-बड़े उद्यानों को सजाने की विधि, फल, फूल व पौधों की प्राकृतिक प्रकोप से सुरक्षा, फूलों का चुनाव, गमलों का चुनाव, साथ ही फूल-पौधों के हिंदी-अंग्रेजी तथा वानस्पतिक नामों की पूर्ण जानकारी दी गई है। इस पुस्तक को लिखते समय मेरे समक्ष ये उद्देश्य थे कि लोगों की बागबानी कला में रुचि उत्पन्न हो। वे प्रकृति के साथ सामंजस्य स्थापित कर जीने की कला सीखें तथा आनंद व शांति प्राप्त करके पर्यावरण को स्वच्छ रखने में अपना योगदान दें। पुस्तक को सुपाठ्य बनाने में जिन महानुभावों का सहयोग मिला और जिन स्त्रोतों से सामग्री उपलब्ध हुई मैं उन सभी का अत्यंत आभारी हूं।

सभी पाठकों से मेरा अनुरोध है कि वे इस पुस्तक की त्रुटियों से मुझे तथा प्रकाशक को अवगत कराने का कष्ट करेंगे जिससे इस पुस्तक के अगले संस्करण को अधिक उपयोगी बनाया जा सके। आशा है कि यह पुस्तक छात्रों, शिक्षकों के अतिरिक्त बागबानी विषय में रुचि रखने वाले सभी पाठकों के लिए अत्यंत उपयोगी सिद्ध होगी।

——अरुण सागर

अनुक्रम

सजाएं अपनी बगिया

बगिया में फूलों की बहार

बगिया में सब्जियां उगाएं

बागों के प्रकार

जैसा कि हम सभी जानते हैं कि 'बाग' लगाने वाले को बागबान कहते हैं। हरियाली से किसे प्यार नहीं, हरियाली हमारे जीवन में खुशियों की बहार लाती है। अगर जीवन में खुशियां न हो तो हमारा जीवन पतझड़ के वृक्ष के समान हो जाए। बागबानी एक कला है और बड़े कौशल का कार्य है। इस कला का प्रदर्शन करने के लिए एक बागबान को जमीन के छोटे या बड़े टुकड़े में सुंदर सुडौल वृक्षों, आकर्षक पुष्पों व सजीली लताओं का रोपण कुछ इस विधि से करना होता है, जिससे देखने वाले का मन-मयूर नाच उठे।

बाग के आकार का निश्चय तो हम अपने पास मौजूद जमीन के टुकड़े के आधार पर कर सकते हैं, लेकिन जहां तक बाग के प्रकार का सवाल है तो वहां हम बागों के प्रकारों को कुछ नियमों के आधार पर अलग-अलग करके देख सकते हैं। कहने का तात्पर्य यह है कि बागों के संबंध में कुछ अलिखित नियम, कुछ कानूनों का पालन किया जाता है और इसी के आधार पर बाग का नामकरण किया जाता है।

वैसे बाग कई प्रकार के होते हैं यथा——

- समतल जमीन पर लगाए गए बाग
- कृत्रिम तालाब में लगाए गए बाग
- ऊबड़-खाबड़ जमीन पर लगाए गए बाग
- केवल फूलों के बाग
- साग-सब्जियों के बाग

इन्हीं बागों के गुणों के आधार पर बागों का नामकरण कुछ इस प्रकार किया जा सकता है——

- **फ्लॉवर गार्डन**
- **टैरेस गार्डन**
- **रॉक गार्डन**
- **बैग गार्डन**
- **वाइल्ड गार्डन**
- **रोजेरी गार्डन**
- **किचन गार्डन**
- **स्पेशलिटी गार्डन**
- **वाटर गार्डन**

फ्लॉवर गार्डन

इस प्रकार के बाग सबसे ज्यादा लोकप्रिय होते हैं। इस तरह के बागों को लगाने से पहले नक्शा बनाकर पूरी रूपरेखा तैयार की जाती है। विभिन्न प्रकार के फूलों की क्यारियां तैयार की जाती हैं तथा इनमें पौधों को क्रम से लगाया जाता है। मध्य में मखमली घास का मैदान (लान) बनाया जाता है तथा चारों ओर बड़े वृक्ष या झाड़ियां लगाई जाती हैं।

लोकप्रियता में सबसे आगे है फ्लॉवर गार्डन

रोजेरी गार्डन

जैसा कि नाम से जाहिर है कि इस तरह के बाग में सिर्फ गुलाब ही उगाए जाते हैं।

यह बाग तीन चीजों पर निर्भर करता है——डिजाइन पर, गुलाब की किस्मों पर तथा सही प्रकार की मिट्टी पर। इस प्रकार के बागों में कई क्यारियों को एक साथ बनाकर रोजेरी बनाई जाती है। 'हारब्रिड टी रोजेज' साधारण क्यारियों में लगाए जाते हैं तथा 'फ्लोरी बण्डा' और 'स्टैंडर्ड रोजेज' बॉर्डर में लगाए जाते हैं।

इस प्रकार के बागों को लगाते समय गुलाब की किस्मों का विशेष रूप से ध्यान रखा जाता है।

रोजेरी गार्डन में खिलते मनमोहक गुलाब

टैरेस गार्डन

आमतौर पर टैरेस गार्डन वहां बनाए जाते हैं, जहां जमीन पर बाग लगाने की सुविधा नहीं होती। इस प्रकार के बागों को बनाने से पहले छत पर वाटर प्रूफिंग करवानी पड़ती है। यों तो इस प्रकार के बागों में ज्यादातर सजावट गमलों द्वारा की जाती है। फिर भी आप इस प्रकार के बागों में किसी विशेषज्ञ की सलाह लेकर घास व बेलें भी उगा सकते हैं।

छत पर लगा सकते हैं टैरेस गार्डन

किचन गार्डन

वास्तव में किचन गार्डन ग्रहणियों के लिए ही तैयार किया जाता है, जिसमें धनिए की पत्ती, हरी मिर्च, सलाद के पत्तों से लेकर कद्दू, कुम्हड़े और आलू और प्याज तक उगाया जा सकता है।

किचन गार्डन में ताजा सब्जियां

रॉक गार्डन

वास्तव में रॉक गार्डन की अपनी ही छटा होती है। यह बाग बिना किसी नियम के छोटे-बड़े पत्थरों को अच्छी तरह से जमाकर बनाया जाता है। इस प्रकार के बागों को लगाने में हमारा लक्ष्य प्रकृति की नकल करना होता है। इस प्रकार के बागों में आप छोटे छितरे पत्तों वाली झाड़ियां, गोलाकार कैक्टस, बेलें व अनेक प्रकार के फूल उगा सकते हैं।

रॉक गार्डन में फूलों की बहार

स्पेशलिटी गार्डन

जैसा कि नाम से ही जाहिर है कि ये बाग कुछ अलग किस्म के होते हैं। इनमें से कुछ हैं——

- टैरेस गार्डन
- सेंटेड गार्डन
- विण्डो बाक्स

इस प्रकार के बागों में आप फूलों से लेकर मनमोहक झाड़ियां व बेलें तक उगा सकते हैं।

अपने घर में लगाएं विशेष प्रकार का गार्डन

बैग गार्डन

इस प्रकार के बागों में जमीन के प्राकृतिक कटाव के साथ कोई छेड़छाड़ नहीं की जाती।

कहने का तात्पर्य यह है कि इस प्रकार के बाग जमीन की प्राकृतिक ऊंचाई नीचाई पर सूझबूझ से इस प्रकार लगाए जाते हैं कि बाग प्रकृति के बेहद करीब दिखाई दे।

प्राकृतिक लगते हैं बैग गार्डन

वाटर गार्डन

वाटर गार्डन हमेशा सुंदर, आकर्षक तथा मन की शांति देने वाला होता है। यह बाग कृत्रिम तालाब व झील में बनाया जाता है। इस प्रकार के बागों में आप तरह-तरह के फूल व पौधे उगा सकते हैं।

हमेशा सुंदर, आकर्षक व मन को शांत करता है वाटर गार्डन

वाइल्ड गार्डन

यदि आपके पास बाग लगाने के लिए लम्बी-चौड़ी जगह है तो आप वाइल्ड गार्डन का निर्माण बड़ी आसानी से कर सकते हैं। जैसा कि नाम से ही जाहिर है कि यह बाग जंगल का-सा आभास देता है। इसमें पेड़-पौधे, झाड़ियों

काफी जगह में फैला होता है वाइल्ड गार्डन

व फूलों को कुछ इस प्रकार से लगाया जाता है जिससे वे बेतरतीब दिखाई दें और जंगल का-सा आभास दें। इस प्रकार के बागों में कहीं भी सुंदर क्यारी नहीं होती। इस प्रकार के बागों में घास को भी काफी लम्बाई तक बढ़ने दिया जाता है।

बाग लगाने के नियम

यों तो बाग किसी भी ढंग से लगाए जा सकते हैं लेकिन नियोजित ढंग से बाग लगाने से कम स्थान पर अधिक संख्या में फूल व अन्य पेड़-पौधे उगाए जा सकते हैं।

लीजिए प्रस्तुत हैं बाग को बेहतर ढंग से लगाने के कुछ नियम—

1. बाग को लगाने से पहले आपको उसकी अच्छी तरह से रूपरेखा तैयार कर लेनी चाहिए कि कहां कौन सा फूल उगाना है और कहां कौन-सा पौधा लगाना है।
2. बेहतर होगा कि आप अपने मन में बाग की सोची गई रूपरेखा को नक्शे के रूप में एक कागज पर उतार लें। इस नक्शे पर आप सभी दिशाओं को अवश्य अंकित करें। इस नक्शे पर आप यह भी अंकित करें कि आपने गमले कहां रखने हैं, लताएं तथा बेलें कहां लगानी हैं, घास तथा झाड़ियां कहां लगानी हैं और बीजों की छोटी क्यारियां कहां बनानी हैं।
3. यदि आप अपने बाग की बैक ग्राउंड को हमेशा हरा-भरा रखना चाहते हैं तो इसके लिए आपको करोटन, गुड़हल, बोगनविला तथा अपराजिता जैसे पौधों का चुनाव करना चाहिए।
4. यदि आप अपने बाग के किसी विशेष हिस्से में प्राइवेसी जैसा माहौल रखना चाहते हैं तो वहां आपको झाड़ियों की दीवार या लता कुंज की व्यवस्था करनी चाहिए।
5. यदि आप अपने बाग के किसी विशेष हिस्से में भिन्न-भिन्न रंगों के पौधे लगाकर कंट्रास्ट पैदा करना चाहते हैं तो इसके लिए आप उन पौधों का चुनाव करें जिनके पत्ते रंग-बिरंगे होते हैं। यदि आप फूलों द्वारा कंट्रास्ट पैदा करना चाहते हैं तो इसके लिए आप भांति-भांति के फूल विशिष्ट जगह में लगा सकते हैं।
6. अपने बाग की योजना आपको कुछ ऐसी बनानी चाहिए जो आपको दिली-तसल्ली दे न कि आने वाले दिनों में कोई बखेड़ा करें। मान लीजिए कि आपने अपने बाग में दीवार के साथ एक आम का वृक्ष बोया। यह वृक्ष आने वाले दिनों में फल-फूलकर बड़ा होगा और उसकी जड़ें आपके फर्श

में दरारें अवश्य डालेंगी। इसी तरह खिड़की से सटाकर रखे गए हरसिंगार के गमले आए दिन आपके घर में कीड़ों को आमंत्रित करेंगे।

कहने का तात्पर्य यह है कि आपके द्वारा बनाया गया सही कार्यकारी प्लान ही आपके बाग का बेहतर ढांचा है।

पुराने बाग को नए ढंग से बनाने के कुछ सुझाव

पुराने बाग को नया बनाने के काम में सबसे ज्यादा धीरज की आवश्यकता होती है। एक दिन में आप अपने पुराने बाग को नया नहीं कर सकते। पुराने बाग या वाटिकाएं कितनी ही सड़ी-गली शैली पर बने हों, उनके बहुत से पेड़ ऐसे होते हैं जो अपनी जड़ें गहराई तक जमा लेते हैं तथा जिन्हें एकदम उखाड़ना आर्थिक दृष्टि से ठीक नहीं होता। आपने अपने बाग की भले ही कितनी उपेक्षा क्यों न कर रखी हो लेकिन उसकी बहुत-सी चीजें आपके बाग को नया बनाने के काम आ सकती हैं।

यहां हम कुछ ऐसे सुझाव दे रहे हैं, जिन्हें अपनाने के बाद आप अपने पुराने बाग को कुछ ही दिनों में नया बना सकते हैं।

- सबसे पहले आप अपने पुराने बाग के बेकार घासपात, जो पौधों तथा पेड़ों के इधर-उधर उपेक्षा से जम गया है, उखाड़कर फेंक दीजिए और अपने बाग को इतना साफ-सुथरा बना लीजिए कि कोई भी इसे पुराने ढंग का बाग न कह सके।
- ऐसे पेड़-पौधों की सूची अवश्य बनाइए जो कांट-छांट से ठीक नहीं हो सकते और जिन्हें आप दुबारा नहीं लगाना चाहते।
- जो पेड़-पौधे काट-छांट द्वारा ठीक हो सकते हैं, उनकी काट-छांट अवश्य करिए लेकिन काट-छांट करते समय इस बात का ध्यान आप अवश्य रखिए कि जिन पौधों के स्वभाव को आप अच्छी तरह नहीं समझते उनके कोमल भागों पर हरगिज आघात न पहुंचे।
- आपके बाग में जो चीजें उगी हुई हैं उनकी पहचान अवश्य कीजिए। जिन चीजों को आप पहचानने में असमर्थ हैं, उसकी पहचान के लिए आप किसी बाग विशेषज्ञ की सलाह लीजिए ताकि बेकार चीजों की काट-छांट में आपको व्यर्थ की परेशानियों का सामना न करना पड़े।
- जिन पौधों तथा फूलों को कीड़े अथवा कोई रोग लग गया हो, उसका इलाज अवश्य करें।
- पुराने बाग के बहुत से पौधों की कलमें बांधकर भी आप उनका फायदा उठा सकते हैं। साल-छः महीने में बहुत से ऐसे पौधे तैयार हो जाते हैं जो मूल्यवान होने के साथ-साथ आपके नए बाग में भी चार चांद लगा देते हैं।

● इतना सब कुछ करने के बाद आप अपने बाग की वर्तमान योजना बनाएं तथा विशेषज्ञों से सलाह अवश्य लें।

इस प्रकार आपके पुराने बाग का मूल्य भी नष्ट नहीं होगा और आपको एक सुव्यवस्थित नया बाग बनाने में आसानी होगी।

बागों के कुछ स्केच

यहां हम कुछ बागों के स्केच दे रहे हैं जिन्हें आदर्श मानकर आप अपने बाग की योजना ठीक ढंग से कर सकते हैं।

बड़े बाग का स्केच

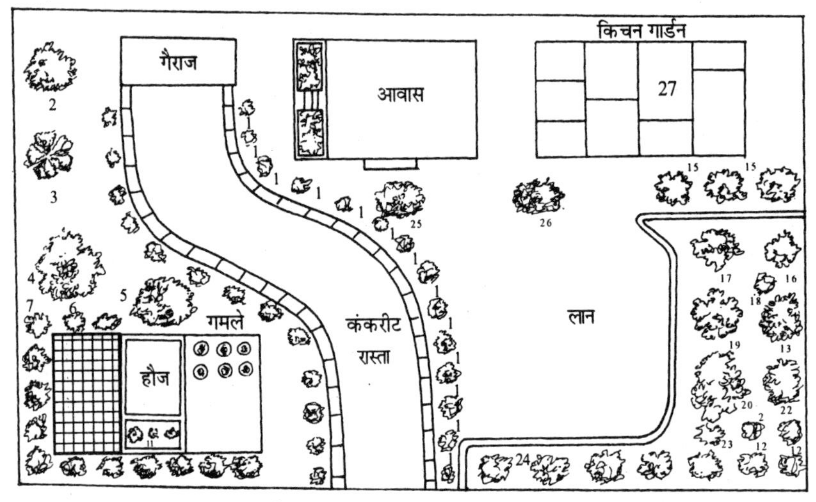

वाटर गार्डन का स्केच

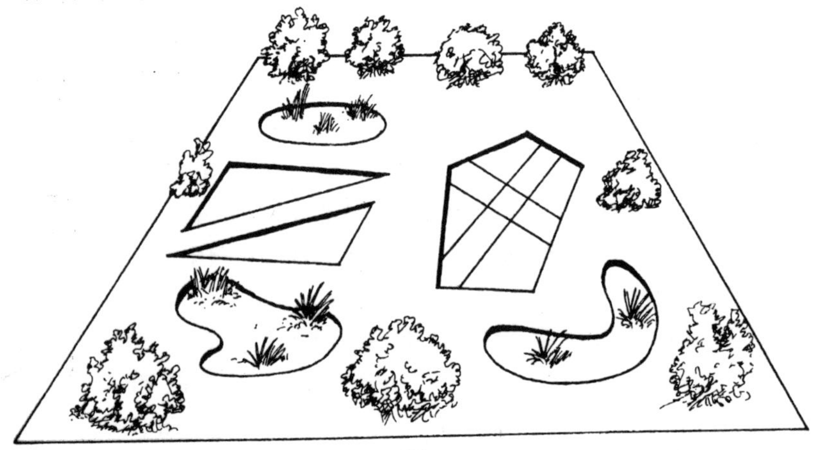

छोटे बाग का स्केच

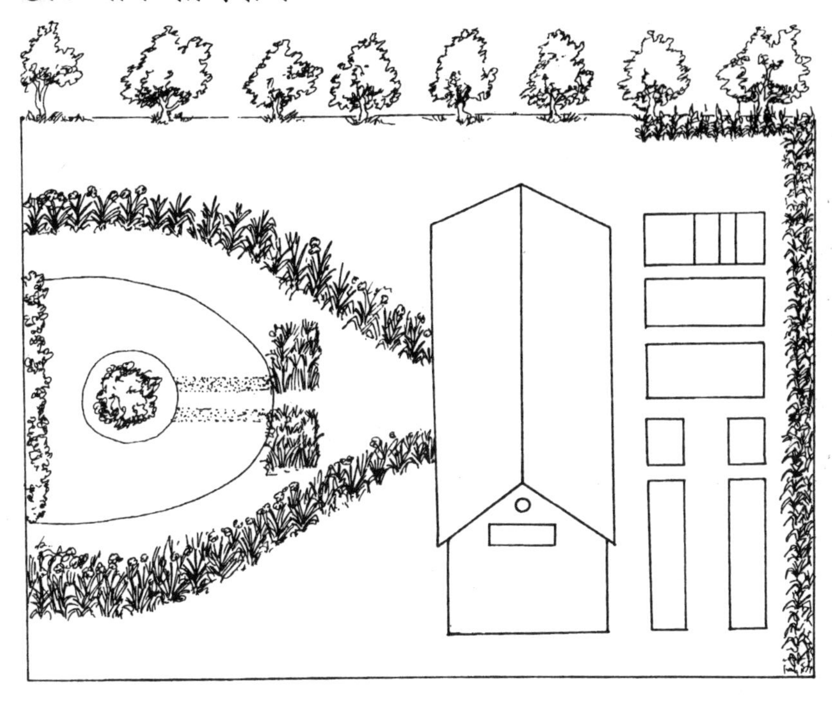

किचन गार्डन

बागबानी के विभिन्न उपकरण

बागबानी के लिए खाद, बीज और पानी के साथ-साथ कुछ उपयोगी उपकरणों की भी जरूरत पड़ती है। जिनकी सूची कुछ इस प्रकार है——

- कीटनाशक दवाएं छिड़कने वाला पंप (ब्रास हैंड स्प्रेयर)
- सिंचाई का फव्वारा (वाटर केन)
- घास की किनारी काटने वाला कटर (साइड ग्रास सीजर)
- फावड़ा, कुल्हाड़ी, सींकी,
- खुरपा, बेलचा, कुदाल, हंसिया, आरी, बसूला
- टोका (बिल हुक्स)
- खुरपी
- खुदाई कांटा (वीडिंग फोर्क)
- बाड़ काटने की कतरनी या कैंची (हेज सीजर)
- खुदाई और गुड़ाई करने वाली कन्नी (वीडिंग ट्रोवल स्माल)
- दंत्ताली (गार्डन रेक)
- बोनसाई टूल किट
- खरपतवार निकालने वाली कन्नी (वीडिंग ट्रोवल)
- गुलाब काटने का कटर (प्रूनिंग सिकेटियर)
- पत्ते व कांटे बटोरने का यंत्र (कल्टीवेटर हैड), होज पाइप
- एल्यूमिनियम का कांटा (एल्यूमिनियम फोर्क)
- टहनियों के कांटे बटोरने का यंत्र (ग्रिडलिंग सीजर्स कम प्लायर्स)
- घूमने वाली टोंटी (रोटेट नोजल)
- प्लास्टिक का घूमने वाला फव्वारा (प्लास्टिक स्प्रिंकलर)
- गुलाब की चश्माबंदी करने का चाकू (ग्राफ्टिंग राड बडिंग नाइफ)
- छिड़काव के लिए घूमने वाला फव्वारा (स्प्रिंकलर कम फाउंटेन)
- दो पहियों वाली ठेलागाड़ी (व्हील बैरो)
- गरारी वाली घास काटने की मशीन (रोलर मूवर-गीयर टाइप)
- पहियों वाली घास काटने की मशीन (साइड व्हील मूवर-इंगलिश टाइप)
- लकड़ी का हथौड़ा (मैलेट)

कीटनाशक दवाएं छिड़कने वाला पंप

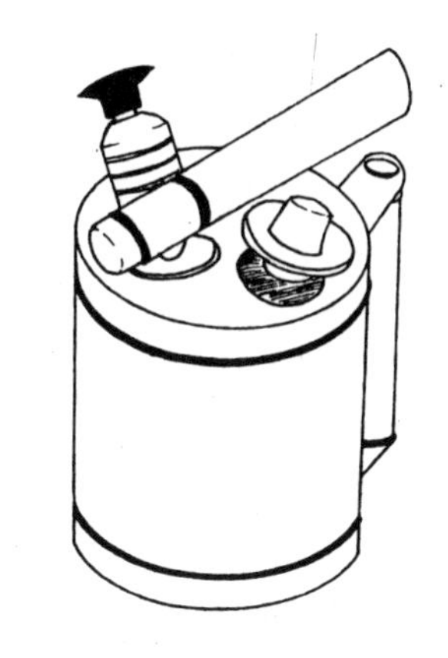

इस पंप की बॉडी व अन्य सभी पार्ट्स पीतल के बने होते हैं। इस पंप को बड़ी आसानी से उपयोग में लाया जा सकता है। यह पम्प कीट-पतंगों व अन्य कीड़ों को नष्ट करने के लिए इस्तेमाल में लाया जाता है। ये पम्प 1.5 लीटर, 3.5 लीटर तथा 6 लीटर की क्षमता में मिलते हैं।

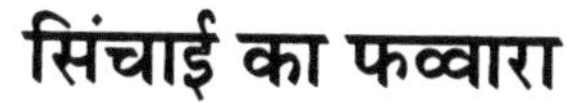

सिंचाई का फव्वारा

इस फव्वारे का उपयोग घर के गमलों, बगीचों व क्यारियों में पानी के छिड़काव के लिए किया जाता है। ये फव्वारे टीन की चादर के अलावा प्लास्टिक के भी बने मिलते हैं। इस फव्वारे में पानी की क्षमता 5 व 12 लीटर की होती है।

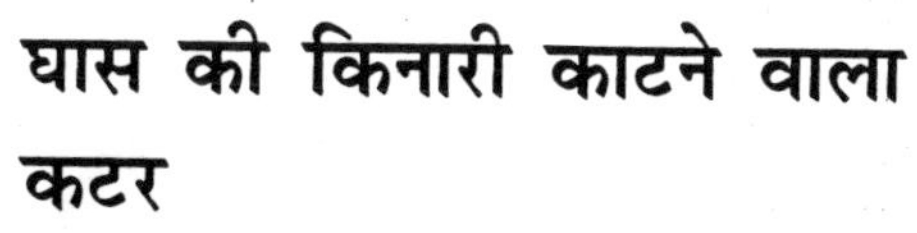

घास की किनारी काटने वाला कटर

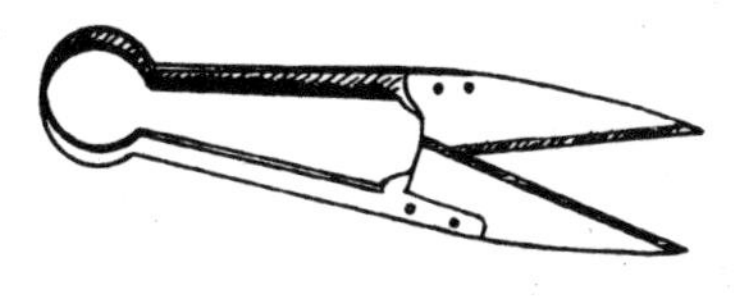

यह कटर मुख्यत: आरे के ब्लेड का बना होता है। जहां घास काटने वाली मशीन काम नहीं करती, वहां इसका इस्तेमाल किया जाता है। इसकी लम्बाई 13" से 15" तक होती है।

फावड़ा

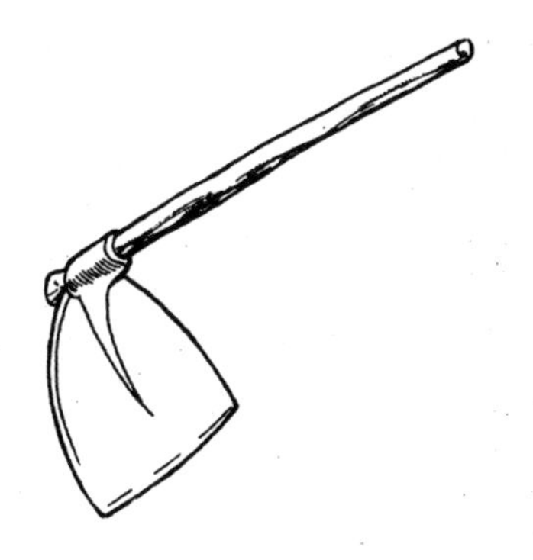

बागबानी में फावड़ा मुख्यत: खुदाई करने, क्यारी बनाने तथा मेंड़ बनाने के काम आता है। इसमें लोहे का 25 से.मी. चौड़ा फाल (फल) लकड़ी के दस्ते में लगा होता है। फाल का पिछला भाग भारी तथा अगला भाग पैना होता है।

कुल्हाड़ी

इसका इस्तेमाल पेड़ों की टहनियां काटने व लकड़ी फाड़ने के लिए किया जाता है।

सींकी

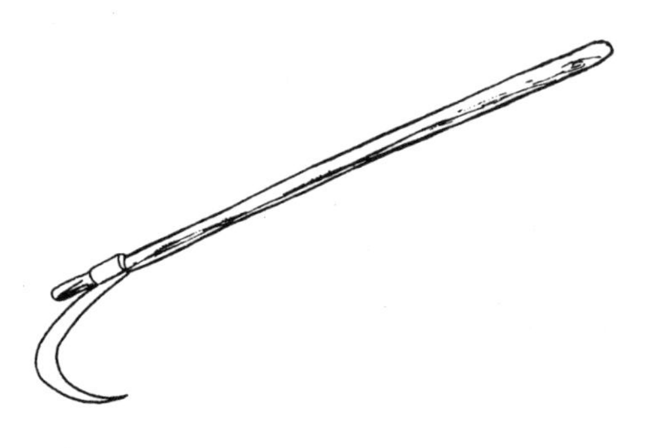

सींकी लाठी का बना होता है। इसके ऊपर हंसिए के आकार का फलका लगा होता है।

यह ऊंचे पेड़ों से बिना चढ़े फल उतारने के काम आता है।

खुरपा

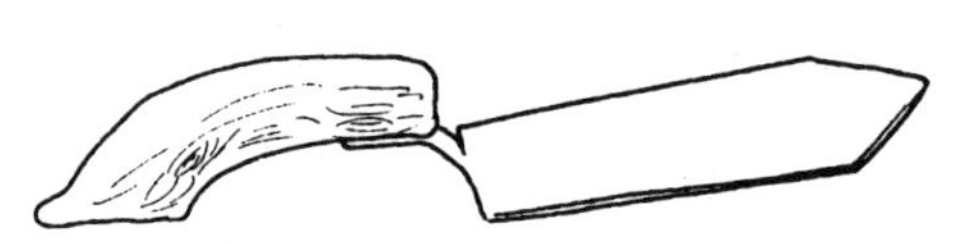

यह खुरपा लोहे की कमानी का बना होता है। इसका हैंडल लकड़ी का बना होता है। घर की बगिया में जहां घास की कटाई मशीनों से नहीं होती वहां इसका इस्तेमाल किया जाता है।

बेलचा

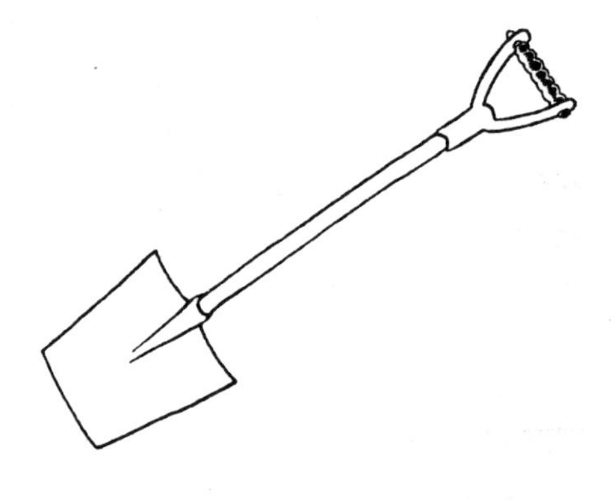

यह एक डंडा होता है जिसमें ऊपर पकड़ने के लिए हैंडिल लगा होता है तथा नीचे बेलचा। यह मिट्टी उठाने व पलटने के काम आता है।

कुदाल

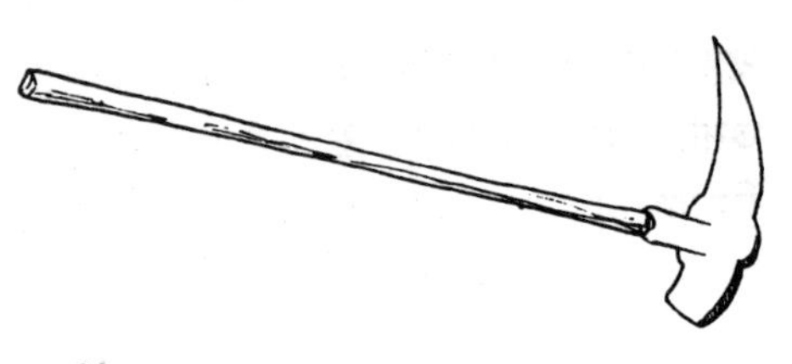

यह कड़ी धरती खोदने के काम आती है।

हंसिया

यह बड़ी बड़ी घास साग-सब्जी व फसल काटने के काम आता है।

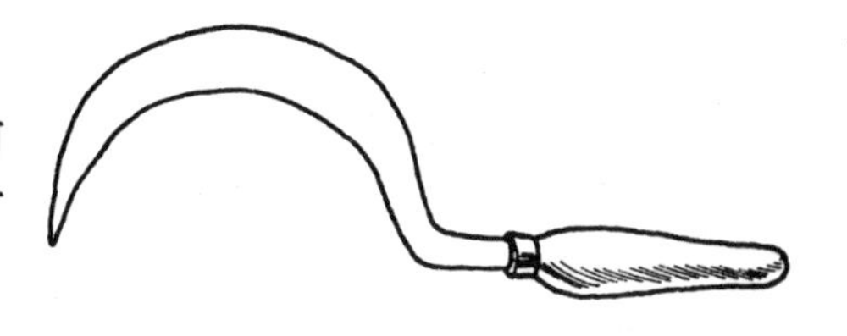

आरी

आमतौर पर यह आरी की तरह सीधी व तलवार की तरह धनुषाकार होती है। यह मोटी-मोटी शाखाओं को काटने के काम में लाई जाती है।

बसूला

यह लकड़ी को छीलने तथा उसकी नोंक बनाने के काम आता है।

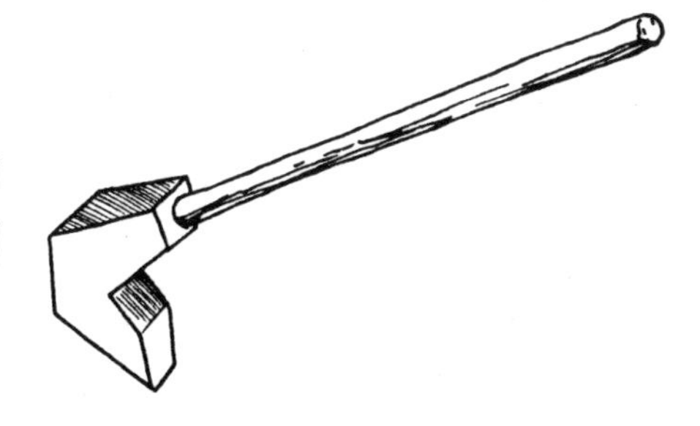

टोका

पेड़ की मोटी डालियों को काटने के लिए प्रायः टोके का इस्तेमाल किया जाता है। इसका ब्लेड कार्बन स्टील का तथा हत्था लकड़ी का बना होता है।

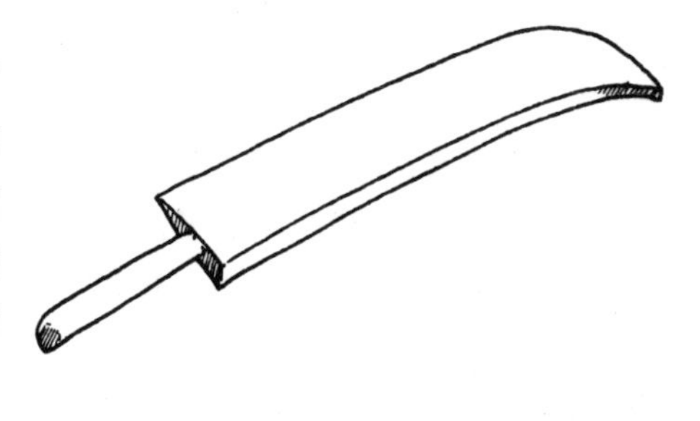

खुरपी

खुरपी गमलों में मिट्टी भरने व निकालने के काम आती है। यह एल्यूमिनियम या लोहे की बनी होती है तथा कई साइजों में मिलती है।

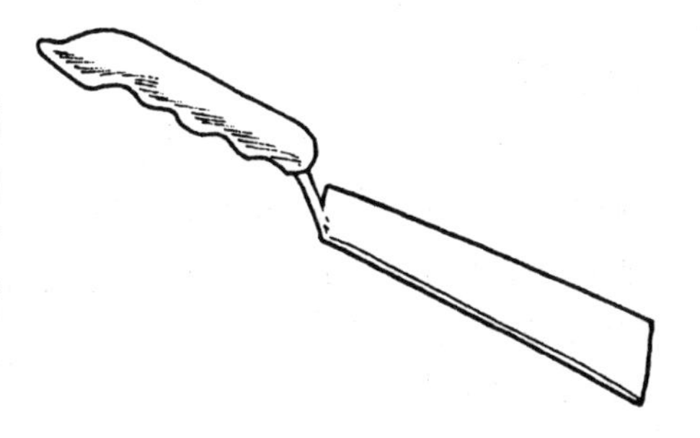

खुदाई कांटा

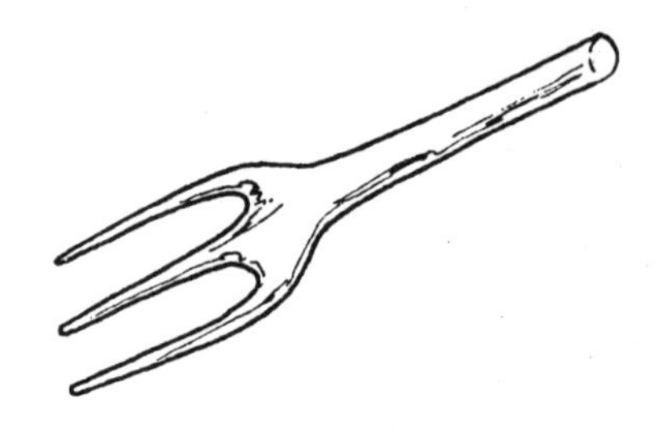

यह कांटा हर प्रकार के गमलों में मिट्टी की खुदाई और गुड़ाई के काम आता है। इसके दांत लोहे के बने होते हैं तथा हैंडल प्लास्टिक का बना होता है।

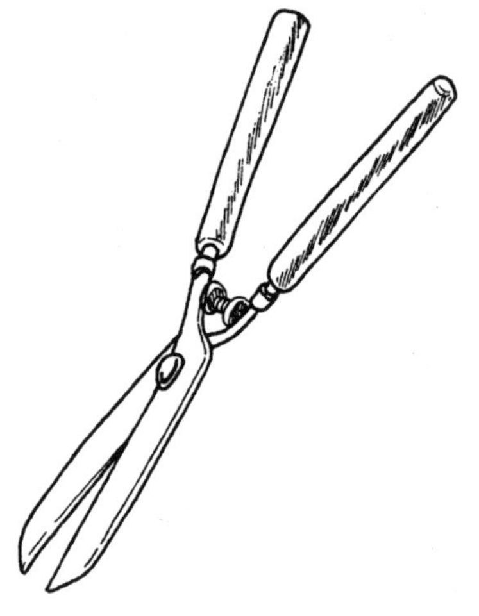

बाड़ काटने की कतरनी या कैंची

कैंची के आकार की इस कतरनी के दोनों ब्लेड कार्बन स्टील के बने होते हैं तथा हैंडल लकड़ी का बना होता है। यह कतरनी प्राय: 6" 8" 10" व 12" के साइज की होती है। यह बेलों व झाड़ियों को सही आकार देने के काम में लाई जाती है।

खुदाई-गुड़ाई करने वाली कन्नी

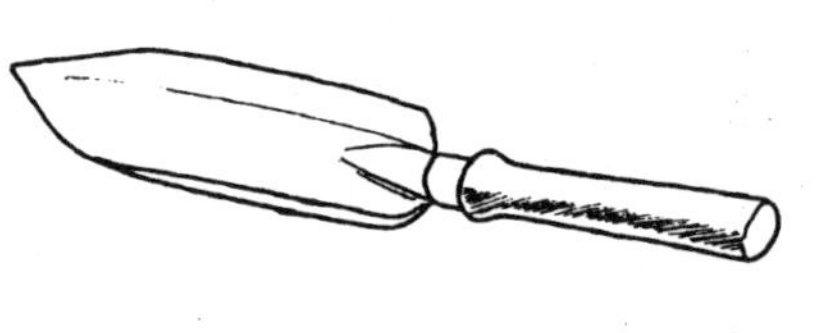

इस कन्नी का ब्लेड स्टील का तथा हैंडल लकड़ी का बना होता है। यह घर की क्यारियों में तथा गमलों में खुदाई व गुड़ाई के काम आती है। इसका छोटा आकार प्राय: 6" गुणा 2" का होता है।

दंत्ताली

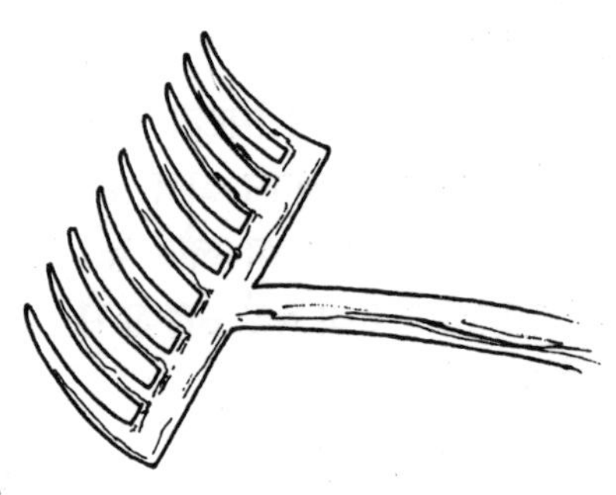

दंताली लोहे की बनी होती है तथा इसका हैंडल लकड़ी का बना होता है। यह बगीचों में कूड़ा-करकट, सूखे पत्ते बटोरने के काम आती है। यह छोटे-बड़े कई साइजों में मिलती है।

बोनसाई टूल किट

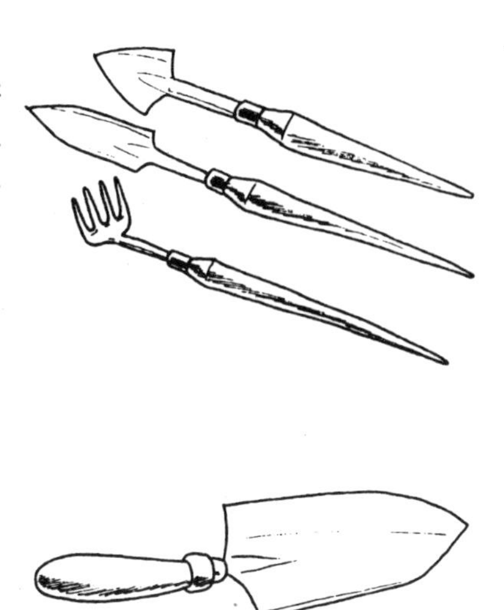

यह एक किट होती है। यह बोनसाई शैली में तैयार किए जाने वाले फूलों को सजाने व संवारने के लिए इस्तेमाल में लाई जाती है। इस किट में तीन उपयोगी यंत्र होते हैं, जिन्हें आप आवश्यकता के अनुसार उपयोग में ला सकते हैं।

खरपतवार निकालने की कन्नी

इस कन्नी का ब्लेड स्टील का तथा हैंडल प्लास्टिक का बना होता है। यह कोठी व बंगलों के लान में खुदाई व गुड़ाई के काम आती है। यह 3 व 6 इंच की होती है।

गुलाब काटने का कटर

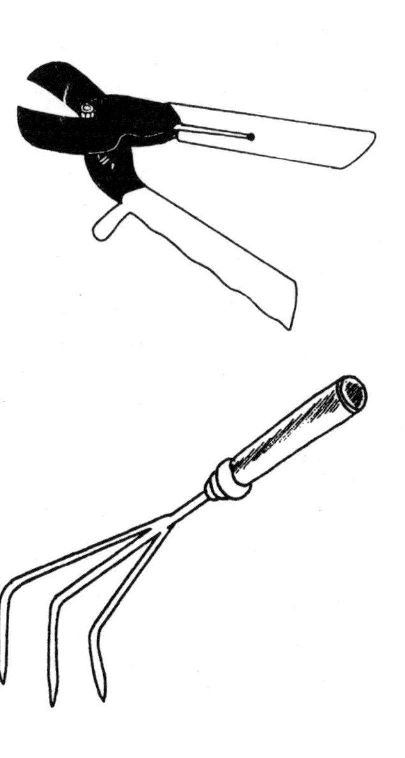

इस यंत्र की सहायता से आप गुलाब व अन्य फूलों की टहनियों को बड़ी आसानी से काट सकते हैं। इसका ब्लेड कार्बन स्टील का बना होता है। यह कटर प्राय 8 इंच लम्बा होता है।

पत्ते व कांटे बटोरने का यंत्र

हाथों की 5 उंगलियों के आकार वाले इस यंत्र का हत्था प्लास्टिक का तथा अगला हिस्सा लोहे का बना होता है। बगीचे में जहां पत्ते और कांटे इस तरह से बिखरे पड़े हों कि उन्हें हाथ से बटोरने में हाथ के जख्मी हो जाने का भय हो यह यंत्र वहां इस्तेमाल में लाया जाता है।

आमतौर पर इस यंत्र का साइज 6" गुणा 4" होता है।

हौज पाइप

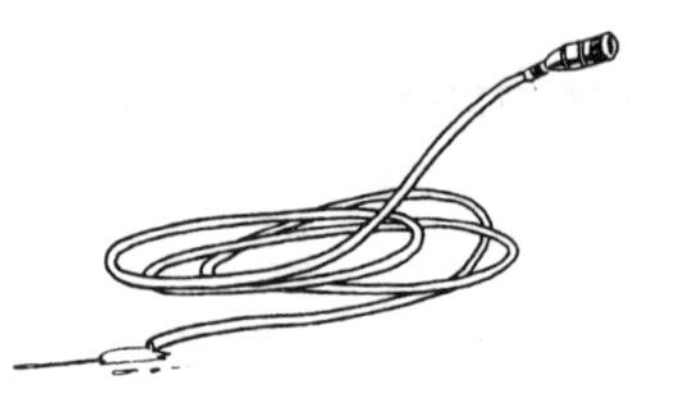

हौज पाइप प्लास्टिक या रबड़ का बना होता है। यह बगीचे में पानी देने के काम आता है। इसे इस्तेमाल करते वक्त इसका एक सिरा नल में लगा देते हैं तथा दूसरे सिरे को पकड़कर क्यारियों व गमलों में पानी दिया जा सकता है।

एल्यूमिनियम का कांटा

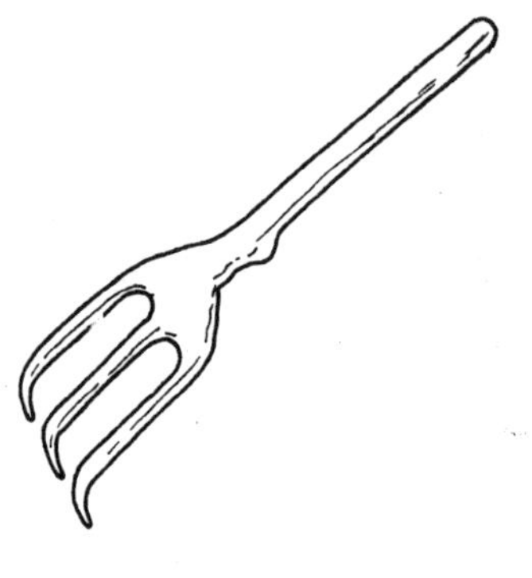

इस कांटे की बनावट हाथ की उंगलियों जैसी होती है। बगीचे की क्यारियों में जहां ज्यादा कांटे होते हैं तथा उन कांटों से हाथों के छिलने या कांटा चुभने का भय रहता है यह कांटा वहां इस्तेमाल में लाया जाता है। यह कांटा एल्यूमिनियम का बना होता है। जिस पर जंग नहीं लगता।

टहनियों के कांटे हटाने वाला यंत्र

जिस प्रकार जमूर की मदद से खोखली दाढ़ों या बेकार दांतों को हटाया जाता है ठीक उसी तरह यह यंत्र टहनियों पर लगे कांटों को टहनियों को नुकसान पहुंचाए बिना, टहनियों से अलग कर देता है। इस यंत्र के ब्लेड इतने सख्त होते हैं कि ये कठोर कांटों को भी टहनियों से अलग कर देते हैं। प्रायः इस यंत्र की लम्बाई 4.5" होती है।

घूमने वाली टोंटी

यह नोजल यानी टोंटी प्लास्टिक की बनी होती है। यह आसानी से एडजस्ट भी की जा सकती है। इस टोंटी को पाइप के सिरे पर लगाकर आप मनचाही दिशा में पानी को धार व फव्वारे के रूप में छोड़ सकते हैं। यदि पीछे से पानी का प्रेशर ठीक हो तो यह यंत्र बेहतर तौर पर कार्य करता है।

प्लास्टिक का घूमने वाला फव्वारा

यह फव्वारा पानी वाली रबड़ टयूब से कार्य करता है। इसमें 1/2" से 1" तक का रबड़ पाइप लगाया जाता है। यह फव्वारा 10 से 15 फुट की दूरी तक पानी को बारिश की तरह फेंकता है।

गुलाब की चशमाबंदी करने का चाकू

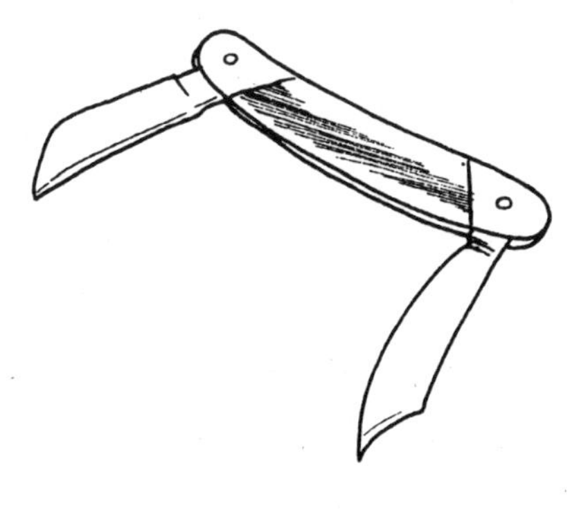

इस चाकू का इस्तेमाल गुलाब व ऐसे ही फूलों की कलम को सही आकार देने के लिए प्रयोग में लाया जाता है। इस चाकू में 2.5" वाले कार्बन स्टील के दो ब्लेड लगे होते हैं तथा इसका हत्था बांस या सींगों का बना होता है।

छिड़काव हेतु घूमने वाला फव्वारा

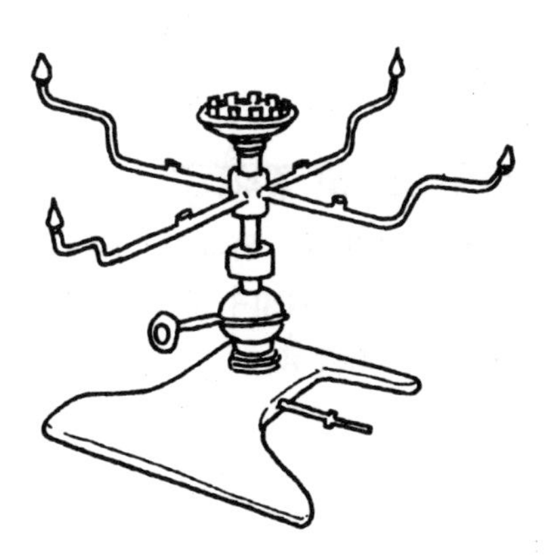

पानी के छिड़काव का घूमने वाला यह फव्वारा पीतल का बना होता है। इसमें लगी पाइप के छेदों से निकला पानी चारों तरफ फुहारें छोड़ता है। ये फव्वारे कई साइजों में मिलते हैं।

दो पहियों वाली ठेलागाड़ी

हस्तचालित यह ठेलागाड़ी बाग-बगीचों में खाद भरकर ले जाने या वहां के कूड़ा-करकट, घास, पत्ते आदि को इकट्ठा कर कहीं अन्यंत्र ले जाने के लिए इस्तेमाल में लाई जाती है।

गरारी वाली घास काटने की मशीन

यह मशीन मुख्यत: गोल्फ ग्राउंड व क्रिकेट ग्राउंड में घास काटने के काम आती है। यह मशीन बड़ी तेजी से काम करती है और आसानी से चलाई जा सकती है।

पहियों वाली घास काटने की मशीन

इस मशीन की बॉडी कास्ट आयरन की बनी होती है। इस मशीन में दो पहिए लगे होते हैं और इसके हैंडल को सुविधानुसार छोटा-बड़ा किया जा सकता है। यह मशीन सामान्य घर के बगीचों की घास काटने के काम आती है। माली न हो तो इस मशीन को घर के लोग भी चला सकते हैं। यह मशीन 12", 14" व 16" के साइजों में मिलती है।

लकड़ी का हथौड़ा

बागबानी में लकड़ी का हथौड़ा शाखा-टहनी बिठाने के लिए इस्तेमाल में लाया जाता है।

बागबानी के लिए आवश्यक तत्त्व

मिट्टी

जैसा कि आप जानते ही हैं कि प्रत्येक फल-फूल अथवा साग-सब्जी धरती पर ही उत्पन्न होती है। मिट्टी के आधार पर ही हम विभिन्न प्रकार की उपजें प्राप्त करते हैं। जिस प्रकार आलू हर किस्म की मिट्टी में पैदा नहीं होता, उसी प्रकार चाय की फसल के लिए अलग किस्म की मिट्टी की आवश्यकता होती है। किंतु कुछ ऐसी उपजें होती हैं जो प्रत्येक किस्म की मिट्टी में सहजता से उगाई जा सकती हैं।

तो आइए, सबसे पहले हम भारत की मिट्टी के प्रकारों को जानने का प्रयास करते हैं।

हमारे देश भारत में जो मिट्टियां पाई जाती हैं उनके नाम हैं—

1. जलोढ़ मिट्टी
2. लेटराइट मिट्टी
3. लाल मिट्टी
4. काली मिट्टी

जलोढ़ मिट्टी

यह मिट्टी बेहद उपजाऊ होती है और नदियों के माध्यम से बनती है। नदियां अपने पानी के साथ जो महीन और चिकनी मिट्टी बहाकर तटों पर छोड़ जाती हैं, उस क्षेत्र की मिट्टी जलोढ़ का रूप धारण कर लेती है। इस प्रकार की मिट्टी गांगेय क्षेत्र में बहुतायत में पाई जाती है, जो सर्वाधिक उर्वर है।

लेटराइट मिट्टी

यह मिट्टी अधिक उपजाऊ नहीं होती। यह मिट्टी भारत के मध्यवर्ती पठारों और पश्चिमी घाट के पर्वतीय क्षेत्रों में विशेष रूप से पाई जाती है। दरअसल इस मिट्टी में जो उर्वरता होती है उसे वर्षा का पानी अपने साथ बहाकर ले जाता है। इसी वजह से यह मिट्टी अधिक उपज पैदा नहीं कर पाती।

लाल मिट्टी

यह मिट्टी भी अधिक उर्वर नहीं होती। यह मिटटी भारत के दक्षिणी तथा पूर्वी इलाकों के उन क्षेत्रों में पाई जाती है, जो उष्ण और शुष्क होते हैं। इस मिट्टी का निर्माण वहां के स्फटिकपूर्ण आग्नेय शैलों से होता है।

इस मिट्टी में रासायनिक खादों का प्रयोग किया जाए तो यह उपजाऊ हो जाती है।

काली मिट्टी

यह मिट्टी उपजाऊ होती है। इसका निर्माण ज्वालामुखी के लावे से होता है। इसमें आर्द्रता भी अपेक्षाकृत अधिक होती है, जो इसे उपजाऊ बनाती है। यह मिट्टी गुजरात, महाराष्ट्र व मध्य प्रदेश के इलाकों में पाई जाती है।

स्थिति के आधार पर मिट्टी का वर्गीकरण

स्थिति के आधार पर मिट्टी का वर्गीकरण निम्न रूप से किया जा सकता है।

न्याई या गोरा

यह मिट्टी बहुत उपजाऊ होती है तथा गांव की आबादी के नजदीक पाई जाती है। इस मिट्टी में मल-मूत्र पर्याप्त मात्रा में पाया जाता है। साग-सब्जियों के लिए यह मिट्टी सर्वश्रेष्ठ होती है।

सैलाबा

सैलाबा उस स्थान की मिट्टी को कहते हैं, जहां नदियों का अथवा बाढ़ का पानी आ जाता है।

वेट या खादर

पंजाब में नदियों के पास की भूमि को वेट कहा जाता है, जबकि गंगा यमुना, चंबल आदि नदियों के आसपास की मिट्टी को खादर कहते हैं।

सिंचाई के आधार पर मिट्टी का वर्गीकरण

नहरी

जिस भूमि की सिंचाई नहरों द्वारा की जाती है, उस मिट्टी को नहरी कहा जाता है।

गाही

जिस भूमि की सिंचाई कुओं या नलकूपों द्वारा की जाती है वहां की मिट्टी गाही के नाम से जानी जाती है।

मारू

जिस भूमि की सिंचाई वर्षा पर निर्भर होती है, वहां की मिट्टी को बरानी या मारू कहा जाता है।

रासायनिक संघटन के आधार पर मिट्टी का वर्गीकरण

रासायनिक संघटन के आधार पर मिट्टी का वर्गीकरण कुछ इस प्रकार किया जा सकता है—

कल्लर या रेह

यह मिट्टी क्षारीय होती है तथा इसमें लवणों की मात्रा बहुत अधिक होती है। इस मिट्टी को ऊसर भी कहा जाता है। फल-फूल और साग-सब्जियों के लिए यह मिट्टी उपयुक्त नहीं मानी जाती, क्योंकि इसमें वायु के प्रश्वसन का अभाव होता है।

चूने वाली मिट्टी

इस प्रकार की मिट्टी में कैल्शियम कार्बोनेट की मात्रा अधिक होती है।

पीट

इस मिट्टी का रंग काला होता है। मिट्टी में कार्बनिक तत्त्व अधिक मात्रा में पाए जाते हैं। यह मिट्टी तालाबों, झीलों तथा जोहड़ों की तली में पाई जाती है।

जलवायु

बागबानी के लिए जलवायु का महत्त्व भी बहुत अधिक है। सफल बागबानी के लिए एक बागबान को जलवायु तथा उससे संबंधित अन्य अवस्थाओं का पूरा-पूरा ज्ञान अवश्य होना चाहिए। बीज के अंकुरण से लेकर पेड़ के फलने तक की सभी क्रियाएं इन अवस्थाओं पर निर्भर करती हैं। इन अवस्थाओं में थोड़ा सा भी फर्क आने पर पौधों पर काफी प्रभाव पड़ता है। पेड़ सब स्थानों पर नहीं लगाए जा सकते। बाग लगाने से पूर्व आपको उस क्षेत्र की जलवायु तथा अन्य परिस्थितियों का अध्ययन निम्नलिखित बातों को ध्यान में रखकर करना चाहिए।

तापक्रम

प्रत्येक पेड़ को भिन्न-भिन्न अवस्थाओं में अलग-अलग तापक्रम की आवश्यकता होती है। प्रत्येक क्रिया के लिए उच्चतम, मध्यम और न्यूनतम तापक्रम आवश्यक होता है। वास्तव में मध्यम तापक्रम होने पर वह क्रिया सुचारु रूप से होती है, जबकि उच्चतम से अधिक और न्यूनतम से नीचे तापक्रम होने पर पौधे की वृद्धि रुक जाती है। अत्याधिक विषमता होने पर पौधे की मृत्यु तक हो जाती है।

कली को खिलने के लिए साधारण से कुछ अधिक तापक्रम की आवश्यकता होती है इसलिए फूल गर्मियों के शुरू में खिलते हैं। तापक्रम की विषमता से बीज का अंकुरण, श्वासोच्छवासन क्रिया और प्रजनन क्रिया अत्याधिक प्रभावित होती है।

वर्षा

वर्षा की मात्रा के आधार पर भारतवर्ष में तीन प्रकार के क्षेत्र हैं—

पहला अनावृष्टि वाला। दूसरा, अतिवृष्टि वाला तथा तीसरा मध्यमवृष्टि वाला।

अनावृष्टि अर्थात कम वर्षा वाले क्षेत्रों में बाग लगाना कठिन कार्य होता है। पौधों को छोटी अवस्था में काफी जल की आवश्यकता होती है। ऐसे क्षेत्रों में पौधों को उनकी प्रारम्भिक दशा में भले ही कृत्रिम साधनों से जल दे दिया जाए, लेकिन बाद में उनकी वृद्धि रुक जाती है। ऐसे क्षेत्रों में फूल पूरी तरह से खिलने से पहले मुरझा जाते हैं तथा फल पकने से पहले ही गिर जाते हैं।

अतिवृष्टि अर्थात अधिक वर्षा वाले क्षेत्रों में यदि पानी पेड़ के आसपास इकट्ठा हो जाए तो उसका तना व जड़ें गल जाती हैं।

ऐसी स्थिति में मृदा में वायु संचार के रुकने से पेड़ की जड़ों को ऑक्सीजन नहीं मिल पाती, लिहाजा पेड़ की मृत्यु हो जाती है। अधिक वर्षा से मिट्टी का कटाव भी अधिक होता है और पौधों की जड़ें मिट्टी से बाहर आ जाती हैं।

मध्यमवृष्टि अर्थात मध्यम वर्षा वाले क्षेत्र फलोत्पादन के लिए उपयुक्त रहते हैं।

वन क्षेत्रों में पौधों को अपनी वृद्धि के लिए अनुकूल परिस्थितियां मिल जाती हैं, फलस्वरूप उपज भी अधिक होती है।

जिन क्षेत्रों में वर्षा समय पर नहीं होती या जिन क्षेत्रों में आवश्यकता से अधिक वर्षा होती है, वहां फलों के बाग लगाना हानिकारक होता है।

तेज हवाएं

तेज हवा से पेड़-पौधे गिर जाते हैं तथा मिट्टी का कटाव भी हो जाता है। मिट्टी एक स्थान से उड़कर दूसरे स्थान पर जमा हो जाती है। बारीक कणों के स्थानान्तरित होने से भूमि की उर्वरा शक्ति कम हो जाती है।

सबसे विकट समस्या तो तब होती है जब तेज हवाएं बहुत ठंडी अथवा बहुत गर्म होती हैं। अत्याधिक ठंड से पौधों के अंग ठिठुरने लगते हैं और उनकी सामान्य क्रियाएं शिथिल पड़ जाती हैं। अत्याधिक गर्म हवा से उत्स्वेदन क्रिया तीव्र हो जाती है। भूमि से पर्याप्त मात्रा में जल न मिलने के कारण पौधा मुरझा जाता है और अधिक देर तक ऐसी अवस्था में रहने पर मर भी जाता है।

पाला

पाले का प्रभाव खड़ी फसल पर ज्यादा होता है। ठंड से वृक्ष के अंकुर सिकुड़ जाते हैं। पाला जब ओले के रूप में पड़ता है तो और भी अधिक हानि करता है। पाले के आधार पर भारतवर्ष के क्षेत्रों को तीन वर्गों में बांटा जा सकता है।

शीत क्षेत्र

इस क्षेत्र में हिमाचल प्रदेश, कश्मीर तथा कुमाऊं की पहाड़ियों का क्षेत्र सम्मिलित है। सेब, बादाम, अखरोट, चैरी, खुमानी आलूचा आदि यहां के मुख्य फल हैं।

शीतोष्ण क्षेत्र

इस क्षेत्र में पंजाब, राजस्थान, मध्य प्रदेश, उत्तर प्रदेश, बिहार, बंगाल और असम के मैदानी भाग सम्मिलित हैं। संतरा, माल्टा, नींबू, अमरूद, लीची, फालसा, खजूर, बेर, आम, जामुन, केला तथा अंगूर यहां के मुख्य फल हैं।

उष्ण क्षेत्र

इस क्षेत्र की जलवायु ग्रीष्म ऋतु में गर्म और आर्द्र तथा शीत ऋतु में मध्यम होती है। गुजरात, महाराष्ट्र, केरल, उड़ीसा, आंध्र प्रदेश, मद्रास इत्यादि ऐसे क्षेत्र में सम्मिलित किए जा सकते हैं। आम, केला, नारियल, काजू अनानास और पपीता यहां के मुख्य फल हैं।

आर्द्रता

वातावरण का सामान्य से अधिक आर्द्र या नम होना रोग तथा

कीट-व्याधियों को आमंत्रित करता है। वातावरण में नमी से परागकणों की सक्रियता कम हो जाती है, जिहाजा परागकण अधपके रह जाते हैं।

कुछ फलदार वृक्षों के लिए नमी की अधिक आवश्यकता होती है। केला और कटहल को अपने विकास के लिए नमी की आवश्यकता पड़ती है जबकि सेब, आलूचा, आड़ू, चैरी आदि फलों को पकते समय नमी प्राप्त हो जाए तो ये पूरी तरह से पक नहीं पाते।

धूप

प्रकाश के बिना पौधों में प्रकाश संश्लेषण (Photosynthesis)की क्रिया सम्पन्न नहीं हो पाती, इसलिए पौधों के लिए प्रकाश की मात्रा बहुत ही आवश्यक है।

गैसें

साधारणतया वातावरण में कुछ गैसें विद्यमान रहती हैं, जिनमें ऑक्सीजन, कार्बन डाईआक्साइड, नाइट्रोजन, हाइड्रोजन तथा सल्फर डाई आक्साइड प्रमुख हैं। कार्बन डाई आक्साइड गैस जहां पौधे के भोजन का मुख्य अंग है, वहीं नाइट्रोजन गैस पौधे की जड़ों द्वारा ग्रहण की जाती है और यही गैस बाद में अन्य पदार्थों के साथ मिलकर प्रोटीन बन जाती है।

फैक्ट्रियों के आसपास हानिकारक गैसें विद्यमान रहती हैं जिनसे पौधे पूरी तरह से विकसित नहीं हो पाते, इसलिए फैक्ट्री के आसपास बाग लगाते समय बाग विशेषज्ञ से सलाह अवश्य लेनी चाहिए।

सिंचाई

पौधों को सदैव ही जल की आवश्यकता रहती है। पौधों का लगभग 80-95 प्रतिशत भाग जल ही होता है। जल के बिना पौधों की विभिन्न क्रियाएं उत्स्वेदन, भोजन बनाना, श्वासोच्छ्वासन आदि सम्पन्न नहीं हो सकतीं।

पौधों को उनकी आवश्यकतानुसार जल की मांग को कृत्रिम रूप से पूरा करने को सिंचाई कहते हैं। पौधे की जल की मांग को प्राकृतिक रूप में वर्षा जल तथा कृत्रिम साधनों में सिंचाई द्वारा पूरा किया जाता है।

प्राकृतिक जल

यह जल वर्षा से प्राप्त होता है। यह जल सिंचाई के लिए अच्छा होता है, किंतु पौधे इस जल का पूरा-पूरा उपयोग नहीं कर पाते, क्योंकि यह जल भूमि द्वारा सोख लिया जाता है। एक बागबान को प्राकृतिक जल पर आश्रित नहीं होना चाहिए क्योंकि बारिश का भरोसा नहीं होता।

कृत्रिम साधनों द्वारा

कृत्रिम साधनों द्वारा जल जिन स्रोतों से लेना पड़ता है वे हैं—तालाब, कुआं, नहर, नदी तथा नलकूप इत्यादि। इस जल में कई प्रकार के रासायनिक तत्त्व तथा गैसें घुली रहती हैं इसलिए यह जल क्षारीय अथवा अम्लीय होता है। जल में क्षारों अथवा अम्लों की अधिकता नहीं होनी चाहिए, क्योंकि ऐसे जल से पेड़ की बढ़वार रुक जाती है तथा भूमि कृषि के योग्य नहीं रहती। इसलिए यह आवश्यक है कि सिंचाई जल का परीक्षण कभी-कभी करवा लेना चाहिए।

सिंचाई के तरीके

यूं तो पौधों को जल किसी भी तरीके से दिया जा सकता है, फिर भी सिंचाई करने का मुख्य उद्देश्य यह होता है कि पौधों को नुकसान पहुंचाए बिना कम से कम पानी में ज्यादा से ज्यादा सींचा जा सके।

यहां हम सिंचाई के कुछ खास तरीके बता रहे हैं जिनकी मदद से आप पेड़ पौधों की बेहतर ढंग से सिंचाई कर सकते हैं—

- बहाव द्वारा
- बरहे बनाकर
- थावले बनाकर
- छिड़काव द्वारा
- भूमिगत विधि द्वारा

बहाव द्वारा

इस तरीके के अनुसार जल सारे खेत में भर दिया जाता है इसलिए सिंचाई शीघ्रता तथा सुविधा से हो जाती है। इस विधि को उपयोग में लाने के लिए सावधानियां बेहद जरूरी होती हैं। जैसे खेत का समतल होना, पानी के वेग का कम होना तथा मिट्टी का भुरभुरा होना।

यदि खेत समतल नहीं होगा तो पानी कहीं पर अधिक भर जाएगा, तो कहीं पर कम। ऐसी स्थिति में खाद एक स्थान से दूसरे स्थान पर चली जाएगी परिणामस्वरूप भूमि की उर्वरा शक्ति कम हो जाएगी। इस विधि में जल की मात्रा अधिक लगती है, इसलिए इस विधि का प्रचलन बहुत कम है।

बरहे बनाकर

इस विधि में पानी को मुख्य नाली से छोटी-छोटी नालियां बनाकर पौधों तक पहुंचाया जाता है। बरहे बनाकर सिंचाई करने से पानी की मात्रा तो कम लगती ही है, साथ-साथ श्रम भी अधिक नहीं लगता। लिहाजा सिंचाई के लिए यह विधि उत्तम है।

थावले बनाकर

इस विधि में पेड़ के चारों ओर गोलाकार थावला (Basin) बनाकर उसमें जल भर दिया जाता है।

यह थावला वर्गाकार भी बनाया जा सकता है। इस थावले का माप पेड़ के तने की मोटाई, उसकी जड़ों तथा शाखाओं के फैलाव और मृदा पर निर्भर करता है।

थावला बनाकर सिंचाई करने की विधि सबसे अच्छी है। इस विधि में जल की मात्रा कम लगती है तथा नालियां बनाने का व्यय भी बहुत कम होता है।

इस विधि से पेड़ को उचित मात्रा में जल की प्राप्ति भी हो जाती है तथा उसे भोजन तत्त्व भी अधिक मात्रा में मिल जाते हैं।

छिड़काव द्वारा

इस विधि में पेड़-पौधों की सिंचाई फव्वारे द्वारा की जाती है। इस विधि में जल की मात्रा बहुत कम लगती है, लेकिन समय अधिक लगता है। फिर भी कोमल पौधों की सिंचाई के लिए यह विधि बेहतर है।

भूमिगत विधि

इस विधि में सिंचाई के लिए जमीन के नीचे धातु की नलियां बिछाई जाती हैं, जिन पर नियत स्थानों पर ऊपर की ओर फव्वारे लगाए जाते हैं। इस विधि का प्रचलन विदेशों में अधिक है।

इस विधि द्वारा काफी बड़े क्षेत्र को थोड़े समय में सींचा जा सकता है। इस विधि में जल का पूर्णतया सदुपयोग होता है। समतल क्षेत्रों के लिए सिंचाई की यह विधि अति उत्तम है।

जल निकासी की सुविधा

सफल बागबानी के लिए जल निकासी की सुनियोजित व्यवस्था परमावश्यक है। बेहतर जल निकासी के लिए भूमि का ढलान जल निकासी नाली की ओर होना चाहिए। यदि अतिरिक्त पानी की निकासी नहीं होगी तो वह पौधों को हानि पहुंचाएगा।

खाद व उर्वरक

खाद : ये कार्बनिक पदार्थ होते हैं जो भूमि की उपजाऊ शक्ति बढ़ाते हैं तथा मिट्टी के पोषक तत्त्वों की पूर्ति करते हैं। खादें पौधों को नाइट्रोजन, फास्फोरस तथा पोटेशियम प्रदान करती हैं।

उर्वरक : वे कार्बनिक तथा अकार्बनिक पदार्थ जो पौधों को तत्काल पोषक पदार्थ प्रदान करते हैं, उर्वरक कहलाते हैं।

खादों का महत्त्व

- खादों द्वारा पौधों में प्रकाश संश्लेषण की क्रिया सुचारू रूप से चलती रहती है।
- खादों द्वारा मिट्टी की जल धारण शक्ति बढ़ जाती है।
- खादों द्वारा पौधों का उचित विकास एवं वृद्धि होती है।
- खादों द्वारा पौधों को मिट्टी से उचित मात्रा में खनिज पदार्थ प्राप्त होता है।

गोबर की खाद

गोबर की खाद एक सम्पूर्ण खाद मानी जाती है। यह पौधों की सारी आवश्यकताओं की पूर्ति करती है तथा मवेशी, भेड़, बकरी, घोड़ा, गाय और पक्षियों के विसर्जन (मल) आदि से तैयार की जाती है। इसमें नाइट्रोजन की मात्रा 4 प्रतिशत होती है।

गोबर की खाद बनाने की विधि

इस खाद को बनाने के लिए जानवरों का मलमूत्र एक 3 मीटर लम्बे, 2 मीटर चौड़े तथा 1.20 मीटर गहरे गड्ढे में इकट्ठा करके उसके ऊपर 15 से.मी. मोटी मिट्टी की परत चढ़ा दी जाती है। यह खाद 6 से 9 महीने में तैयार हो जाती है। इस खाद का रंग काला होता है तथा इसमें किसी प्रकार की दुर्गंध नहीं आती। इस खाद का प्रभाव कई वर्षों तक रहता है।

कम्पोस्ट या मिश्रित खाद

यह एक पूर्ण खाद है। इसमें अनेक पोषक तत्त्व उचित अनुपात में मिले होते

हैं। यह खाद ऊसर भूमि के सुधार के लिए विशेष उपयुक्त मानी जाती है। यह खाद पौधों को सुदृढ़ बनाती है तथा कीटाणुओं से उनकी सुरक्षा करती है।

हरी खाद

अच्छी उपज व पौधों की उचित वृद्धि के लिए इस खाद का इस्तेमाल किया जाता है।

हड्डियों की खाद

यह खाद पशुओं की हड्डियों से तैयार की जाती है। इसका असर धीरे-धीरे होता है। कम फल या फूल नहीं देने वाले वृक्षों के लिए यह खाद अति उत्तम मानी जाती है। इस खाद को गमलों या क्यारियों की मिट्टी में दो महीने पहले अच्छी तरह से मिला दिया जाता है।

खली की खाद

यह खाद तिल, सरसों, महुआ, बिनौला, नीम, अरंडी, करंज, पोस्ता, आदि की खली से तैयार की जाती है। खली वो पदार्थ है जो तेल निकालने के बाद बच जाता है। इस खाद को ठोस और घोल दोनों रूपों में प्रयोग में लाया जा सकता है।

पत्ती की खाद

यह खाद पत्तियों, घास, नरम लकड़ी, लान की छीलन और अन्य पेड़-पौधों के मिश्रण से तैयार की जाती है। चूंकि इस खाद में ह्यूमस की मात्रा अधिक होती है, इसलिए पौधों की वृद्धि व विकास में इसका अच्छा प्रभाव पड़ता है। यह खाद आर्किड और फर्न के लिए अत्याधिक उपयोगी साबित होती है।

मछली की खाद

यह खाद सड़ी-गली मछलियों द्वारा तैयार की जाती है। कटहल व अंगूर की खेती के लिए यह खाद उत्तम मानी जाती है।

लकड़ी की राख व चूरा

लकड़ी की राख फल व फूलों के रंगों में निखार लाती है। यह खाद सभी तरह की जड़-मूलदार सब्जियों के लिए लाभकारी सिद्ध होती है। कोयले का चूरा बागबानी में प्रयोग किया जाता है। यह कीड़े-मकोड़ों तथा घोंघे के डिम्ब से बचाव करता है तथा मिट्टी की संरचना और नमी को सुरक्षित रखता है।

पोटाश प्रधान खाद

इस खाद में नाइट्रोजन व फास्फोरस की अपेक्षा पोटेशियम की मात्रा अधिक होती है। यह खाद जलीय पौधे जिन्हें सेवार कहा जाता है, से प्राप्त की जाती है।

यूरिया

यूरिया प्रबल उर्वरकों में गिना जाता है। इसमें 45 प्रतिशत नाइट्रोजन होता है। पौधों की वृद्धि के लिए यह बहुत लाभकारी होता है किंतु इसकी अधिक मात्रा से पौधों को हानि पहुंचती है।

नाइट्रोजन प्रधान खादें

नाइट्रोजन प्रधान खादों में फॉस्फोरस व पोटेशियम की अपेक्षा नाइट्रोजन की मात्रा अधिक होती है। उदाहरणत:—

- गोबर की खाद
- खली की खाद
- हरी खाद
- कम्पोस्ट खाद
- मानव मल-मूत्र
- हरे व सूखे पत्तों की खाद
- पक्षियों की विष्ठा

उपरोक्त खादें पौधों में वृद्धि तथा हरियाली कायम करने में सहायक होती हैं।

उर्वरक या अकार्बनिक खादें

ये अकार्बनिक लवण होते हैं। इनसे मिट्टी को आवश्यकतानुसार नाइट्रोजन, फॉस्फोरस व पोटेशियम प्राप्त होते रहते हैं।

नाइट्रोजन प्रधान उर्वरक

- अमोनियम सल्फेट
- अमोनियम क्लोराइड
- सोडियम नाइट्रेट
- यूरिया
- कैल्शियम अमोनियम नाइट्रेट
- कैल्शियम सायनेमाइड (नाइट्रोलियम)

अमोनियम सल्फेट

यह उर्वरक हमारे देश में बहुत प्रचलित है। पौधे इसे सुगमता से ग्रहण कर लेते हैं। इसमें 20.6 प्रतिशत नाइट्रोजन होती है। यह जल में तत्काल घुलनशील है। यह कम गहरी जड़ों वाली फसलों के लिए बेहद लाभकारी है।

अमोनियम क्लोराइड

यह महंगा उर्वरक है। इसमें नाइट्रोजन की मात्रा .26 प्रतिशत होती है। आलू और जौ की फसलों के लिए यह उर्वरक बहुत लाभदायक है।

सोडियम नाइट्रेट

सोडियम नाइट्रेट में 15.6 प्रतिशत नाइट्रोजन होती है। जल में शीघ्र विलय होने की वजह से यह पौधों के लिए बहुत लाभदायक है। इसे नमी वाले स्थान पर नहीं रखना चाहिए। नमी से गीली होकर यह बेकार हो जाती है।

यूरिया

यूरिया आज का विख्यात उर्वरक है। यह जल में शीघ्र विलय हो जाता है। इसमें 45 प्रतिशत नाइट्रोजन होता है। नाइट्रोजन का प्रतिशत अधिक होने की वजह से यह पौधों की वृद्धि के लिए बहुत लाभदायक है।

कैल्शियम अमोनियम नाइट्रेट

यह भी अत्यंत उपयोगी उर्वरक है। इसमें 20 प्रतिशत नाइट्रोजन होती है। यह उर्वरक आलू जैसी फसलों के लिए अत्यंत उपयोगी है।

कैल्शियम साइनेमाइड

इसमें 22 प्रतिशत नाइट्रोजन होती है। गन्ना, गेहूं, कपास, धान और मूंगफली की फसलों में इसका प्रयोग किया जाता है।

नाइट्रोजनीय उर्वरकों का प्रभाव

इनसे पौधों की वृद्धि अति शीघ्र होती है, लेकिन अत्यधिक मात्रा में डालने से दाना विकसित नहीं हो पाता, फसल देर से पकती है और पौधों में फफूंद संबंधी रोग लग जाने का भय रहता है।

फास्फोरस प्रधान उर्वरक

फास्फोरस प्रधान उर्वरक फसलों, सब्जियों और फल वाले पौधों के लिए बहुत उपयोगी हैं। ये मोनो, डाई व ट्राई तीन प्रकार के होते हैं। इनमें फास्फोरिक अम्ल का प्रतिशत क्रमशः 14–16, 30–35 व 44–49 होता है।

प्रभाव—फास्फोरिक प्रधान उर्वरकों से फलों व फूलों में अपार वृद्धि होती है। मूली, शलजम आदि फसलों के लिए ये अच्छे उर्वरक हैं।

पोटेशियम प्रधान उर्वरक

ये उर्वरक फसल को रोगों एवं कीटाणुओं के आक्रमण का सामना करने की सामर्थ्य प्रदान करते हैं। ये पौधों में शर्करा व स्टार्च का अधिक-से-अधिक निर्माण करते हैं, जिसकी वजह से पौधों के तने मजबूत होते हैं।

निम्नलिखित तालिका में विभिन्न खादों में मुख्य तत्त्वों की मात्रा का वर्णन किया गया है—

खाद	नाइट्रोजन %	फास्फोरस %	पोटाश %
अमोनियम सल्फेट	20.6	–	–
अमोनियम सल्फेट नाइट्रेट	26.0	–	–
किसान खाद	20.6	–	–
गोबर की खाद	0.5	0.6	0.2
अरंडी की खली	44	1.9	1.4
पोटेशियम सल्फेट	–	–	43.0
म्यूरियट ऑफ पोटाश	–	–	33.0
राख	0.7	0.5	0.3

खाद देने की विधियां

नर्सरी में

बिखेरकर—इस विधि को टॉप ड्रेसिंग भी कहते हैं। इस विधि द्वारा खाद को पौधे के पास या ऊपर ही बिखेर दिया जाता है। यहां एक बात का विशेष रूप से ध्यान देना चाहिए कि पत्तों पर खाद अधिक समय तक नहीं रहनी चाहिए क्योंकि खाद के पत्तों पर ज्यादा समय तक रहने से पौधों के सड़ जाने का भय रहता है। स्टावरी जैसे छोटे पौधों के लिए यह विधि अति उपयुक्त रहती है। इस विधि के द्वारा कम समय में अधिक खाद दी जा सकती है।

स्टारटर सोल्यूशन सिस्टम

इस विधि द्वारा खाद को घोल के रूप में पौधों पर छिड़क दिया जाता है। इससे पौधों को शीघ्र ही खाद प्राप्त हो जाती है। बड़े पेड़ों को भी इस विधि द्वारा खाद दी जा सकती है।

बीज के लिए

- बीज बोने से पहले खेत की जुताई के साथ-साथ आधार खादें, जैसे गोबर

की खाद, कम्पोस्ट और सुपर फास्फेट डाल दी जाती हैं। जुताई से ये खादें अच्छी तरह से बिखर जाती हैं।

- बीज से 3 या 4 इंच नीचे भूमि में मिला दी जाती हैं ताकि बाद में नन्हे पौधे जड़ों को प्राप्त कर सकें।

पेड़ों के लिए

- पेड़ की पास की मिट्टी में खाद मिलाकर सिंचाई कर दी जाती है।
- **छिड़काव द्वारा**— खाद का घोल बनाकर पत्तों पर छिड़कने से कम समय में तथा कम खाद से अधिक पेड़ों को खाद दी जा सकती है।

खाद से संबंधित कुछ आवश्यक बातें

- पत्तों का पीला तथा दुर्बल हो जाना तथा बाद में पौधे का सूख जाना इस बात की ओर संकेत करता है कि पौधे को नाइट्रोजन की आवश्यकता है।
- पौधों में पत्तों का पकने से पहले सड़ जाना फास्फोरस की कमी का सूचक होता है।
- पत्तों का मुड़ जाना क्षारीयता की कमी तथा अम्लता के आधिक्य का सूचक होता है। इस प्रकार के पौधों को चूने की आवश्यकता होती है।
- पत्तों का झुलसना भी चूने की मांग को दर्शाता है।
- पत्तों के आकार का बिगड़ना फास्फोरस की आवश्यकता का सूचक होता है।
- फसल का देरी से पकना नाइट्रोजन के आधिक्य का सूचक होता है।

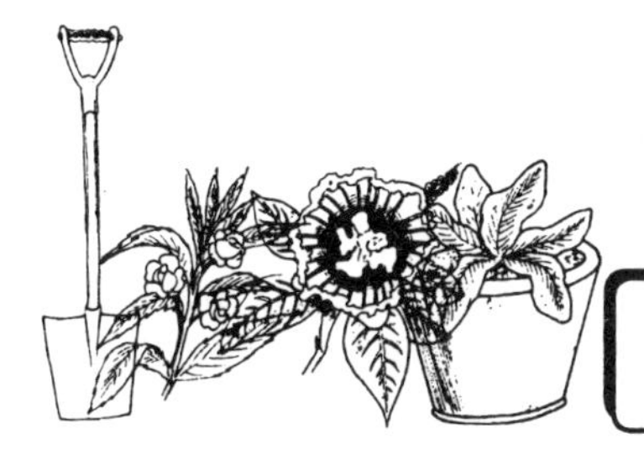

पौधे की उत्पत्ति

पौधे की उत्पत्ति बीज से होती है और बीज में पौधे की वृद्धि के लिए सभी आवश्यक तत्त्व पाए जाते हैं। वास्तव में, किसी भी बीज में छोटा-सा पौधा पाया जाता है और बीजों द्वारा ही पौधे अपने परिवार की बढ़ोतरी करते हैं।

बीज

बीज छोटा होते हुए भी पुष्पीय पौधों में उत्पन्न होने वाला एक जटिल भाग है। यह जायांग और पुंकेसर के मध्य कुछ विशेष परिवर्तनों के फलस्वरूप बीजाण्ड से उत्पन्न होता है। इस परिवर्तन में सबसे पहले पराग कोषों से कुछ पराग कणों के दूसरे पुष्पों के वतिकाग्र पर पहुंचने की क्रिया होती है, जिसे परागण कहते हैं।

जब वतिकाग्र पर परागण अंकुरित होते हैं तो परिणाम स्वरूप एक पराग नली उत्पन्न होती है। यह पराग नली वतिकाग्र को भेदकर वर्तिका से होती हुई, अंडाशय की दीवार में से बीजाण्ड द्वार कहलाए जाने वाले एक छिद्र की मदद से भ्रूणकोष में प्रवेश कर जाती है। पराग नली के साथ साथ दोनों नर-युग्मक भी चले जाते हैं।

एक नर-युग्मक अंड कोशिका से संयुग्मित हो जाता है। इस क्रिया को निषेचन कहते हैं। अंडाशय में अनके परिवर्तनों के फलस्वरूप अंड कोशिका में भ्रूण, बीजाण्ड से बीज तथा अंडाशय से फल उत्पन्न होता है।

बीज में भ्रूण प्रसुप्तावस्था में रहता है। जब वातावरण इसके अनुकूल होता है तब यह सक्रिय होकर अंकुरण प्रारंभ कर देता है, जिससे एक बीजांकुर उत्पन्न होता है, जो धीरे-धीरे बढ़कर पौधा बन जाता है। अतः बीज, फल के भीतर सुरक्षित रहने वाला पौधे का वह भाग है, जिससे पौधे की उत्पत्ति होती है और भ्रूण का आवरण फाड़कर बाहर आना बीज का अंकुरण कहलाता है।

बीजों में तीन प्रकार का अंकुरण होता है—

- उपरिभूमिक अंकुरण।
- अधोभूमिक अंकुरण।
- सजीवप्रजता या विशेष प्रकार का अंकुरण।

उपरिभूमिक अंकुरण

इस प्रकार के अंकुरण में बीजपत्र बीज आवरण से बाहर निकलकर भूमि के तल के ऊपर आ जाते हैं। ऐसे बीजपत्रों में पाया जाने वाला अक्ष (axis)का भाग, बीज पत्राधर शीघ्र वृद्धि करता है और बीजपत्रों को ऊपर की ओर धकेल देता है। इस प्रकार के अंकुरण में बीजपत्र साधारणत: पत्ती के समान चपटे व हरे रंग के होते हैं।

अधोभूमिक अंकुरण

इस प्रकार के अंकुरण में बीजपत्र भूमि के तल के नीचे रह जाते हैं। इसका प्रमुख कारण यह है कि अंकुरण में अक्ष का ऊपरी, बीजपत्र वाला भाग बढ़ने लगता है। इसलिए केवल प्रांकुर ही बाहर निकल पाता है और बीजपत्र भूमि के अंदर रह जाते हैं।

सजीवप्रजता या विशेष प्रकार का अंकुरण

इस प्रकार का अंकुरण समुद्री तट पर उगने वाले पौधों के बीजों में होता है। जैसे-हेरीटीरा, राइजोफोरा और सोनेरसिया इत्यादि।

अच्छे बीज की उपयोगिता

अच्छे अंकुरण के लिए बीज का परिपक्व होना बेहद जरूरी है। परिपक्व बीज को आम बोलचाल की भाषा में पका बीज भी कहा जाता है। वास्तव में पके हुए बीज से पौधे की वृद्धि अधिक होती है। वैसे कच्चे बीज का अंकुरण शीघ्र होता है क्योंकि कच्चे बीज में जल-शोषण क्षमता अत्याधिक होती है। किंतु कच्चा बीज बीजांकुर की वृद्धि के लिए बेहतर साबित नहीं हो पाता।

नमी की जरूरत

अंकुरण के लिए नमी भी बेहद जरूरी है। असल में सूखे बीजों में 10 से 15 प्रतिशत तक जल होता है। इसकी इस न्यून मात्रा के कारण कोई भी जैव क्रिया संभव नहीं है।

बीज में जल बीच चोल तथा बीजांड द्वार दोनों ही से प्रवेश करता है। जल बीज चोल को कोमल बना देता है, जिससे प्रसुप्त भ्रूण की सक्रिय वृद्धि कम हो जाती है।

बीज चोल के कोमल हो जाने तथा भ्रूण के फूलकर आयतन में बढ़ जाने के कारण बीज चोल फट जाता है। परिणामस्वरूप मूलांकर और प्रांकुर आसानी से बाहर निकल आते हैं। बीज चोल के नम हो जाने के कारण उसकी पारगम्यता बढ़ जाती है। इससे वायु श्वसन बढ़ जाता है। ऑक्सीजन सरलता

से भीतर जा सकती है तथा कार्बन डाईआक्साइड बाहर निकल जाती है। जल की उपस्थिति में बीज के भीतर उपस्थित प्रकिण्व (Enzyme)क्रियाशील हो जाते हैं। ये बीजपत्रों में उपस्थित अविलेय पोषक तत्त्वों को विलय पोषक तत्त्वों में बदल देते हैं। पौधा इन्हें आसानी से ग्रहण कर लेता है। इन सभी तथ्यों को ध्यान में रखते हुए यह कहा जा सकता है कि अंकुरण के लिए नमी का होना बेहद जरूरी है।

ऑक्सीजन की आवश्यकता

अंकुरण के लिए ऑक्सीजन भी बेहद जरूरी है। वायु में लगभग 21 प्रतिशत ऑक्सीजन होती है। बीज अंकुरण में ऊर्जा व ताप की भी आवश्यकता होती है। यह ऊर्जा व ताप बीज में उपस्थित संचित पदार्थो के उपचयन से प्राप्त होता है।

यदि बीज को जमीन में अधिक गहराई में बोया जाएगा तो उसे ऑक्सीजन पर्याप्त मात्रा में नहीं मिल पाएगी और ढंग से अंकुरण भी नहीं हो पाएगा इसलिए अंकुरित बीजों को भी श्वसन क्रिया के लिए ऑक्सीजन की जरूरत पड़ती है।

अंकुरण के लिए बीज को नमी और ऑक्सीजन के साथ-साथ अनुकूल ताप, उपयुक्त खाद्य-पदार्थ तथा उत्तम प्रकाश की भी जरूरत पड़ती है।

बुआई की प्रक्रिया

बुआई कई बातों पर निर्भर करती है। जैसे मिट्टी की प्रकृति, मिट्टी में मौजूद नमी, बीज की किस्म, आकार, आवरण, फसल चक्र इत्यादि।

बड़े व कठोर बीजों को पंक्तियों में अथवा छिटकवां विधि से बोया जाता है। ऐसे बीजों को अधिक गहरा बोया जाता है तथा उन पर मिट्टी भी अधिक डालनी पड़ती है।

बीजों को बोते समय बीज की जाति तथा मिट्टी की उर्वरता आदि का भी ध्यान रखा जाता है।

बुआई के समय गृहवाटिका की नर्सरी की क्यारी को छोटे-छोटे भागों में बांटें, उसके बाद क्यारी के टुकड़ों के आकार के अनुसार ही बीज बोकर ऊपर से बारीक पत्ती की खाद की हल्की परत बिछानी चाहिए।

वर्षा ऋतु, शरत ऋतु और शुष्क ऋतु में बोई गई क्यारी को पत्तियों अथवा अन्य किसी वस्तु से ढक लेना चाहिए। फिर अंकुरण होने के बाद इन पत्तियों को अलग हटा देना चाहिए।

नर्सरी में बोए जाने वाले बीजों को आवश्यकतानुसार हजारे या फव्वारे द्वारा सींचते रहना चाहिए। अधिक पौधे अंकुरित हो जाने पर उनमें से बीच-बीच में से कुछों को उखाड़ देना चाहिए, जिससे बड़े होने पर एक-दूसरे का वो

अतिव्यापन न करें। बीजों को पानी में या गोबर के घोल में कुछ समय तक रखने के बाद बोने से अंकुरण शीघ्र होता है।

तेज धूप तथा वर्षा से नर्सरी की सुरक्षा के लिए क्यारी से एक मीटर की ऊंचाई पर छाया का प्रबंध अवश्य किया जाना चाहिए। पौधों के बड़े हो जाने पर छाया की व्यवस्था हटा देनी चाहिए, जिससे पौधों में गर्मी, सर्दी आदि सहन करने की शक्ति आ जाए। समय-समय पर क्यारियों से खरपतवार उखाड़ते रहना चाहिए।

मिट्टी में उचित नमी होने पर ही बीजों की बुआई करने से अंकुरण समान तथा अधिक होता है।

वर्धी प्रसारण

अधिकांश फल-फूल वाले पौधों में बीजों द्वारा प्रजनन होता है, जिसे लैंगिक प्रसारण (Sexual progation) कहा जाता है। किंतु कुछ पौधों में अलैंगिक या वर्धी (vegetative)प्रसारण की क्रिया अपनाई जाती है। इस विधि में तनें, जड़ें, पत्तियां तथा प्रकलिकाएं या सभी पत्रकंद पौधे के प्रसारण में सहायक होते हैं। ऐसे तैयार पौधों में अपने पैतृक गुण होते हैं।

इस विधि द्वारा थोड़े समय में अधिक पौधे तैयार किए जा सकते हैं। इन पौधों के फलने-फूलने में अपेक्षाकृत कम समय लगता है। व्यावसायिक दृष्टि से यह विधि बहुत लाभदायक है। केले, संतरे और अंगूर के उत्पादन के लिए यह उपयोगी विधि है।

वानस्पतिक एवं प्राकृतिक वर्धी प्रसारण

प्राकृतिक विधि में प्रसारण पौधे के निम्नलिखित भागों द्वारा होता है।

- प्रकंद (Rhizome)
- घनकंद (corn)
- स्तंभकंद (stem juper)
- शल्क कंद (Bulbs)
- अंतः भूस्तारी (sukers)
- जड़ (Root)
- पत्ते (Leaves)
- पत्र प्रकलिका (Bulbits)

प्रकंद द्वारा

प्रकंद भूमिगत तने होते हैं। ये मिट्टी में दबे रहते हैं, इसलिए इनमें कलिकाएं फूट जाती हैं। अदरक और हल्दी इसके उदाहरण हैं।

घनकंद द्वारा

इसमें भी भूमिगत तने होते हैं। इसके शतकपत्र व कलिकाओं के जमीन में दबा रहने के कारण नई कलिकाएं फूट आती हैं। केसर, कचालू इसके उदाहरण हैं।

स्तंभकंद द्वारा

इसमें तना गोल आकार का होता है तथा इस पर कलिकांए और आंखें भी बनी होती हैं। बोए जाने पर ये आंखें प्रस्फुटित होकर नए पौधे का रूप धारण कर लेती हैं। आलू इसका सशक्त उदाहरण है।

शल्क कंदों द्वारा

इनमें तनों पर कलिकाएं व मोटे पत्ते होते हैं। बल्बों को जमीन में दबाए जाने पर कलिकाओं से नए पौधे बन जाते हैं। इनमें से बीज तैयार किए जा सकते हैं, जबकि बीजों से केवल बल्ब तैयार किए जाते हैं जो कि खाने के काम आते हैं। उदाहरण के लिए लहसुन, प्याज आदि।

अंतःभूस्तारी द्वारा

कुछ पौधों में तने के साथ ही जमीन से नए पौधे निकलते हैं। यदि इन्हें अलग करके दूसरी जगह पर बो दिया जाए तो नए पौधे तैयार हो जाते हैं। जैसे खजूर, केला एवं पुदीना इत्यादि।

पुदीने का सकर (अंतःभूस्तारी)

जड़ों द्वारा

कुछ जड़ों पर अपस्थानिक कलिकाएं होती हैं, जिनसे नए पौधे तैयार किए जाते हैं। शकरकंदी, डहेलिया व गुलाब इसके उदाहरण हैं।

पत्रों द्वारा

कुछ पौधों की पत्तियों में यह खासियत होती है कि जब वे पौधे से टूटकर भूमि पर गिरकर मिट्टी में दब जाती हैं, तब उनमें कलिकाएं फूट पड़ती हैं। उदाहरण के लिए बिगोनिया, पत्थर चट इत्यादि।

पत्र प्रकलिकाओं द्वारा

कुछ पौधों में पार्श्व कलिकाएं होती हैं जिन्हें पत्रकंद कहा जाता है। मिट्टी से दब जाने पर इनसे नए पौधे तैयार हो जाते हैं। जिमीकंद, लहसुन और जंगली केवड़ा इसके उदाहरण हैं।

पेड़ लगाने का तरीका

यदि आप चाहते हैं कि आपकी बगिया में बढ़िया किस्म के पेड़ उगें और आप उनसे पूरा लाभ उठा सकें तो इसके लिए आपको पेड़ लगाने से पहले निम्न बातों पर अवश्य ध्यान देना चाहिए।

- पेड़ लगाने से पहले यह जरूर देखना चाहिए कि वह पेड़ आपकी बगिया के लिए उपयुक्त है या नहीं।
- पेड़ के विकसित हो जाने के बाद आपको किसी किस्म की परेशानी का सामना तो नहीं करना पड़ेगा।
- विकसित होने के बाद पेड़ अपनी जड़ें इस तरह तो नहीं फैला लेगा कि पानी निकालने के लिए आपने अपनी बगिया में जो नालियां बनाई हैं वो कहीं पेड़ों की जड़ों की वजह से अवरूद्ध हो जाएं।
- पेड़ किस किस्म के कीड़ों या रोगों से ग्रस्त हो सकता है?
- पेड़ आंधी-तूफान का सामना कर पाने में सक्षम है या नहीं।

वैसे यह जरूरी नहीं कि सारे पेड़ आपको ऐसे मिलें जो आपकी भूमि और जलवायु के अनुकूल हों। लेकिन सोच-विचार करके आप अपने लिए ऐसे पेड़ों का चुनाव आसानी से कर सकते हैं, जो ज्यादा-से-ज्यादा आपके लिए फायदेमंद साबित हों। यदि आपको किसी अच्छी किस्म की पूर्ण विकसित पौध प्राप्त न हो, तो उसके स्थान पर घटिया किस्म की पौध का प्रयोग हरगिज न करें, बल्कि अच्छी किस्म की ही छोटी पौध या बीज का प्रयोग करें।

आइए अब हम पेड़ लगाने के विभिन्न तरीकों पर गौर करते हैं।

गड्ढा खोदना

यदि भूमि अच्छी हालत में है तो पौधे के चारों ओर कम से कम एक फुट का फासला लेकर गड्ढा बनाइए। यदि भूमि की अवस्था अच्छी नहीं है तो घेरा बड़ा कर लीजिए। यदि पौध बड़ी है तो घेरा उसी के अनुसार बड़ा कर लीजिए। कोशिश कीजिए कि गड्ढे की गहराई 6-8 इंच तक हो या फिर गहराई इतनी जरूर हो जितनी लम्बी आपके बेलचे की (फलके की) लम्बाई है। सुविधा के लिए चित्र देखें——

खाद मिलाना

जब गड्ढा अच्छी तरह से तैयार हो जाए तब उसमें गोबर की खाद को अच्छी तरह से मिलाएं।

पौध के लिए सावधानी

यदि आप इस गड्ढे में कहीं से तैयार पौध को उखाड़कर लगाना चाहते हैं तो पौध उखाड़ते समय इस बात का ध्यान जरूर रखें कि उसकी फैली हुई जड़ों को किसी किस्म की हानि न पहुंचने पाए। वास्तव में सूक्ष्म और कोमल जड़ें पेड़ों की जान होती हैं।

पेड़ लगाना

गड्ढे में खाद मिलाने के बाद उसकी अच्छी तरह से सिंचाई करनी चाहिए। इसके बाद पौध को गड्ढे में इस प्रकार से रखना चाहिए कि उसकी जड़ें मुड़ने न पाएं। अब पौध को गड्ढे में रखकर उसकी जड़ों पर मिट्टी डालनी चाहिए।

सहारा देना

गड्ढे में पौध लगाने के बाद उसे सहारा देना बहुत जरूरी है, क्योंकि पौधे की जड़ें मिट्टी को तुरंत नहीं पकड़ लेतीं। सहारा न देने से पौधा गिर भी सकता

है या टेढ़ा हो सकता है। इसलिए पौधे को सहारे की जरूरत पड़ती है। निम्न चित्र के अनुसार आप पौधे के लिए सहारे की व्यवस्था कर सकते हैं।

रोपने का समय

यूं तो पेड़ रोपने का सबसे बढ़िया मौसम पतझड़ या वसंत का होता है, फिर भी जब आसमान पर बादल छाए हुए हों, आप पौधों को रोप दीजिए। इससे उन्हें आवश्यकतानुसार प्रारम्भिक सिंचाई भी मिल जाएगी और सूरज तथा हवा से उनकी जड़ों में खुश्की भी नहीं आएगी।

कलम लगाना

पौधे तैयार करने में कलम लगाने का भी अपना विशेष महत्त्व है। यदि उचित वातावरण में बेहद सावधानी से कलम लगाई जाए तो कुछ दिनों बाद उसमें से अपने आप जड़ें निकलने लगती हैं और देखते ही देखते पौधा तैयार हो जाता है।

कलम तीन प्रकार की होती हैं—

- तना कलम
- जड़ कलम
- पत्ती कलम

तना कलम

कलम द्वारा पौधे तैयार करने की यह सर्वाधिक प्रचलित विधि है। इस विधि में तने (टहनी) की कलम को निम्न विधियों द्वारा लगाया जाता है।

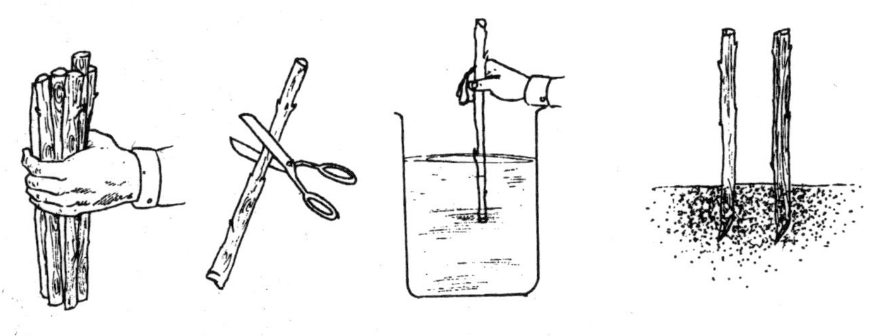

(क) कलम — (ख) कलम को काटना — कलम को न्यासर्ग (Harmones) में डालना — (घ) कलम मिट्टी में लगी हुई

कोमल अथवा अपरिपक्व तना कलम

यह कलम पौधे की हरी व कोमल शाखा से ली जाती है। इसे तोड़ते समय टूटने की आवाज नहीं आती। यह कोमल और गूदेदार होती है। इसकी लम्बाई

7 से 15 से.मी.तक रखी जाती है। इसमें पत्तियां हमेशा ऊपरी छोर पर होती हैं, अतः इसमें जड़ें शीघ्र और आसानी से निकल आती हैं। पिटुनिया, कोलियस, जरेनियम, गुलदाउदी और बरलेरिया ऐसी ही कलमों की उत्पत्ति हैं।

अर्ध परिपक्व तना कलम

यह कलम अधपकी होती है। इसे हरे रंग के व लगभग 6 माह की आयु वाली शाखा से लिया जाता है। इसकी लम्बाई 8 से 15 से.मी.तक रखी जाती है। सदाबहार किस्म के पौधे उगाने के लिए इसका बहुतायत में प्रयोग किया जाता है। उदाहरण के लिए नीबू, गुलाब, कनेर, क्रोटोन, मेहंदी और रात की रानी आदि।

पूर्ण परिपक्व तना कलम

यह कलम पूरी तरह से पकी हुई व कठोर होती है। इसकी छाल आमतौर पर खाकी, भूरे या मटमैले रंग की होती है। इस कलम पर पत्तियां नहीं होतीं। इसकी लम्बाई 10 से 30 से.मी.तक रखी जाती है। चूंकि यह कलम कठोर होती है इसलिए तोड़े जाने पर यह चट की आवाज करती है। अंगूर, अनार और शहतूत के पेड़ उगाने के लिए इसी प्रकार की कलम का प्रयोग किया जाता है।

कलम से जड़ें पैदा करना

कलम से जड़ें उत्पन्न करने के लिए कलम लगाने से पहले भूमि को अच्छी तरह से खोद लिया जाता है, फिर उसमें पत्ती की खाद व बालू मिला दी जाती है। ऐसा करने से मिट्टी भुरभुरी हो जाती है।

कोमल कलमों के लिए बालू सर्वश्रेष्ठ माध्यम है।

न्यासर्ग का प्रयोग

पौधों की अच्छी बढ़ोत्तरी के लिए बाजार में किस्म-किस्म के न्यासर्ग (Harmones) मिलते हैं, जिनमें सीरेडिक्स-ए, सीरेडिक्स-बी आदि प्रमुख हैं। फलों की वृद्धि के लिए ये न्यासर्ग बेहद फायदेमंद साबित होते हैं जबकि जड़ों की वृद्धि के लिए इंडोल इसेटिक, नैप्थलीन एसीटिक आदि उपयोग में लाए जाते हैं।

कलम को न्यासर्ग से उपचारित करने के लिए आमतौर पर कलम के कटाव का नीचे वाला भाग 0-01 प्रतिशत विलयन में लगभग 24 घंटे तक डुबोया जाता है।

कलम काटने का तरीका

कलम को गांठ से काटना चाहिए।

ऊपर का भाग सीधा व नीचे का भाग तिरछा काटना चाहिए जैसा कि पीछे चित्र में दिखाया गया है।

कलम काटते वक्त इस बात का विशेष रूप से ध्यान रखना चाहिए कि नीचे का भाग गांठ के एकदम नीचे से काटा जाता है तथा ऊपरी भाग गांठ से 3 से 5 से.मी. ऊपर से काटा जाता है।

कलम लगाने का उपयुक्त समय

कलम को जाड़े की शुरुआत में काटकर बसंत ऋतु की शुरुआत में लगा दिया जाता है। वास्तव में कलम लगाने का यही उपयुक्त समय है।

कलम लगाने का तरीका

कलम को समतल नर्सरी में लगाया जाता है यानी कि बालू मिली मिट्टी में तिरछा भाग सीधे या झुकाकर गाड़ दिया जाता है।

गमलों में कलम लगाना

गमलों में बारीक रेत और पत्ती की बारीक छनी राख बराबर मात्रा में भरी जाती है।

20 से 25 से.मी.चौड़े गमले में आप 4 से 6 कलमें बड़े आराम से लगा सकते हैं।

कलम की देखभाल

क्यारी या गमले में कलम लगाने के बाद उसमें समय-समय पर पर्याप्त मात्रा में पानी दिया जाता है तथा अतिरिक्त गर्मी व हानिकारक कीटों से उसकी सुरक्षा की जाती है।

जड़ कलम

सेब, अमरूद, बेलपत्र, नाशपाती, आलूचा, शकरकंद, शीशम, गुलदाउदी आदि के लिए जड़ों वाली कलम लगाई जाती है।

फूलों की कलम जहां गमलों में लगाई जाती है, वहीं वृक्षों के लिए कलम उद्यानों में लगाई जाती है, ताकि ताजे फलों की प्राप्ति के साथ-साथ उद्यानों की शोभा भी दूनी हो जाए।

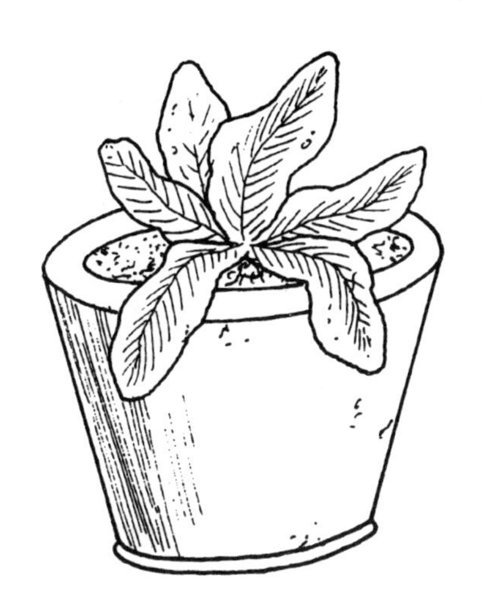

जड़ों वाली कलम लगाना

पत्ती कलम

कुछ पौधों, जैसे बिगोनिया, ब्रायोफाइलम आदि की पत्तियों के कटावों पर अनियमित कलियां उग जाती हैं। जब इन्हें नमी वाले स्थान में रोप दिया जाता है, तब इनमें अपस्थानिक जड़ें निकल आती हैं और ऊपर की ओर नई शाखाओं का उदय हो जाता है।

पत्ती कलम लगाने के लिए मोटी व गूदेदार (पकी हुई) पत्तियां प्रयोग में लानी चाहिए। ये पत्तियां बहुत अधिक पुरानी नहीं होनी चाहिए।

दाब लगाना

दाब लगाना विधि में तने अपने मूल पौधे से जुड़े रहकर ही विकसित होते हैं। इस विधि में पौधे की शाखा को झुकाकर, बीच में से भूमि में दबा दिया जाता है। कुछ दिनों बाद जब दबे भाग की गांठों से जड़ें उत्पन्न हो जाती हैं तो नए पौधे को मूल पौधे से काटकर अलग कर दिया जाता है।

जिस स्थान से डाल को जमीन में दबाया जाता है वहां दिखाए गए चित्र के अनुसार डाल को काट दिया जाता है जिससे नई जड़ें उत्पन्न होती हैं।

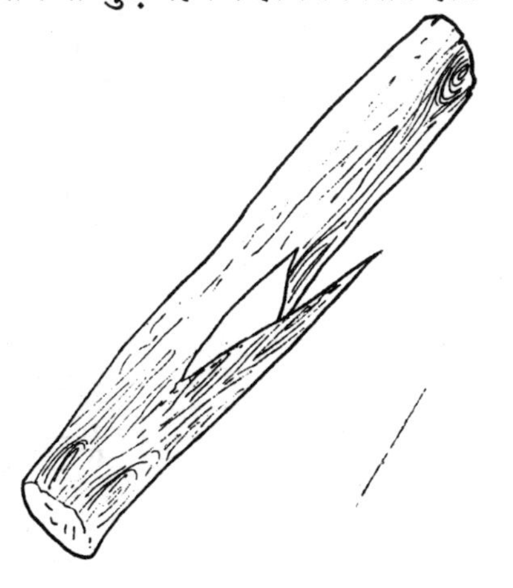

डाल को नीचे झुकाए रखने के लिए उसकी जड़ के बराबर एक लम्बा खूंटा गाड़ दिया जाता है और उससे डाल को बांध दिया जाता है। बीच में जड़ के ऊपर एक दोखूंटा (जैसा कि चित्र में दिखाया गया है) लगा दिया जाता है। इस खूंटे के लगने से जड़ ऊपर की ओर नहीं उछलती।

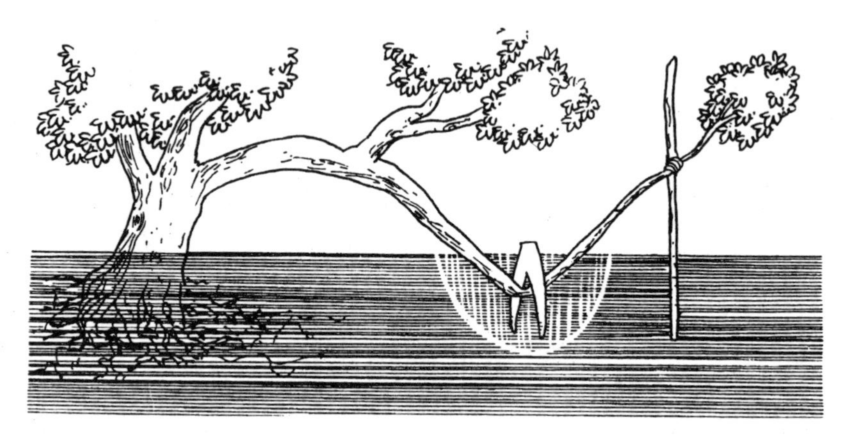

इस प्रकार से उगाए गए कुछ पौधे तो साल-भर में ही इस योग्य हो जाते हैं कि आप उन्हें जड़ के पास से, मुख्य पेड़ से अलग करके स्थायी रूप से लगा सकते हैं।

इस विषय में आपको निम्न सावधानियां अवश्य बरतनी चाहिए।

- जब पेड़ अलग से फलने-फूलने लगे, तब उसे दिखाए गए चित्र के अनुसार जड़ के पास से काटें।

- डाल को जमीन में दबाने के बाद धरती को सूखने का अवसर नहीं देना चाहिए। इसे बराबर नम रखना चाहिए।
- दाब कलम का साधारण ढंग तो यही है कि डाल के सिरे को थोड़ा-सा ऊपर छोड़कर, पीछे का भाग जमीन में दबाते हैं लेकिन ब्लैकबरी, काली रसभरी आदि की डालों के सिरे भी जमीन में दबाए जा सकते हैं। उनसे भी नई जड़ों का निर्माण हो सकता है।
- बसंत में अथवा ग्रीष्म ऋतु के आरम्भ में एक साल पुराने किसी भी पेड़ की डाल को जो जमीन तक झुकी हुई हो आप ले सकते हैं। गुलाब, चम्पा, बकाईन की ऐसी बहुत सी डालें मिल जाती हैं।
- जिस स्थान पर इन्हें दबाना हो वहां की मिट्टी अच्छी बलुआ दोमट होनी चाहिए और उसमें सड़ी हुई पत्ती और गोबर की खाद अच्छी तरह से मिली हुई होनी चाहिए।
- यदि मिट्टी जरूरत से ज्यादा चिकनी है तो उसे बालू मिलाकर हल्का कर लेना चाहिए।
- जिस डाली को आप जमीन में दबाएं उसमें एक इंच के आसपास घाव अवश्य बना लीजिए। इसी घाव के सहारे डाल अपने भोजन को अलग से लेना शुरू करेगी और परिणामस्वरूप नई जड़ों का निर्माण होगा।
- कटाव सदा पीछे से सिरे की ओर होना चाहिए। इसे चाकू से भी काटा जा सकता है और डाल को दोनों हाथों में पकड़कर, मोड़कर बीच में से चटकाया भी जा सकता है।
- बड़ी डालों को 4 से 6 इंच तक की गहराई में और झाड़ों आदि की डालों को एक-दो इंच गहराई में गाड़ना चाहिए। बीच में दोखूंटी अवश्य लगानी चाहिए। यदि आवश्यकता हो तो एक लाठी अथवा लम्बा खूंटा भी गाड़ा जा सकता है जैसा कि ऊपर बताया जा चुका है।

अंगूर, चम्पा, अंजीर, स्ट्राबेरी, जामुन आदि पेड़ों की डालें इस प्रकार से भूमि में दबाकर उनके विभिन्न भागों से नई जड़ों से युक्त बेलें और पेड़ बनाए जा सकते हैं। कुछ पेड़ ऐसे होते हैं जिन पर एक डाल अलग निकलने लगती है। ऐसी डाल को यदि दाब कलम विधि से दबाया जाए तो उससे नए पेड़ का निर्माण हो सकता है। इसकी विधि कुछ इस प्रकार है—

जितनी ऊंची डाल है, उससे एक-डेढ़ फुट नीचे आप एक मचान बांध लीजिए। इस मचान के ऊपर अच्छी मिट्टी और खाद से युक्त एक ऐसा गमला रख दीजिए जिसके ऊपरी किनारे आमने-सामने से कटे हुए हों। जैसा कि चित्र में दिखाया गया है। अब डाल को इसके भीतर से ले जाइए और गमले की मिट्टी ऊपर से बराबर कर दीजिए।

मिट्टी को बराबर नम रखिए। कुछ दिनों बाद जब डाली जम जाए तो डाल को काट दीजिए और गमले के किनारों को चिकनी मिट्टी से बंद कर दीजिए।

हवाई दाब

कुछ वृक्ष बहुत ऊंचे होते हैं। उनकी शाखाओं को झुकाकर भूमि के निकट नहीं लाया जा सकता है। इनके लिए हवाई दाब (गूटी बांधना) का प्रयोग किया जाता है। इस विधि में मिट्टी तथा खाद को ऊपर वृक्ष की शाखाओं तक पहुंचा दिया जाता है। नीचे गूटी बांधने का तरीका विस्तार से बताया जा रहा है।

जहां से डाल की गूटी बांधनी हो वहां से एक इंच के हिस्से को लीजिए और इंच के दोनों सिरों पर डाल की गोलाई में, छाल पर तेज चाकू से निशान लगाइए। फिर इन दोनों निशानों के बीच में दोनों कटावों को मिलाते हुए एक लम्बा चीरा डालिए, जिससे उन निशानों के बीच की छाल अलग हो जाए।

अब लगभग पौन फुट लम्बा और चार-पांच इंच चौड़ा टाट का टुकड़ा लीजिए और उसके ऊपर गीली मिट्टी की तह जमाइए। यहां इस बात का विशेष ध्यान रखिए कि पट्टी इतनी गीली हो कि पानी अलग से दिखाई न दे और छूते ही फूट जाए। इस पट्टी को मिट्टी सहित कटाव के निशान पर दिखाए गए चित्र के अनुसार बांध दीजिए।

यह भी हो सकता है कि पहले कटाव से कुछ दूरी पर पट्टी को कोने से लपेटकर उसे सुतली से बांध दीजिए फिर भीतर मिट्टी भरकर तूंबी के आकार में कर लीजिए और फिर सुतली लपेटते हुए इस तरह से बांध दीजिए जैसा कि चित्र में दिखाया गया है। एक दो सप्ताह में नई जड़ें फूट जाएंगी। अब इसे अलग करके या तो नर्सरी में या स्थायी रूप से अलग लगा दीजिए।

ऊपर पहले तरीके से ही पानी की भरी हंडिया लटका देनी चाहिए, जिसकी तली में छेद हो और छेद में कपड़े का टुकड़ा फंसा हुआ हो। जिससे पानी धीरे-धीरे गिरकर मिट्टी को आवश्यकता के अनुसार नम करता रहे।

यदि हंडिया टांगने के लिए आपको उपयुक्त डाल न मिले तो आप बांस का इस्तेमाल भी कर सकते हैं।

अब तक आपने इकहरी कलमों के बारे में पढ़ा। अब हम दुहरी कलमें बांधने के तरीकों से आपको परिचित करा रहे हैं। नीचे लिखी विधियों से आप बड़ी आसानी से दुहरी कलमें बांध सकते हैं।

लेकिन दुहरी कलमें विभिन्न जाति और समान वनस्पति गुण वाले पेड़ों की ही बांधी जा सकती हैं। उन पेड़ों की नहीं, जो एक-दूसरे से विभिन्न गुण रखते हैं।

दुहरी कलमों को हम तीन विधियों में विभाजित कर सकते हैं—

- चश्मा चढ़ाना(Budding)
- कलम बैठाना या पेबंद लगाना (Grafting)
- भेंट कलम (Inarching)

चश्मा चढ़ाना

चश्मा चढ़ाने के अंतर्गत किसी उत्तम जाति के पेड़ों की टहनी की आंख निकालकर घटिया जाति के पेड़ों के साथ मिला दी जाती है।

टहनी की आंख, टहनी का वह जोड़ है जो गांठ की शक्ल में किसी टहनी अथवा डंठल को पेड़ की किसी बड़ी डाल के साथ जोड़ता है।

- चश्मा चढ़ाने के लिए सबसे पहले आप किसी अच्छे बढ़ने वाले बीजू पौधे को चुनिए जिस पर आप चश्मा चढ़ाना चाहते हैं। इसके बाद जमीन से दो या तीन इंच ऊपर, लगभग एक इंच लम्बा अंग्रेजी टी(T)अक्षर जैसा तेज चाकू से चीरा लगाइए। यहां इस बात का विशेष ध्यान रखें कि चीरा केवल छाल में ही लगे।

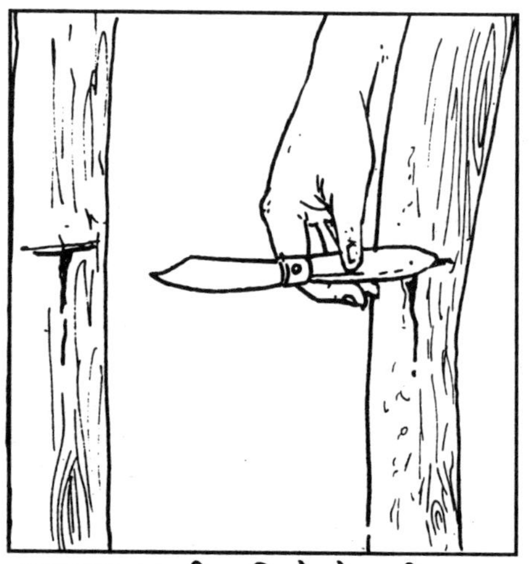

- अब पेड़ को थोड़ा-सा झुकाइए। ऐसा करने से छाल भीतर के काठ से लगी न रहकर अलग हो जाएगी। अब तेज चाकू की सहायता से उस छाल के होंठों को काठ से दिखाए गए चित्र के अनुसार थोड़ा सा छुड़ाइए।

- अब एक अच्छी जाति के पेड़ की स्वस्थ टहनी को इस बीजू पेड़ के पास लाइए और उसकी आंख को चित्र में दिखाए गए तरीके से चाकू से काट दीजिए। यहां एक बात का खास ध्यान रखें कि चाकू नीचे से ऊपर की ओर चलना चाहिए।

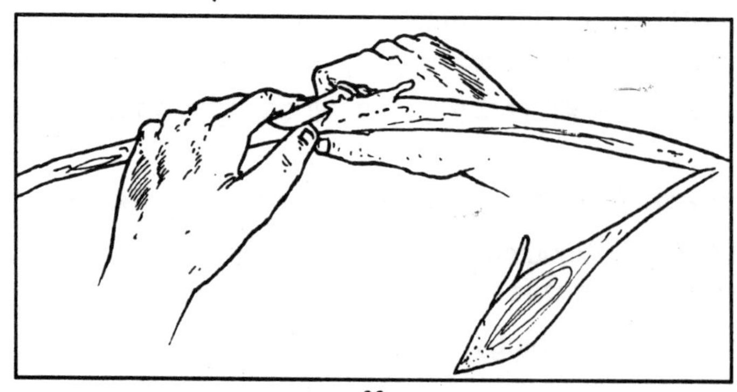

- अब इस आंख के भीतर के काठ को चाकू की सहायता से अलग कर दीजिए।
- आंखों को बीजू पौधे के तने पर किए हुए चीरे में नीचे चित्र में दी गई विधि के अनुसार बैठाइए।

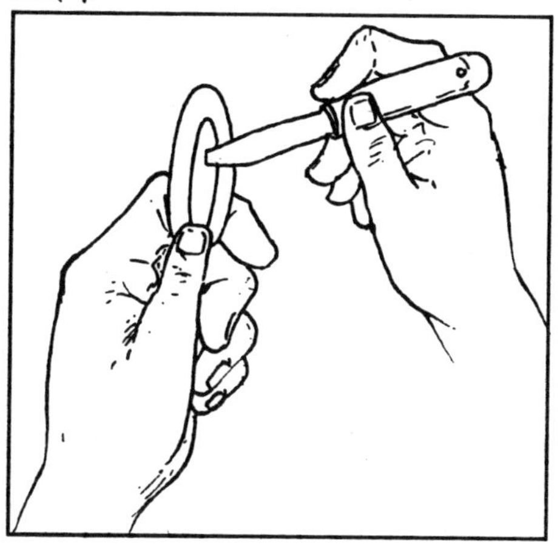

- बाहर निकली हुई छाल की पूंछ को उस स्थान पर काट दीजिए जहां अंग्रेजी अक्षर 'टी' के कटाव का ऊपर वाला डंडा है।

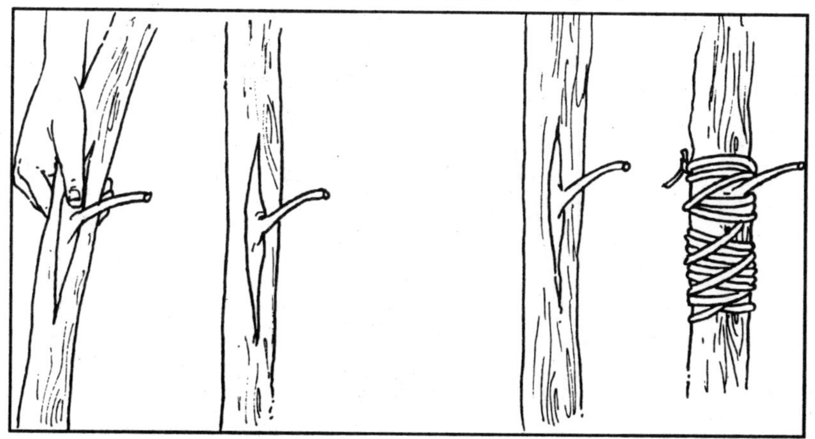

- अब आंख की निकली हुई टहनी को खुला छोड़कर मेल के स्थान को चारों ओर से सूती टेप (फीते) से बांध दीजिए।

दो-तीन सप्ताह में जब चश्मा नई कोंपल दे तो इन पट्टियों को काट देना चाहिए। बीजू पौधे के जिस तने में यह चश्मा लगाया गया है उसे चश्मे के स्थान से पांच-छः इंच ऊंचे से बिल्कुल काट देना चाहिए और बढ़ी हुई कोंपल को मोड़कर उस तने के साथ हल्के दबाव से बांध देना चाहिए जिससे वह सीधा उगे। जब वह सीधा हो जाए, तब पांच-छः इंच का वह ठूंठ भी काट दीजिए।

कलम बैठाना या पेबंद लगाना

इस विधि में बीजू पौधे के साथ दूसरी जाति के जीवित पौधे को स्थाई रूप से जोड़ दिया जाता है। चश्मा चढ़ाने में जहां दूसरे पौधे की आंख का प्रयोग किया जाता है, वहीं कलम बैठाने में दूसरे भागों का प्रयोग किया जाता है। यह अनेक विधियों से किया जाता है। कुछ विधियों का विवरण यहां दिया जा रहा है।

जीभी कलम (whip grafting)

- बीजू पौधे के धड़ को चित्र के अनुसार तेज चाकू से काट लीजिए। कटाव काफी लम्बा होना चाहिए।

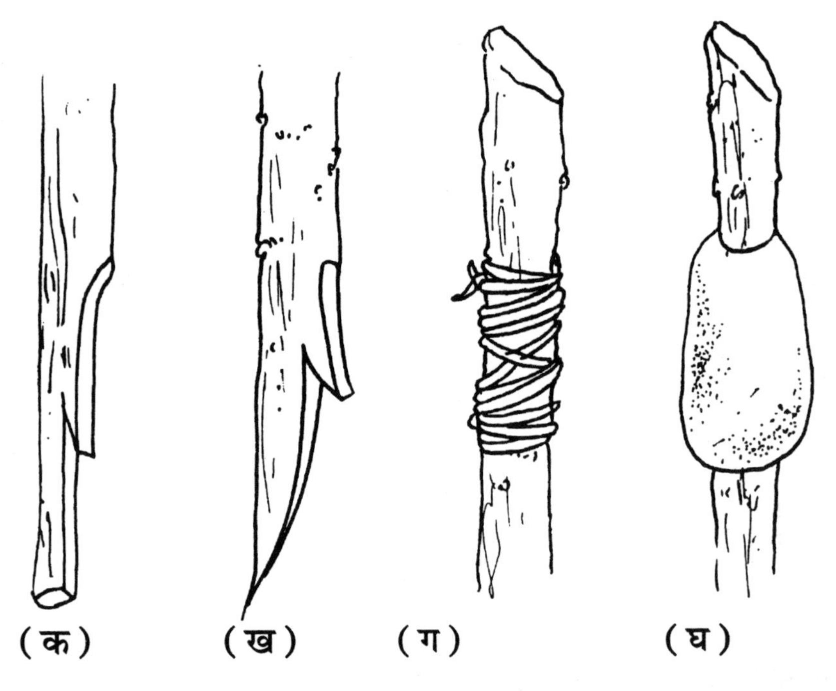

- कलम को लीजिए और उसके सिरे को चित्र (ख) के आकार में तेज चाकू से काट लीजिए। कटाव इस प्रकार होना चाहिए कि वह चित्र (क) में दिखाई गई कटी कलम में फिट हो जाए।
- अब दोनों भागों को आपस में मिलाकर चित्र (ग) की तरह कपड़े की पट्टी से बांध दीजिए।
- दोनों के जोड़ को कलमी मोम (टाट के टुकड़े पर मोम लगाकर) से अच्छी तरह से ढक दीजिए जैसा कि चित्र (घ) में दिखाया गया है।

काठी कलम (saddle graftin)

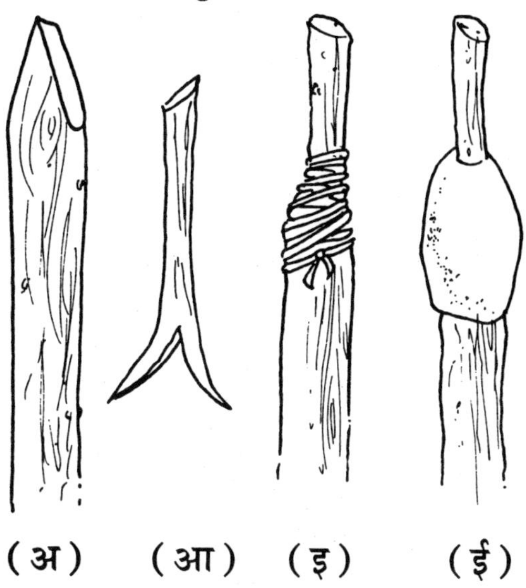

- चित्र (अ) के अनुसार धड़ को दोनों ओर से कलम की तरह काटिए।
- कलम को चित्र (आ) के अनुसार काटिए।
- दोनों भागों को आपस में मिलाकर कपड़े की पट्टियों से बांध दीजिए।
- चित्र (इ)
- ऊपर से कलमी मोम लगाकर अच्छी तरह से बंद कर दीजिए।

चीरा कलम (cleft grafting)

- यदि बीजू पौधे का धड़ मोटा हो और कलम पतली हो तो इसे चीरा कलम विधि द्वारा लगाया जाता है।
- पहले धड़ को बीच में से दिखाए गए चित्र के अनुसार सीधा काट लीजिए।
- कलमों को दोनों ओर से नीचे दिए चित्र (आ) के आकार में काटिए, जिससे वह चीरे की दरार में भली भांति फिट हो सके।

- कलमों को चीरे के बीच फंसाकर औजार से चीरे को चौड़ा कीजिए और कलमें बैठा देने के बाद औजार निकाल लीजिए। (चित्र इ)
- दोनों मिले हुए भागों को कपड़े की पट्टियों से ऊपर चित्र (ई) के अनुसार बांध दीजिए।
- खुले हुए भाग को भली प्रकार मोम से ढक दीजिए। चित्र (उ) के अनुसार।

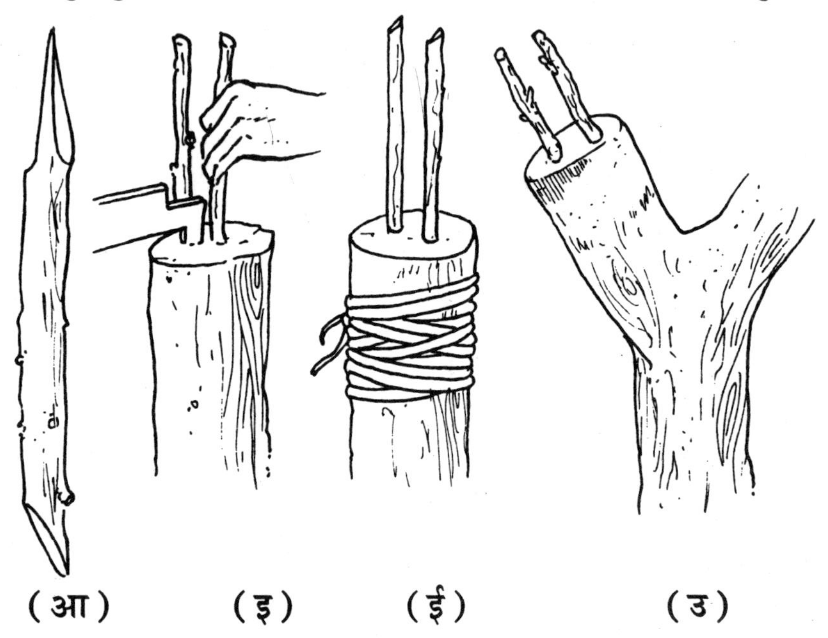

(आ) (इ) (ई) (उ)

भेंट कलम (Inarching)

इसकी खासियत यह है कि कलमी और बीजू पौधे अपना-अपना पोषण अलग-अलग मिट्टी अथवा गमले से लेते रहते हैं और ऊपर से एक साथ जुड़े रहते हैं। यह कलम निम्नविधि से लगानी चाहिए—

बीजू पौधा इतना मोटा लीजिए, जिसका तना कलमी पौधे की टहनी के बराबर हो। साथ ही वह जड़ से इतना ऊंचा हो कि टहनी तक आ सके।

अब जिस स्थान पर इन दोनों को बांधना है वहां चाकू से दो-दो इंच की दूरी पर दो-दो निशान दोनों पर इस तरह लगाइए कि वे एक-दूसरे के आमने-सामने पड़े।

इन दोनों कटे हुए भागों को आपस में मिलाइए। मिलाते हुए इस बात का विशेष ध्यान रखें कि दोनों के कटे हुए भाग आपस में अच्छी तरह से मिल जाएं। अब ऊपर से मोम लगा फीता लपेट दीजिए।

कलम बांध लेने के बाद यह अवश्य देखिए कि हवा से दोनों पौधों के बीच

में खींचातानी तो नहीं होगी। हवा से पौधों को प्रथक होने से बचाने के लिए बीजू पौधे के बराबर में एक बांस जमीन में गाड़कर उससे पौधे को बांध दीजिए। दो-तीन सप्ताह में दोनों का मेल भली-भांति हो जाएगा।

घर की शान : हरा-भरा लान

लान अर्थात हरे-भरे घास का मैदान। प्रत्येक व्यक्ति की यह अभिलाषा रहती है कि उसका मकान भले ही छोटा हो लेकिन उसमें एक खूबसूरत लान जरूर हो। इसलिए आजकल टैरेस लान यानी की छत पर लान बनाने का चलन चल पड़ा है। हरा भरा लान सभी को अपनी ओर आकर्षित करता है। हर कोई इसकी नर्म नर्म दूब पर चहल-कदमी करना चाहता है। लान के बिना बगिया या उद्यान अधूरा ही जान पड़ता है।

अच्छा लान उसी को कहा जाता है, जिसमें नर्म व मुलायम दूब होती हो और जगह-जगह पर पीले धब्बे नहीं होते। एक अच्छा लान आप तभी पा सकते हैं जब आप निम्न बातों पर विशेष रूप से ध्यान दें—

भूमि की तैयारी

- लान तैयार करने से पहले सबसे पहले लान के लिए ऐसी जगह चुनें, जहां पर्याप्त मात्रा में धूप आती हो।
- मई के महीने में जमीन को एक या डेढ़ फुट की गहराई तक खोदकर खुला छोड़ दें, ताकि तेज धूप से मिट्टी में रहने वाले सारे कीटाणु नष्ट हो जाएं।

- तैयार भूमि में गोबर की खाद मिलाएं।
- खाद मिलाने से पहले कूटकर छान लेनी चाहिए ताकि कीट, पत्थर, रोड़े सब अलग हो जाएं।
- खाद डालने के बाद भूमि को तकरीबन 15 दिन तक नम रखें।
- इस बीच जो घास मोथा उगे उसे निकालते रहें।
- अब भूमि की फिर से गुड़ाई करके उसमें पानी भर दें। यह पानी 2-3 दिन में सूख जाएगा।
- पानी सूखने के बाद भूमि की फिर से गुड़ाई कर दें। अब यह भूमि घास लगाने के लिए तैयार है।

कौन सी घास लगाएं?

आजकल तरह-तरह की घास लान में लगाई जाती हैं जो इस प्रकार हैं—

- **साधारण दूब**—इसके पत्ते देखने में रूखे, खुरदरे और अधिक चौड़े होते हैं।
- **कलकतिया दूब**—इसके तने कुछ रसदार, कोमल और चिकने होते हैं। नर्म गुदगुदे लान बनाने के लिए इसी किस्म का इस्तेमाल किया जाता है।
- **कोरियन दूब और नीलगिरी घास**—ये दोनों किस्में देखने में सुंदर व सदा हरी रहने वाली होती हैं।
- **अफ्रीकन घास**—पांच सितारा होटलों और टैरेस गार्डन बनाने के लिए इसी घास का उपयोग किया जाता है। इस घास के पत्ते पतले, गहरे रंग के होते हैं जो देखने में बेहद आकर्षक लगते हैं।
- **एस्ट्रोटर्फ**—यह कृत्रिम घास होती है। इसे नायलान से तैयार किया जाता है। आमतौर पर यह छतों पर असली घास का आभास देने के लिए लगाई जाती है।

घास कैसे लगाएं?

घास 3 तरीकों से लगाई जा सकती है—

- बीज द्वारा
- जड़ों द्वारा
- घास वाले भूखंडों के स्थानांतरण द्वारा

बीज द्वारा

घास लगाने का यह तरीका बहुत आसान है। तैयार भूमि में पहले दूब के बीज बिखेरते हुए मिट्टी को आड़े-सीधे पलटकर मिला दें।

बीजों को मिट्टी में दबाने के लिए उस पर रोलर चलाएं ताकि बीज अच्छी तरह से बैठ जाएं।

अब हजारे से इस मिट्टी पर पानी का छिड़काव करें। यदि छिड़काव पाइप से करना हो तो इस तरह से करें कि बीजों को कोई नुकसान न पहुंचे अर्थात उनके बहने का खतरा न हो।

3 सप्ताह तक ये बीज जम जाएंगे और अंकुरण होते ही घास बढ़ने लगेगी।

जब घास काटने लायक हो जाए तो इस पर रोलर चलाएं ताकि घास कुछ दब जाए।

जब कटाई मशीन से इसकी कटाई करें तब इस बात का ध्यान रखें कि घास की जड़ें बाहर न निकलें।

जड़ों द्वारा

इस विधि में सबसे पहले किसी अच्छे स्थान से घास की जड़ें खोद लें। अब यह जड़ें खाद मिले लान की भूमि में 3-3 इंच की दूरी पर रोप दें। रोपने के बाद उसमें हल्का पानी लगा दें, ताकि जमीन में नमी आ जाए। कुछ ही दिनों में घास जड़ पकड़ लेगी। अब ठीक पहले की तरह इस उगी हुई घास की भी निराई और कटाई करें।

घास वाले भूखंडों के स्थानांतरण द्वारा

यूं तो घास लगाने का चलन बीज और जड़ों द्वारा ही है, फिर भी कई बार समय के अभाव में यह विधि अपनाई जा सकती है।

इसमें प्रायः घासयुक्त भूमि के 9 गुणा 12 वर्ग इंच के बड़े-बड़े टुकड़े ही जमीन से निकाल लिए जाते हैं और इन भूखंडों को जहां लान बनाना हो, वहां रख दिया जाता है।

भूखंड रखने के बाद उनमें पानी दिया जाता है जिससे मिट्टी जल्द ही आपस में मिल जाती है।

इस प्रकार घास लगाने की विधि में ध्यान देने योग्य बात यह है कि इन भूखंडों को इस प्रकार से आपस में जोड़कर रखा जाता है जिससे वे एक दूसरे से चिपके रहें, क्योंकि जगह छूट जाने से बीच में गड्ढा पड़ने की संभावना रहती है।

यदि भूखंड लगाते समय भूमि में कोई गड्ढा जमीन में दिखाई दे या जमीन समतल न हो तो ऐसे में निचली जमीन में कुछ मिट्टी डालकर समतल कर लिया जाता है।

पुराने लान का नवीनीकरण

पूरे लान को खुरपे से अच्छी तरह छील दें।

जहां-जहां खरपतवार हों, फावड़े से भूमि खोदकर उन्हें जड़ों सहित चुनकर नष्ट कर दें। ऐसे स्थान में छीली हुई घास में से चुनकर बढ़िया घास वाली जड़ों की रोपाई करें। घास छीलने के बाद पूरी भूमि पर रेक फिराकर भूमि की परत को नरम बना दें।

पुरानी सड़ी गोबर की खाद तथा रेत बराबर मात्रा में मिलाकर छान लें और सभी कंकर-पत्थर निकाल दें।

इस मिश्रण की 2 से 5 से.मी. मोटी तह बिछा दें।

अब सतह को फाटा मारकर समतल बना दें।

यदि बरसात न हो तो पानी का छिड़काव करते रहें।

घास की खुराक

एक अच्छा लान तैयार करने के लिए समय-समय पर घास की खुराक का भी ध्यान रखना जरूरी है। इसके लिए घास काटने के बाद गोबर की खाद तथा मिट्टी के मिश्रण की परत बहुत लाभदायक रहती है।

खाद मिट्टी का मिश्रण फरवरी-मार्च में डालना चाहिए। वैसे अमोनियम फास्फेट, अमोनियम सल्फेट का छिड़काव भी अच्छे परिणाम देता है।

आजकल बाजार में ग्रीनपिक का उत्पादन मिल जाता है, जो कि नाइट्रोजन, फास्फोरस तथा पोटेशियम का अच्छा मिश्रण है। समयानुसार आप इसे लान की खूबसूरती के लिए इस्तेमाल में ला सकते हैं।

उपयोगी सुझाव

यदि आप अपनी बगिया में ऐसा लान देखना चाहते हैं, जिसकी हर कोई खुलकर तारीफ करे तो आप निम्न बातों पर अवश्य अमल करें।

- लान के लिए जलवायु के अनुसार घास का चुनाव करना चाहिए।
- लान वाला स्थान खुला होना चाहिए और उसमें पानी की अच्छी व्यवस्था होनी चाहिए।
- लान की सिंचाई कभी भी अधिक बहते पानी से नहीं करनी चाहिए।
- घास पास-पास लगानी चाहिए तथा घास लगाने के 10-15 दिन बाद उस पर रोलर घुमाना चाहिए, इससे घास में पीलापन नहीं रहेगा तथा जड़ों को फैलने में मदद मिलेगी।
- समय पर घास की कटाई तथा लान में से खरपतवार को हटाना जरूरी है। घास-मोथा जड़ से निकालने के लिए तनिक सावधानी बरतें क्योंकि घास-मोथा बेहद ढीठ होती है। इसका जमाव तुरंत हो जाता है, इसलिए इसे निकालने के बाद तुरंत नष्ट कर दें।
- घास काटने के बाद समय-समय पर आवश्यक खुराक देना भी आवश्यक है। फरवरी-मार्च में दी गई खुराक से लान में लगी घास अच्छे परिणाम देती है।
- लान के पूर्व तथा दक्षिण में कोई घना पेड़ नहीं होना चाहिए। यदि पेड़ लगा तो अधिक छाया वाला न हो क्योंकि छाया से घास ठीक ढंग से फल-फूल नहीं पाती।
- घास को मशीन से काटने के बाद किनारे की तथा पौधों के बीच लगी अनावश्यक घास को खुरपी से हटा देना चाहिए। इससे लान साफ सुथरा व समतल दिखाई देगा।
- ऋतु के अनुसार पानी की व्यवस्था का पूरा ध्यान रखना चाहिए क्योंकि पानी घास की मूलभूत आवश्यकता है।
- लान में अधिक खेलना, कूदना, साइकिल चलाना लान की खूबसूरती के लिए नुकसानदेय है।
- अपने लान में खाद एक बार नवम्बर में, दूसरी बार जनवरी में, तीसरी बार मार्च में और चौथी बार बरसात के बीतते ही सितम्बर माह में देनी चाहिए।
- खाद हाथों से छिटकते हुए डालनी चाहिए।
- हर सप्ताह या 10-12 दिन में निराई अवश्य करनी चाहिए ऐसा करने से लान में खरपतवार नहीं पनप पाती।

- लान में 3-4 दिन के अंतर से पानी अवश्य देना चाहिए।
- लान में पानी की निकासी का उचित प्रबंध होना चाहिए। यदि पानी लान में रुका रहेगा तो घास सड़ जाएगी।
- छत पर लगाई घास की विशेष रूप से देखभाल करनी चाहिए। छत पर लान बनाने से पहले किसी विशेषज्ञ की सलाह लेकर छत पर वाटर प्रूफिंग अवश्य करवानी चाहिए ताकि दीवारों में पानी न जाए और सीलन घर में न फैलने पाए।

लान की देखभाल

जनवरी

सर्दियों का मौसम लान को प्रभावित करता है। पाले व ठंड से घास पीली व भूरी हो जाती है। इसके लिए कैल्शियम अमोनिया नाइट्रेट या अमोनिया सल्फेट 350 ग्राम प्रति 10 वर्ग मीटर लान की दर से छिड़ककर पानी देना चाहिए या यूरिया के घोल का छिड़काव करना चाहिए।

फरवरी

लान के उन हिस्सों में जहां की घास खराब हो गई हो, खुदाई करके नई दूब लगा दें।

पूरे लान पर यूरिया के घोल का छिड़काव करें। रोलर व मशीन फिराएं। खरपतवार निकालें और प्रति सप्ताह सिंचाई करें।

मार्च-अप्रैल

इन दिनों सिंचाई की मात्रा बढ़ती गर्मी के हिसाब से बढ़ाएं। खरपतवार, मोथा निकालें। उर्वरक व खाद का प्रयोग करें।

मई-जून

इन महीनों में सप्ताह में 2-3 बार सिंचाई करें। मशीन से घास की कटाई करें। बी.एच.सी. 10 प्रतिशत या एल्ड्रीन का छिड़काव करें।

जुलाई-अगस्त

इन दिनों लान में कुछ दोष उत्पन्न हो जाते हैं। घास के नीचे जमीन पर काई जम जाती है। पानी अधिक देर तक खड़ा रहने से घास नष्ट हो जाती है। इसके उपचार के लिए 500 ग्राम से 1 किलो तक बुझा हुआ चूना प्रति 100 वर्ग फुट क्षेत्र के लिए पानी में घोल कर लान में छिड़कना चाहिए। ध्यान रहे चूने का

उपयोग उर्वरक डालने के 15-20 दिन बाद ही घास को लाभ पहुंचाता है। कभी भी नाइट्रोजन खाद और चूना आपस में मिलाकर उपयोग में न लाएं।

लान के किनारों तथा कटाई-छंटाई का कार्य नियमित रूप से करें।

सितम्बर

बरसात की वजह से लान में बने गड्ढों में खाद व रेत का मिश्रण भर दें। घास काटने की मशीन और रोलर का इस्तेमाल नियमित रूप से करें।

अक्तूबर-नवम्बर

- प्रति सप्ताह सिंचाई करें।
- हल्का रोलर फिराएं।
- खरपतवार निकालें।
- यदि लान बरसात के दिनों में लगाया गया है तो कटाई करें।

दिसम्बर

- पानी कम करें।
- 4 प्रतिशत यूरिया के घोल का छिड़काव करें।

कैसे करें झाड़ियों का चुनाव

बगिया में झाड़ियों का अपना महत्त्व है। यदि झाड़ियों को पत्तियों, रंग व ऊंचाई के हिसाब से उचित जगह पर लगाया जाए तो ये बहुत आकर्षक लगती हैं और बगिया की शोभा में चार चांद लगा देती हैं।

झाड़ियां वृक्षों से छोटी होती हैं। कुछ झाड़ियों को बाद में भी खूबसूरती के लिए लगाया जाता है जैसे मोरपंखी, चम्पा, वोगेनवेलिया आदि।

झाड़ियों का वर्गीकरण

झाड़ियों का वर्गीकरण उनके उपयोग के आधार पर निम्न रूप से किया जा सकता है।

- छोटी व सुंदर झाड़ियां
- सुरक्षा के लिए छोटी व कांटेदार झाड़ियां
- फूलदार झाड़ियां
- वायु का वेग रोकने वाली झाड़ियां
- शीघ्र बढ़ने वाली झाड़ियां
- क्षारीय भूमि में उत्पन्न होने वाली झाड़ियां

छोटी व सुंदर झाड़ियां (बाड़ के लिए)

- एक लीफा या ट्राइकलर (बसंती)—ये झाड़ी कलम लगाकर उगाई जाती है। इसका पौधा डेढ़ मीटर ऊंचा होता है जो सदाबहार रहता है। इसकी पत्तियां भी सुंदर होती हैं। इस झाड़ी के लिए नम जलवायु ठीक रहती है।
- क्लिरोडेनड्रोन इनोराइन (4 तकराई)—यह झाड़ी शीघ्र तैयार हो जाती है। इसका पौधा भी डेढ़ मीटर ऊंचा होता है। इसकी भी प्राय: कलमें लगाई जाती हैं। इसके लिए शुष्क जलवायु उपयुक्त रहती है।
- डुडोनिया विस्कोसा (रेलिया)—ये सूखे में उगाई जाने वाली झाड़ी है। इसका पौधा भी डेढ़ मीटर ऊंचा होता है। यह शीघ्र तैयार हो जाती है। इसके लिए शुष्क जलवायु ठीक रहती है।
- डुरंटा पलमराई— इसे बीज व कलम द्वारा उगाया जा सकता है। इसे नम

जलवायु की जरूरत होती है। इसकी ऊंचाई एक से डेढ़ मीटर तक होती है। इसके फल व फूल बहुत खूबसूरत होते हैं।

- जस्टीसिप (जल विहार)—इसका पौधा एक से पांच मीटर ऊंचा होता है। इसे कलम द्वारा लगाया जाता है। इस झाड़ी के लिए नम जलवायु उपयुक्त रहती है।
- मायरस कम्यूनिस (विलायती मेहंदी)—इसे बीज व कलम द्वारा उगाया जाता है। इसकी ऊंचाई डेढ़ मीटर के आस-पास होती है। देसी मेहंदी की तरह इसे भी शुष्क जलवायु की जरूरत होती है।
- मुसैंडा (जुगनू)—इसकी ऊंचाई भी डेढ़ मीटर के आसपास होती है। इसके लिए नम जलवायु ठीक रहती है।

सुरक्षा के लिए छोटी व कांटेदार झाड़ियां

- अकेशिया मोडेस्टा (फुलई)—इसे बीज द्वारा उगाया जाता है। इसकी ऊंचाई भी डेढ़ मीटर तक होती है। इसे कम पानी की आवश्यकता होती है। इसलिए शुष्क जलवायु इसके लिए ठीक रहती है।
- सिटरस वलगेरिस (विलायती बबूल) या जंगल जलेबी—इसकी ऊंचाई डेढ़ से तीन मीटर तक होती है। इसे बीज द्वारा बोया जाता है। इसे कम पानी की जरूरत पड़ती है, इसलिए शुष्क जलवायु इसके लिए ठीक रहती है।
- परविन सोनिया एक्यूलेटा ((विलायती कीकर)—इसे बीज द्वारा उगाया जाता है। इसकी ऊंचाई भी और झाड़ियों की तरह डेढ़ मीटर के आसपास होती है। चूंकि इसे बहुत कम पानी की जरूरत पड़ती है। इसलिए शुष्क जलवायु इसके लिए ठीक रहती है।

फूलदार झाड़ियां

हिविस्कस (गुड़हल)

- हिविस्कस (गुड़हल)—यह पौधा तीन मीटर तक ऊंचा है। इसके पौधे कलम द्वारा लगाए जाते हैं। इसे नम जलवायु की जरूरत होती है। इस पर बहुत ही सुंदर फूल खिलता है।
- इक्सोरा अटबा (रुक्मणी)—इसका पौधा लगभग 2 मीटर ऊंचा होता है। यह भी कलम द्वारा लगाया जाता है। इसके लिए नम जलवायु ठीक रहती है तथा इस पर भी खूबसूरत फूल आता है।
- जैसमीनन संबक (मोगरा)—इस पर दो रंग के छोटे-छोटे फूल आते हैं। इसे नम जलवायु की आवश्यकता होती है।
- लैंटाना केमारा (जरामन)—इसकी ऊंचाई ढाई से तीन मीटर तक होती है।

इसे कलम व बीज दोनों विधियों से उगाया जाता है। इसे नम जलवायु की जरूरत होती है तथा इस पर भी आकर्षक फूल खिलते हैं।

- मुरापा एकसोटिका (कामिनी)—इस पौधे की ऊंचाई 3 मीटर तक होती है। इसे कलम द्वारा उगाया जाता है तथा इस पर खूबसूरत फूल आते हैं। इसके लिए नम जलवायु ठीक रहती है।
- टिकोमा—इसका पौधा 3 से 4 मीटर ऊंचा होता है। इसकी उत्पत्ति बीज द्वारा होती है। शुष्क जलवायु इसके लिए उपयुक्त रहती है। यह बिगोनिएसी परिवार का महत्त्वपूर्ण पौधा है। इस पर बिगुल जैसे फूल खिलते हैं तो सबका मन मोह लेते हैं।

वायु का वेग रोकने वाली झाड़ियां

इस वर्ग की प्रमुख झाड़ियों के नाम कुछ इस प्रकार हैं—

- कासारीना डकूटू सैटीफोलिया (विलायती झाड़)
- हेमाटौक्सीलन (विलायती झाड़)
- प्रोसापिस जूलीफलोग
- टैनेरिक्स आरटी कुलेटा (फरास फाई)

शीघ्र बढ़ने वाली झाड़ियां

इस वर्ग की झाड़ियों की खासियत यह होती है कि ये बड़ी तेजी से बढ़ती हैं। इनमें से कुछ झाड़ियों के नाम हैं—

- कैसुरीना हक्केसेतीफोतिया (विलायती झाड़)
- ऐसबेनिया इजिप्टिका (जैवे परायन)
- कैजेनस इंडिका (अरहर)
- लेंटाना केमारा (जरामन)
- प्रोसोपिस जूलिपलोश (विलायती बबूल)

क्षारीय भूमि में उत्पन्न होने वाली झाड़ियां

इस वर्ग की प्रमुख झाड़ियों के नाम व विवरण कुछ इस प्रकार हैं—

- एगेव (रथपला)—इसकी ऊंचाई एक मीटर तक होती है। इसे पक्तियों में लगाया जाता है। इसे कम पानी तथा शुष्क जलवायु की आवश्यकता होती है।
- यूफोबिये (थोर)—इसकी ऊंचाई डेढ़ से दो मीटर तक होती है। यह कलम द्वारा उगाई जाती है तथा इसे शुष्क जलवायु की जरूरत होती है।
- उपशिया (नागफनी)—यह झाड़ी 2 से 3 मीटर तक ऊंची होती है। इसे कलम द्वारा उगाया जाता है। इसके लिए शुष्क जलवायु ठीक रहती है।

झाड़ियों की बहार

झाड़ियां बगीचे के चारों ओर एक चारदीवारी खड़ी करके अपनी मनोहारी छटा तो बिखेरती ही हैं, इसके साथ-साथ ये छोटे-मोटे जानवरों से बगीचे की सुरक्षा भी करती हैं।

बगीचा छोटा हो या बड़ा उसके चारों ओर झाड़ियों का होना बेहद जरूरी है। इस अध्याय में हम कुछ झाड़ियों के बारे में बता रहे हैं जिन्हें अपनी बगिया में उगाकर आप अपनी बगिया की शोभा बढ़ा सकते हैं।

रात की रानी

रात की रानी का वानस्पतिक नाम केस्ट्रम नोक्ट्रनम है। यह सीलेनेसी परिवार से संबंध रखता है। हिंदी में इसे 'रात की रानी' और बंगला में 'हसनाहेना' और तेलुगू में 'रेरानी' कहते हैं।

इसके फूल सफेद रंग के होते हैं व गुच्छों में लगे रहते हैं। ये फूल रात में ही खिलते हैं और इनकी भीनी-भीनी खुशबू वातावरण को रात-भर महकाती है।

बोने की विधि और समय

रात की रानी कलम द्वारा उगाई जाती है। इसकी कलमें नवम्बर-दिसम्बर में पौधघर (नर्सरी) में लगाई जाती हैं। ये कलमें 27 से 30 से.मी.तक लंबी होनी चाहिए।

भूमि

इसके लिए दोमट भूमि अति उत्तम रहती है। इसे सड़े-गले पत्तों की खाद दी जाती है।

छंटाई

समय-समय पर इसकी कमजोर व सूखी टहनियों की छंटाई करते रहना चाहिए, जिससे झाड़ी खूबसूरत दिखाई दें।

चांदनी

इसका वानस्पतिक नाम टेबरनामोंटेना कारोनेरिया है। इसका संबंध एपोसाईनेसी फैमिली से है। इसका प्रचलित नाम 'केपजासमीन' है। इसका पौधा झाड़ीदार और दो-सवा दो मीटर ऊंचा होता है। इसके पत्ते हरे रंग के होते हैं। इसके सफेद फूलों में विशेष सुगंध नहीं होती, फिर भी इसके फूल बेहद आकर्षक दिखाई देते हैं।

लगाने की विधि और समय

ये पौधे कलम द्वारा बरसात के दिनों में लगाए जाते हैं। इन्हें हर प्रकार की भूमि में लगाया जा सकता है।

कॉपर लीफ

इसका वानस्पतिक नाम 'अकलीफा' है। यह यूफोरबायेसी फैमिली' से संबंध रखता है। इसका पौधा एक से दो मीटर ऊंचा होता है। इसकी पत्तियां रंग-बिरंगी होती हैं। इसके फूल गहरे चमकदार व लाल रंग के होते हैं। यह झाड़ी बहुत तेजी से बढ़ती है। इसे आप गमलों में भी सजा सकते हैं।

लगाने की विधि व समय

ये पौधे कलम द्वारा लगाए जाते हैं। मार्च-अप्रैल माह में इसकी कलमें लगा दी जाती हैं। इसके लिए दोमट मिट्टी अति उत्तम रहती है। धूप वाले स्थानों पर यह अच्छा बढ़ता है और अच्छे फूल देता है।

छंटाई

समय-समय पर इनकी छंटाई करते रहना चाहिए, जिससे कि पौधों का आकार ठीक रहे और ये आकर्षक दिखाई दे सके।

बार्बडोस चेरी

इसका वानस्पतिक नाम 'मैलपिथिया फौक्सीगेस' है। यह बौनी झाड़ी मानी जाती है। इसकी ऊंचाई 60 से 90 से.मी. तक होती है। इसके पत्ते घने व गोलाकार होते हैं। इसके सफेद व गुलाबी रंग के फूल गरमी तथा बरसात के दिनों में बेहद अच्छे लगते हैं।

बोने की विधि और समय

यह पौधा रेत मिली दोमट मिट्टी में पूरी तरह से खिलता है।

मैलपिथिया ग्लैबरा इसकी एक खास किस्म है। यह 25 मीटर लम्बी होती है तथा इस पर गुलाब जैसे लाल रंग के आकर्षक फूल खिलते हैं।

यह झाड़ी बीज व कलम, दोनों द्वारा लगाई जाती है।

हरशृंगार

इसे हिंदी में 'हरशृंगार' तो कहते ही हैं इसका वानस्पतिक नाम भी हरशृंगार है। यह 'औलीस' फैमिली से संबंध रखता है। अंग्रजी में इसे नाइट जैस्मिन तो संस्कृत में पारिजात कहते हैं। पश्चिम में यह 'टी आफ सेडनेस' के नाम से जाना जाता है। यह पौधा ऊंची झाड़ियों में गिना जाता है। इसकी ऊंचाई 3 से 6 मीटर तक होती है। इसके फूल रात को खिलते हैं और सुबह होते ही मुरझाने शुरू हो जाते हैं। पतझड़ के मौसम में इसके फूलों की सुगंध सभी का मन मोह लेती है। यह झाड़ी छाया में विशेष रूप से फलती-फूलती है।

इसके फूल गुलाबी रंग के व छोटे होते हैं। हिंदू धर्म में इसे एक पवित्र पौधे की संज्ञा दी गई है। हिंदू लोग इसकी पूजा करते हैं। यह प्रत्येक मंदिर की वाटिका में उगाया जाता है। इसका मूल स्थान भारत है तथा यह चमेली से मिलता-जुलता है।

बोने की विधि व समय

इसे बीज व कलम दोनों विधियों द्वारा उगाया जा सकता है। इसके बीज बसंत ऋतु में तथा कलमें बारिश के दिनों में लगाई जाती हैं। यह एक कठोर तथा बहुत तेजी से बढ़ने वाला पौधा है। इसकी शाखाएं चपटी, चार कोनों वाली होती हैं।

सितम्बर से नवम्बर तक इसके फूल खिलते हैं। ये फूल सुगंध बनाने और रंगने के काम आते हैं तथा घरों में सजावट के लिए रखे जाते हैं। ये दिन भर अपनी महक देते रहते हैं। महिलाएं इन्हें अपने बालों में लगती हैं।

भूमि

रेत मिली मिट्टी इसके लिए अच्छी रहती है।

कटाई-छंटाई

समय-समय पर इसकी छंटाई करते रहना चाहिए। फूल देने के बाद इसे 90 से 120 से.मी.तक रखा जा सकता है।

ओलिएंडर

ओलिएंडर का वानस्पतिक नाम 'नेरियम ओडोरनम' है तथा यह 'ऐपोसिनेसी' फैमिली से संबंध रखता है।

अंग्रेजी में इसे 'औलेंडर स्वीट सेंटेड' पंजाबी में 'गंहिरा कनेर', बंगला में 'कराबी' तथा तेलुगू में 'गानेरू' कहा जाता है।

इसकी कुछ प्रसिद्ध किस्में निम्नलिखित हैं—

ब्लैक प्रिंस—इसके फूल गहरे लाल रंग तथा दुहरी पंखड़ियों वाले होते हैं।

रोजीया—यह डीप रोजी रैड के नाम से जाना जाता है। इसके फूल गुलाब जैसे लाल रंग के होते हैं।

करनीयम—इसके फूल गुलाबी रंग के होते हैं।

एल्बोप्लीनम—इसके फूल सफेद रंग के होते हैं।

बोने की विधि और समय

ये पौधा दक्षिण भारत में बहुतायत में पाया जाता है। वैसे इसका मूल स्थान जापान, भारत व ईरान है। इसके फूल लाल, सफेद, गुलाबी व गहरे जामुनी रंगों के होते हैं तथा शिखर पर लगते हैं। जून से दिसम्बर तक इस पर फूल लगते हैं।

भूमि

खुली धूप तथा रेत वाली दोमट मिट्टी इसके लिए ठीक रहती है।

कटाई-छंटाई

फूल आने के बाद इन पौधों को ठीक रखने के लिए इसकी कटाई-छंटाई बहुत आवश्यक है।

येलो ओलिएंडर

इसका वानस्पतिक नाम 'भवेटिया नेरीफोलिया' है तथा यह 'एपोसिनायेसी' फैमिली से ताल्लुक रखता है। हिंदी में इसे 'पीला कनेर', बंगला में 'कोल काफूल करबी', कन्नड़ में 'गनीगलू', मलयालम में 'बुंगाजेपन', तमिल में 'पच्छा अरल' तेलुगू में 'पच्छा गनेरु' और गुजराती में 'पिलो कनेरा' कहते हैं।

इसकी लम्बाई लगभग 3.5 से 4 मीटर तक होती है। इसके फूल पीले रंग के होते हैं, जो साल-भर खिले रहते हैं। यह पौधा हर मौसम में हरा-भरा रहता है।

बोने की विधि व समय

यह बीज तथा कलम द्वारा उगाया जाता है। इस पर फूल गर्मी से बारिश के दिनों में आते हैं। फूलों की लम्बाई 7 से 8 से.मी.तक होती है। ये फूल बहुत ही सुंदर और सुगंधित होते हैं।

हार बनाने व सजावट करने के लिए इन फूलों का विशेष रूप से उपयोग किया जाता है।

भूमि

इसके लिए रेतीली मिट्टी, जो न तो अधिक नम हो और न ही शुष्क, उपयुक्त रहती है। वैसे यह पौधा धूप वाले स्थानों में ठीक ढंग से फलता-फूलता है।

लैटना

इसका वानस्पतिक नाम 'लाटना कमरा' है तथा यह 'वर्बेनिसी' फैमिली से ताल्लुक रखता है। इसका मूल स्थान एशिया और अफ्रीका है। इसके फूल लाल, सुनहरे व सफेद रंग के होते हैं। इसकी ऊंचाई डेढ़ से तीन मीटर तक होती है। इसके पत्ते गहरे हरे रंग के व सुगंध देने वाले होते हैं।

यह झाड़ी बहुत तेजी से बढ़ती है। यों तो इसके फूलों में सुगंध नहीं होती, लेकिन अपने रंगों की वजह से यह पौधा बेहद खूबसूरत लगता है। इसके फूल जब खिलते हैं तो पीले या गुलाबी रंग के होते हैं लेकिन बाद में ये लाल, सुनहरे व सफेद रंग के हो जाते हैं।

भारत में लैटना झाड़ी कृत्रिम व प्राकृतिक बगीचों में लगाई जाती है। इस पर केवल 5-6 महीने ही फूल आते हैं।

बोने की विधि का समय

इसका पौधा बीज व कलम, दोनों विधियों द्वारा तैयार किया जा सकता है। इसके फूलों के गुलदस्ते बनाए जाते हैं जो कि बहुत सुंदर लगते हैं।

भूमि

इसके लिए दोमट भूमि अच्छी रहती है। वैसे इसका पौधा धूप वाली जगहों में अच्छा फलता-फूलता है।

कटाई-छंटाई

लैटना झाड़ी को सही आकार देने व इसकी खूबसूरती के लिए इसकी कटाई-छंटाई बेहद जरूरी है।

सारनी या गुलफनूस

इसका वानस्पतिक नाम 'लैगरस्ट्रोमिया इंडिका' है तथा यह 'लिथरेसी' फैमिली से ताल्लुक रखता है। हिंदी में इसे 'फराश', अंग्रेजी में 'क्रेप मिटरल', पंजाबी में 'धौरा', बंगला में 'फराश', तेलुगू में 'चिनागरंता' और तमिल में 'सिनापू' कहते हैं।

इसकी झाड़ी में सफेद रंग के फूल खिलते हैं और इसकी ऊंचाई 3 मीटर के आसपास होती है।

इसकी कुछ प्रसिद्ध किस्में हैं—

- **बाइड**—यह झाड़ी गुलाब जैसी कोमल होती है तथा इसमें गुलाबी रंग के फूल लगते हैं।
- **रोजिया**—इस पर गुलाबी रंग के फूल खिलते हैं।
- **कैंडिडा**—इसकी झाड़ी में सफेद रंग के फूल खिलते हैं।

बोने की विधि व समय

यह पौधा बीज व कलम, दोनों विधियों द्वारा उगाया जाता है। मई से लेकर जुलाई तक इस पर फूल खिलते हैं। इसकी कलमें सर्दियों में या बरसात के दिनों में लगाई जाती हैं।

भूमि

इसके लिए दोमट मिट्टी अच्छी रहती है। वैसे यह झाड़ी धूप वाली जगह ज्यादा पसंद करती है।

लेनसोनिया

हिंदी में इसे 'मेहंदी', अंगेजी में 'ट्री मिगोनेटी', उर्दू में 'हिना' तथा मराठी में 'मेंधी' कहते हैं। इसका वानस्पतिक नाम 'लेनसोनिया' है तथा यह 'लिथरेसी' फैमिली से संबंध रखती है।

यह बहुत तेजी से बढ़ने वाली हरी-भरी झाड़ी है। इस पर फूल एक साल बाद खिलते हैं। इस झाड़ी की ऊंचाई 2 से 3 मीटर तक होती है। फूल सफेद रंग के व सुगंध देने वाले होते हैं।

यह झाड़ी कोठी व उद्यानों की बाड़ लगाने के लिए उपयुक्त समझी जाती

है। पंजाब, गुजरात, राजस्थान तथा मध्य प्रदेश में इसकी भरपूर खेती की जाती है।

इसकी प्रमुख किस्में हैं—

- एलवा—इस पर खिलने वाले फूलों की पंखुड़ियां हल्के पीले रंग की होती हैं।
- रूबरा—इसके फूलों की पंखुड़ियां हल्के लाल रंग की होती हैं। लेनसोनिया के पत्तों में कई औषधीय गुण होते हैं। यह त्वचा के रोगों की रोकथाम के लिए उपयोग में लाई जाती है। इसके अलावा स्त्रियां अपने हाथ-पैरों को रंगने में इसका प्रयोग करती हैं।

बोने की विधि व समय

इसके लिए दोमट मिट्टी ठीक रहती है। यह कलमों तथा बीजों द्वारा उगाई जाती है।

गुड़हल

इसका वानस्पतिक नाम 'हिनिस्कस रोजा साइनेसिस' है और यह 'मालवैसी' कुल से संबंध रखती है। वैसे इसका प्रचलित नाम 'चाइना रोज' है। चीन में इसे 'चाइना शू फ्लावर' के नाम से जाना जाता है।

यह बहुत ही लोकप्रिय झाड़ी है। भारत के बागों, उद्यानों व वाटिकाओं में यह झाड़ी अधिकतर दिखाई देती है। इसके सफेद, संतरी, गुलाबी गहरा जामुनी आदि रंगों के फूल सबका मन मोह लेते हैं। भारत में इस झाड़ी को 'जाबा' नाम से भी जाना जाता है।

लगाने की विधि व समय

यह झाड़ी कलमों द्वारा उगाई जाती है। बारिश के दिनों में इसकी कलम से पौध तैयार कर ली जाती है। इसके फूल सितम्बर से नवंम्बर तक खिलते हैं।

फूलों के खिलने के आधार पर इसकी निम्न किस्में हैं—

- गुल-ए-अजैब—यह किस्म अक्तूबर से जनवरी तक फूल देती है।
- हिबिस्कस रोजा साइनेसिस— इस पर धूप वाली जगहों पर अच्छा फूल खिलता है।

भूमि

इसके लिए दोमट मिट्टी ठीक रहती है। रुके हुए पानी या सीलन वाली भूमि इसके लिए उचित नहीं रहती। इसे बोनमील, ब्लडमील की खाद दी जाती है।

बौनी किस्में

जूनो डैफोडिल, स्वीट हार्ट व हवी व्हाइट इसकी बौनी किस्में हैं।

देखभाल

सर्दी के मौसम में इस झाड़ी को तरल खाद देनी चाहिए और कीटाणुओं से इसका बचाव करने के लिए समय-समय पर कीटाणुनाशक दवाइयों का प्रयोग करना चाहिए।

बगिया की जान : सुंदर लताएं

लता अथवा आरोही पौधे घर-आंगन और बगिया की जान होते हैं। ये सीधे खड़े नहीं हो पाते, इसलिए इन्हें सहारे की जरूरत होती है। इनका इस्तेमाल घर की दीवार, मेहराब, बाउंड्री वॉल, तोरण द्वार आदि को सजाने के लिए किया जाता है।

कुछ लताएं अपने फूलों की खूबसूरती की वजह से हमें लुभाती हैं तो कुछ अपनी सुंदर पत्तियों की वजह से हमारा मन मोह लेती हैं।

कुछ प्रमुख सुंदर लताओं का विवरण हम कुछ यों कर रहे हैं—

राखीबेल (पैसी फ्लोराकारोलिया)

राखी बेल को 'फूलधड़ी' और 'कौरव-पांडव' के नामों से भी जाना जाता है।

इसमें राखी जैसे सुंदर फूल लगते हैं। फूल गरमी में आते हैं और इनका रंग नीला या बैंगनी होता है।

इन्हें बीज, कलम व गुटटी द्वारा उगाया जा सकता है। ये लताएं वृक्ष के सहारे, दीवार पर, छप्पर पर फैलने के काम आती हैं।

पेट्रीया (पेट्रीयावोलविलिस)

यह लता अपने छोटे-छोटे सितारों जैसे गुच्छों में लटकते फूलों की वजह से बागबानों को लुभाती आई है। जब इसमें फूल लगते हैं तो इनका सौंदर्य देखते ही बनता है।

इसके पौधे कलम, गुटटी तथा आसपास निकलने वाले सकर्स से तैयार किए जाते हैं।

इसे बाग के चारों ओर की दीवार के किनारे-किनारे लगाया जा सकता है।

थंबर्जिया (ग्रेंडीफ्लोरा)

यह लता बहुत तेजी से बढ़ती है। इसे आकाश फूल भी कहा जाता है। जाड़ों में इसमें लाल-बैंगनी फूल आते हैं, जो गुच्छों में बेहद खूबसूरत दिखाई देते हैं।

इसके पौधे, बीज, कलम व गुट्टी द्वारा तैयार किए जाते हैं।

अलमंडा (अलमंडा केथार्टिका)

इस सदाबहार लता को सहारा देकर ऊपर तक चढ़ाने के लिए रस्सी आदि से बांधना पड़ता है। इसकी पत्तियां चमकदार व फूल पीले रंग के होते हैं जो कि घंटी के आकार के होते हैं।

बिग्नोनिया या गोल्डन शावर (बिग्नोनिया वेनस्टा)

यह खूब बढ़ने वाली सदाबहार लता है। इसे स्वर्ण आभा भी कहा जाता है। जब यह बेल अपने चटख नारंगी रंग के फूलों से लदी होती है, तब इसका आकर्षण देखते ही बनता है।

यह बेल कलम, गुट्टी से तैयार की जाती है। जून के महीने में इसकी कटाई-छंटाई की जाती है।

रंगून क्रीपर (क्वीसफेलिस इंडिका)

यह बेल बेहद लोकप्रिय है। यह 'झुमुकलता' के नाम से भी जानी जाती है। इसमें साल भर में कई बार फूल लगते हैं जो पहले सफेद बाद में गुलाबी लाल हो जाते हैं। इसकी मधुर सुगंध सभी को भाती है।

बहुत जल्दी बढ़ने और फैलने वाली इस लता के पौधे कटिंग, गुट्टी अथवा सकर्स से तैयार किए जाते हैं।

यह बेल दीवारों, मेहराब तथा पेड़ों पर चढ़ाने के लिए उपयुक्त है।

माधवी लता (हिप्टेजम्रेडाबोलाटा)

यह बेल बड़ी सुंदर होती है। सितम्बर-अक्टूबर में इस पर पीले सफेद रंग के खूबसूरत फूल आते हैं। इसे कलम व गुट्टी द्वारा तैयार किया जा सकता है। जून माह में इसकी छंटाई (प्रूनिंग) की जाती है।

रेलवे क्रीपर (आइपोमियापामेटा)

तेजी से बढ़ने वाली इस सदाबहार बेल पर पूरे साल फूल आते हैं। ये फूल घंटी जैसे और नीले बैंगनी रंग के होते हैं, जो कि बहुत सुंदर दिखाई देते हैं।

ये बेल बीज अथवा कलम द्वारा तैयार की जाती है। दीवार, बाउंड्री वाल, मेहराब, छतरी व पेड़ों पर चढ़ाने के लिए यह एक आदर्श बेल है।

ट्रंपेट क्रीपर (टिकोमा ग्रेंडीफ्लोरा)

इस लता पर नारंगी व लाल रंग के आकर्षक फूल लगते हैं जो कि मई से नवम्बर तक खिलते हैं। इसे कलम व सकर्स द्वारा तैयार किया जाता है।

ब्लीडिंग हार्ट (क्लोरोडेंड्रानथामसनी)

इस सुंदर सदाबहार लता पर फूल साल में कई बार निकलते हैं जो कि सुर्ख लाल रंग के होते हैं। इस लता को आप छायादार जगह पर भी लगा सकते हैं। इसके पौधे कलम व गुट्टी द्वारा तैयार किए जाते हैं।

बोगनवेलिया

बोगनवेलिया बहुत ही आकर्षक और लोकप्रिय लता है। इस पर कई रंगों के ढ़ेरों फूल खिलते हैं। इसकी प्रमुख किस्मों में 'मेरी पामर' महारा, लेडी मेरी बेरिंग, लुइज वाथेन, मेग्नीफिक के नाम लोकप्रिय हैं।

इस लता के पौधों को आप कलम, गुट्टी अथवा बडिंग द्वारा तैयार कर सकते हैं। इस लता की मुख्य विशेषता यह है कि यह विपरीत परिस्थितियों में भी अच्छी तरह से फलती-फूलती है और अपना सौंदर्य बिखेरती है।

चमेली (जेस्मीनमग्रांडीफ्लोरम)

चमेली भारत की अति प्रसिद्ध सुगंधित और सफेद फूलों वाली बेल है। इस पर गर्मियों में सुगंधित फूल आते हैं। इन फूलों से तेल भी निकाला जाता है।

चमेली के पौधे कलम या गुट्टी द्वारा तैयार किए जा सकते हैं।

अपराजिता (क्लिटोरियाटर्नेशिया)

इसे गोकर्ण भी कहते हैं। यह जल्दी से बढ़ने वाली सदाबहार लता है। इस पर साल में कई बार सफेद, बैंगनी, नील रंग के फूल आते हैं जो बहुत ही सुंदर होते हैं। यह लता नमी वाले स्थानों पर लगाने के लिए उपयुक्त है।

इसके पौधे बीज या कलम द्वारा तैयार किए जाते हैं।

गुलाब

लता या आरोही स्वरूप में गुलाब घर के आंगन और बगिया को सजाने में खास भूमिका अदा करता है। गुलाब की एलिक्स रेड, सिंपेथी, अमेरिका, फ्रेंगरेंट क्लाऊड, कोरल, सोनिया, गोल्डन शावर, रायल गोल्ड, आइसबर्ग, स्वानलेक,

देलही व्हाइट पर्ल, प्रोस्पेरीटी, पैराडाइज आदि किस्में बेहद लोकप्रिय हैं, जिन्हें मेहराब, दीवार, खम्बे आदि पर चढ़ाया जा सकता है।

इन किस्मों को कलम, बडिंग, गुट्टी द्वारा तैयार किया जा सकता है।

मनीप्लांट

मनीप्लांट आम जनजीवन में बहुत लोकप्रिय है। इसे घर के अंदर व छायादार नम जगह में भी उगाया जा सकता है।

इसकी चितकबरी पत्तियां सबको बेहद लुभाती हैं।

इन्हें कलम अथवा सकर्स द्वारा तैयार किया जाता है। गोल्डन पोथास इसकी प्रसिद्ध किस्म है।

एस्पेरेगस

यह बेल खूब फैलती है। इसके सुंदर हल्के हरे रंग के रोएदार पत्तियों वाले पौधे सभी को आकर्षित करते हैं, सर्दियों में इस पर सफेद रंग के फूल आते हैं। इसे शतावरी भी कहा जाता है। इसकी कुछ प्रजातियों को आप घर के भीतर भी उगा सकते हैं।

फाइकस रिपेंस

भारतीय आइवी के नाम से मशहूर इस बेल की हर गांठ पर निकलने वाली जड़ों से एक तरह का रस निकलता है, जिसके सहारे चिपककर यह दीवारों अथवा पेड़ों पर चढ़ जाती है। इसे आप कलम द्वारा तैयार कर सकते हैं।

आइवी (हेडेरा हेलिक्स)

यह सुंदर पत्तियों के लिए उगाई जाती है और ठंडी जगहों के लिए बहुत

उपयोगी है। इसे आप घर के भीतर भी लगा सकते हैं। इसके पौधे कटिंग विधि द्वारा तैयार किए जाते हैं।

लता रानी या अंगूर पुष्प लता (विस्टेरिया साइनेंसिज)

इस बेल पर अंगूर के गुच्छों की तरह सफेद, गुलाबी, बैंगनी रंग के फूलों के गुच्छे लगते हैं। गर्मी के मौसम में लता फूलों से लद जाती है। असीम सौंदर्य के कारण इसे लता रानी भी कहा जाता है।

इसके पौधे कलम या गुट्टी द्वारा तैयार किए जाते हैं।

पोरेटो प्रीपर (सोलेनम जेस्मीनोइड्स, सो.सीफोर्थीएनम)

इस पर बैंगनी गुलाबी रंग के फूल साल में कई बार लगते हैं। इसके फूलों की सुगंध और पत्तियों की सुंदरता सबका मन मोह लेती है। इसे आप आंशिक छाया में भी उगा सकते हैं।

इसके पौधे कलम व गुट्टी द्वारा तैयार किए जाते हैं।

बगिया में पौधों की छंटाई

पौधों की वृद्धि के लिए छंटाई का बहुत महत्त्व है। वायु, जल, धूप और खाद के साथ-साथ पौधों को छंटाई की भी जरूरत पड़ती है। वास्तव में पौधों की छंटाई करने की कला बहुत प्राचीन है। इसका उल्लेख बाइबल में भी किया गया है। प्राचीन यूनानी कथाओं में भी इसका वृत्तांत मिलता है।

पौधों के अवांछित भागों को काटकर उनको सशक्त बनाने के लिए जो क्रिया की जाती है उसे प्रूनिंग (कृंतन) कहा जाता है।

प्रूनिंग (कृंतन का उद्देश्य)

पौधों का कृंतन निम्न बातों के लिए किया जाता है—

- पौधे के अवांछित भागों के निराकरण के लिए।
- पौधों को छायादार बनाने के लिए
- पौधों को दिए गए पोषक तत्त्वों (खाद व उवर्रक आदि) का विशेष भागों में पोषण के लिए।
- पौधे अधिक समय तक सशक्त, सुंदर व स्वस्थ रहें।
- पौधे के प्रत्येक भाग को सूर्य का प्रकाश पहुंचाने के लिए।
- पौधे के रोगग्रस्त या कीट लगे भाग को पृथक करने के लिए।
- अधिक फल-फूल प्राप्त करने के लिए।

प्रूनिंग के नियम

प्रूनिंग करते समय निम्नलिखित बातों का ध्यान अवश्य रखना चाहिए—

- बड़ी शाखाओं का कोई भी भाग पौधे के पास खड़ा नहीं रहना चाहिए।
- कटाव सीधा व साफ होना चाहिए।
- शाखा ऐसे स्थान से काटी जानी चाहिए, जहां ऊपर की कली बाहर की ओर हो।
- कटे हुए भाग पर सफेदा या सफेदा और अलसी के उबले तेल का मिश्रण लगाना चाहिए।

- रोगग्रस्त, दुर्बल, सूखे व पौधे की वृद्धि में बाधा डालने वाली शाखाओं को अवश्य निकालना चाहिए।
- आवश्यकता से अधिक प्रूनिंग नहीं करनी चाहिए।

प्रूनिंग की विधियां

जड़ कृंतन (Root pruning)

वे पौधे जो फल देते हैं, उनकी जड़ों की काट-छांट परोक्ष रूप से जुताई व खाद देने के समय होती है। पुराने वृक्ष के लिए तो यह सीधे ही कर दी जाती है। यदि वृक्ष पुराना हो, फल न देता हो तथा पत्तियों व टहनियों का फैलाव अधिक हो तो कृंतन तुरंत कर देना चाहिए।

कृंतन के लिए वृक्ष के चारों ओर 45 से 60 से.मी.गहरी खाई खोद कर मुख्य जड़ों को नंगा करके देख लेना चाहिए। खाई को 2-3 सप्ताह खुला रखने के बाद उसकी मिट्टी में खाद मिलाकर फिर से भर देना चाहिए।

प्ररोह कृंतन (Shoot pruning)

प्ररोह कृंतन दो प्रकार से किया जाता है—

- शिराहीन करना (Heading back)
- शिराकृंतन (Jhinning out)

शिराहीन करना

इस विधि में किसी शाखा के ऊपर के कुछ भाग काट दिए जाते हैं। इससे कटी हुई शाखा की शिरा के नीचे शाखाएं निकलने लगती हैं।

शिराकृंतन

नई शाखाओं को उगने वाले स्थान से काट देने से इन शाखाओं की वृद्धि रोकी जा सकती है। इससे शेष शाखाओं को पोषक पदार्थ समुचित मात्रा में मिलते हैं। परिणामस्वरूप फलों का उत्पादन अधिक होता है।

वलयन विधि Ringing method

इस विधि के अन्तर्गत वृक्ष की छाल एक वलय (रिंग) के रूप में उतार ली जाती है। इस प्रकार ऊपरी भाग में तैयार किया गया खाद्य-पदार्थ नीचे जड़ों की ओर न जाकर वृक्ष में ऊपर पहुंचकर कार्बोहाइड्रेट्स की मात्रा बढ़ा देता है। ऐसा करने से वृक्ष खूब फलता-फूलता है।

प्रूनिंग का समय

प्रूनिंग करने का सबसे अच्छा समय तब होता है जब पौधों की सुषुप्तावस्था होती है। अतः इसके लिए शरद ऋतु सर्वश्रेष्ठ होती है।

पर्णपाती पौधों में पत्तियां गिरने के पश्चात नई पत्तियां आने तक पौधे सुषुप्तावस्था में होते हैं, इसलिए यही समय इनके कृंतन के लिए उपयुक्त होता है।

जिन पौधों में पुष्प आदि एक वर्ष पुरानी शाखा पर आते हैं, उनमें फूल या फल समाप्त होने के बाद कटाई-छंटाई का कार्य किया जाता है तथा जिन पौधों में, नई शाखाओं में फल-फूल आते हैं, उनमें फल-फूल आने से पहले उपर्युक्त कार्य करना लाभदायक होता है।

झाड़ियों व बाड़ों के लिए छंटाई

झाड़ियों व बाड़ों को विशेष आकार देने के लिए उनकी कटाई-छटांई की जाती है।

प्रायः गृह उद्यानों या पार्कों में झाड़ियों को काट-छांटकर पशु-पक्षियों के आकार बना दिए जाते हैं जो देखने में बड़े आकर्षक लगते हैं।

वृक्षों की छंटाई का कार्य

वृक्षों की छंटाई के लिए दो विधियां प्रचलन में हैं, जो इस प्रकार हैं—

प्याला या गुलदान विधि

इस विधि में पौधे का रोपण करते ही भूमि तल से 75 से.मी. ऊपर से पौधे का मुख्य तना काट दिया जाता है। केवल बगल की 4–5 शाखाओं को बढ़ने दिया जाता है।

अगले साल इन शाखाओं को भी 30 से.मी.बढ़ने के बाद काट दिया जाता है। अब जो नई शाखाएं निकलती हैं, वो प्याले का आकार ग्रहण कर लेती हैं।

इस प्रकार की छंटाई में पौधे को सूर्य का प्रकाश पर्याप्त मात्रा में प्राप्त हो जाता है।

मध्यवर्ती अग्रणी विधि

इस विधि के अंतर्गत पहले मुख्य तने को आवश्यकतानुसार बढ़ने दिया जाता है। तत्पश्चात उसकी कटाई-छंटाई कर दी जाती है। इस विधि से पौधा छोटे आकार का किंतु फैला हुआ रहता है। मुख्य तने पर शाखाएं एक दूसरे से समान दूरी पर रहती हैं। सबसे ऊपर की शाखा को बढ़ने दिया जाता है और अन्य शाखाओं की वृद्धि रोक दी जाती है।

इस विधि से प्रूनिंग करने पर पौधे का तना सशक्त रहता है और पौधे को पूरा प्रकाश मिलता है। इसकी कांट-छांट में कोई कठिनाई नहीं होती, बल्कि समय भी कम लगता है।

रंगीन पत्तियों वाले पौधों से सजाएं घर-आंगन

घरों की आंतरिक साज-सज्जा में सुरुचिपूर्ण फर्नीचर के साथ-साथ विभिन्न प्रकार के पौधों का भी महत्त्वपूर्ण स्थान होता है। आज उद्यान प्रेमी ऐसे पौधों की ओर बेहद आकर्षित हो रहे हैं, जिनकी पत्तियां रंग-बिरंगी व बेहद आकर्षक होती हैं। यहां हम कुछ ऐसी ही रंग-बिरंगी पत्तियों वाले पौधों के बारे में संक्षिप्त रूप से बता रहे हैं जिनसे आप अपने घर-आंगन व बगिया की शान में और इजाफा कर सकते हैं।

क्रोटन

ये छोटी व बड़ी झाड़ियों वाले छायादार पौधे हैं, जो प्रत्येक मौसम में अपनी रंगीली पत्तियों की छटा बिखेरते हैं। चूंकि ये उत्तर दिशा के प्रकाश में शीघ्र पनपते हैं, अतः इन्हें मकान की उत्तर दिशा में लगाना ठीक रहता है। इन पौधों को धूप कम मगर प्रकाश ज्यादा चाहिए होता है।

इनकी कुछ नस्लों की कटिंग 2-3 साल में बसंत ऋतु में कुछ इस तरह करनी चाहिए कि पेड़ आधा कट जाए ताकि जब नया फुटाव चालू हो तो कई टहनियां ली जा सके।

वैसे क्रोटन पौधे को कटिंग द्वारा बड़ी आसानी से उगाया जा सकता है।

मरांटा

इस पौधे की लगभग 30 प्रजातियां हैं। यह पौधा अपनी अत्यंत सुंदर पत्तियों के कारण बाग प्रेमियों के आकर्षण का केन्द्र बना हुआ है। इसकी हरी-हरी तथा बड़ी-बड़ी अंडाकार पत्तियों पर गहरी लाल व बैंगनी धारियां सभी का मन मोह लेती हैं। इनमें कभी-कभी छोटे-छोटे सफेद फूल भी आते हैं।

ड्रेसिना

अपनी आकर्षक पत्तियों की वजह से गृह-सज्जा में खास जगह पाने वाले ड्रेसिना पौधे की पत्तियां बड़ी-बड़ी व हरे रंग की होती हैं, जिनमें सिल्वर, क्रीम और पीले रंग की धारियां दिखाई देती हैं। इस पौधे को आप बसंत ऋतु में उगा सकते हैं।

कोलियस

इस पौधे की अनेक प्रजातियां उपलब्ध हैं। इसकी पत्तियों में अच्छे-खासे रंग पाए जाते हैं। यह पौधा पानी अधिक मांगता है। इसे आप बीज व कटिंग विधि द्वारा बड़ी आसानी से उगा सकते हैं।

सैंसीवीरिया

यह 'सकुलेंट' पौधों की श्रेणी में आता है जो खुश्क समय के लिए अपने अंदर पानी जमा कर लेता है। इस पौधे की लम्बी पत्तियों के किनारे क्रीम व पीले रंग की धारियां सबका मन मोह लेती हैं। इसे साल में कभी भी लगाया जा सकता है। इसे उगाने के लिए खाद की मात्रा कम और बजरी अधिक होनी चाहिए।

प्रकृति से मजबूत होने की वजह से इस पौधे को विशेष देखरेख की जरूरत नहीं होती।

पैपरोमिया

इस पौधे को वाटरमेलन प्लांट भी कहा जाता है। इसकी पत्तियां हरे रंग की व दिखने में तरबूज का आभास देती हैं।

इस पौधे की जड़ें छोटी व नाजुक होती हैं तथा मिट्टी की ऊपरी सतह पर ही जाल के समान फैलती हैं।

ये पौधे कम पानी में भी अच्छे-खासे पनपते हैं और इन्हें बसंत ऋतु में रेतीली मिट्टी में लगाया जाता है।

यूक्का

साल-भर हरे-भरे रहने वाले इस सदाबहार पौधे की प्रकृति कठोर व साहसी है। इसकी लगभग 40 प्रजातियां पाई जाती हैं। इसकी पत्तियां खंजर की तरह नुकीली होती हैं। इस पौधे के परिपक्व होने पर उसके बीच में से एक डंडीनुमा फ्लावर स्पाइक निकलती है, जिसके ऊपर काफी तादाद में सफेद व क्रीम रंग के फूल निकलते हैं।

इन पौधों को मार्च के महीने में कटिंग व सकर्स द्वारा तैयार किया जा सकता है।

साइप्रस डिफ्यूसस

यह पौधा अम्ब्रेला ग्रास के नाम से भी जाना जाता है। हर तरह फूल सज्जा के काम आने वाले इस पौधे को बसंत ऋतु में लगाना ठीक रहता है। अगर साल-भर इस पौधे की जड़ें पानी में भी डूबी रहें तो भी ये जीवित रहती हैं। गरमी के मौसम में इस पौधे पर क्रीम रंग के छोटे-छोटे फूल आते हैं।

कैलेडियम

यह बेहद सुंदर पौधा है। इसकी पत्तियां पान के पत्तों की तरह होती हैं। ये पत्तियां विविध रंगों में पाई जाती हैं और सभी को अपनी ओर आकर्षित करती हैं।

इस पौधे को गांठ द्वारा उगाया जाता है। इसके बल्ब मार्च से अप्रैल-मई के प्रारंभ में लगा दिए जाते हैं। इसके पत्तों की खूबसूरती ग्रीष्म ऋतु से दीवाली तक रहती है।

देखभाल

- पौधों पर अगर चीटियां, दीमक, सूक्ष्म कीटाणु आदि पाए जाएं तो कोई भी कीटनाशक दवा (जैसे, रोजोर, नोवाक्रोन, रडार आदि) जो बाजार में उपलब्ध हो, डालने में देर नहीं करनी चाहिए।
- बसंत ऋतु व गर्मी में नई कोंपले निकलने पर पौधों को अधिक प्यास लगती है, इसलिए समय-समय पर इन्हें पानी देते रहना चाहिए।

बगिया में कमलताल

कमलताल छोटा हो या बड़ा, बगिया में इसका अपना स्थान होता है। इससे न केवल आपके घर अथवा फार्म हाउस की शोभा बढ़ती है, बल्कि इससे आप सिंचाई भी कर सकते हैं।

अपनी बगिया के कमलताल में एक छोटा-सा फव्वारा और लाइटिंग की व्यवस्था करके आप अपनी बगिया में चार चांद लगा सकते हैं।

उपयुक्त स्थान

अगर आपकी बगिया काफी बड़ी है तो आप किसी किनारे में कमलताल बना सकते हैं। यदि जगह कम है तो आप कमलताल घर के सामने भी बना सकते हैं। कमलताल आप जहां भी बनाएं, वहां धूप पर्याप्त मात्रा में पहुंचनी चाहिए। कमलताल को कभी भी घने पेड़ों के पास नहीं बनाना चाहिए क्योंकि पेड़ों के सूखे पत्ते उसमें गिरकर उसके सौंदर्य को नष्ट कर देते हैं।

आकार

कमलताल गोलाकार, अंडाकार, आयताकार, अर्धचंद्राकार, वर्गाकार, तारे का आकार या ऐसा ही कोई आकार अपनी रुचि, सुविधा एवं स्थान के अनुसार बनाया जा सकता है।

निर्माण

कमलताल सीमेंट व कंक्रीट का बनाना ही ठीक रहता है। इसकी गहराई लगभग 2 मीटर जरूर होनी चाहिए।

भूमि तैयार करना

कृत्रिम तालों में पौधों को लगाने के लिए भूमि की तैयारी बहुत जरूरी होती है। कमलताल बनाने के लिए चिकनी काली मिट्टी एवं गोबर की खाद बराबर मात्रा में मिलाकर भर देनी चाहिए। यहां इस बात पर ध्यान जरूर देना चाहिए कि इसकी मोटाई 20 सेंटीमीटर से कम न हो।

पौधे लगाना

कमलताल में लगाए जाने वाले जलीय पौधे 45 सेंटीमीटर व्यास एवं 30 सेंटीमीटर गहरी बांस की टोकरी में तैयार किए जाते हैं।

इन टोकरियों में मिट्टी, गोबर की खाद, सुपर फास्फेट की मात्रा (7: 1:1/5) रखी जाती है। इन टोकरियों में पौधों के कंद लगा दिए जाते हैं। इनमें भरपूर मात्रा में पानी देने की आवश्यकता होती है।

जब पौधे पूरी तरह से विकसित हो जाते हैं, तब उन्हें ताल में टोकरियों सहित रख दिया जाता है।

ये पौधे मई-जून में रोपित किए जाते हैं। वैसे गमलों में भी पौधे लगाकर उनको गमलों सहित ताल में रखा जा सकता है।

देखभाल

- आमतौर पर जलीय पौधों को बहुत देखभाल की जरूरत नहीं होती, फिर भी पौधे घने होने पर कुछ पौधों को जरूर निकाल देना चाहिए।
- ताल में हमेशा पानी भरा रहने से उसका रंग काई जैसा हरा हो जाता है, इसलिए ताल के पानी को समय-समय पर साफ करते रहने चाहिए।
- ताल के पानी को साफ करने के लिए 25 ग्राम पोटेशियम परमैगनेट प्रति 1000 लीटर पानी में घोल देना चाहिए।
- पौधों की पत्तियों में यदि काले छींटे दिखाई देने लगे तो 1 प्रतिशत बोर्डो मिश्रण का छिड़काव करना चाहिए।

जल उद्यान के कुछ पौधे

- **निलंबियन (कमल) :** यह सफेद व गुलाबी रंग का सुंदर पुष्प है जो गर्मी में खिलता है।
- **निंफिया (कुमुदिनी) :** यह नीले व सफेद रंग के पुष्प होते हैं। इनकी कुछ किस्में केवल रात में खिलती हैं।
- **पोंटेडेरिया या हायसिंथ :** इसके नीले फूल व पत्ते कमलताल में तैरते हुए बहुत खूबसूरत दिखाई देते हैं।
- **विक्टोरिया रिजिया :** इसका फूल सबसे बड़ा होता है। ये कमल सहज ही मन को मोह लेता है। यह कमल भव्यता का भी परिचायक है। इसका व्यास लगभग 30 सेंटीमीटर होता है।

बगिया में लगाएं औषधीय पौधे

इस अध्याय में हम कुछ ऐसे पौधों का वर्णन कर रहे हैं, जो बगिया की शोभा बढ़ाने के साथ-साथ पर्यावरण को स्वच्छ, स्वास्थवर्द्धक एवं उपयोगी बनाने में सहायक होते हैं।

तुलसी

तुलसी एक ऐसा औषधीय पौधा है जो घर-घर में उगाया जाता है। इसके पास विविध रोग उत्पन्न करने वाले कीटाणु नहीं आते। इस पौधे से वायु शुद्ध होती है और उसके आसपास का क्षेत्र भी कीटाणु रहित हो जाता है।

घनी आबादी वाले बड़े शहरों में जहां वृक्ष उगाना टेढ़ी खीर है तुलसी के पौधे को लगाकर वातावरण को प्रदूषण से मुक्त किया जा सकता है।

पुदीना

पुदीना एक बहुवर्षीय शाकीय पौधा है। इसकी सुगंध बड़ी प्यारी होती है। इसके पत्तों से चटनी बनाई जाती है जो कि बड़ी स्वादिष्ट और पेट के विकारों के लिए राम बाण औषधि का कार्य करती है। इसके सत्व से बनी औषधि 'पुदीन हरा' घर-घर में पाई जाती है।

अजवायन

अजवायन सतपुष्पा कुल का पौधा है। इसकी सुगंध बड़ी प्यारी होती है। इसके पौधे की ऊंचाई 30 से.मी.से 1 मीटर तक होती है। यह पेट के विकारों के लिए अत्यंत उपयोगी है। इसके सुगंधित दानों में सुगंधित तेल होता है।

भारत के मध्य प्रदेश, गुजरात, महाराष्ट्र, आंध्र प्रदेश व उत्तर प्रदेश के बहुधा इलाकों में इसकी खेती की जाती है। वैसे मध्य प्रदेश की अजवायन बेहद लोकप्रिय है।

जीरा

यह अम्वलफेरी कुल का सदस्य है और इसका वैज्ञानिक नाम क्यूमिनम कईमेनम है। इसका पौधा 10.12 से.मी. ऊंचा होता है जिसकी पत्तियां कटी हुई व महीन होती हैं। इसके दानों से मसाले व अन्य लाभकारी औषधियां बनाई जाती हैं।

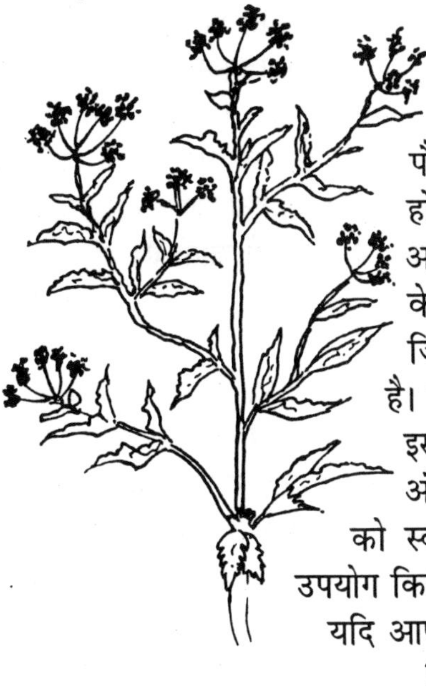

सौंफ

सौंफ मसालों की फसल है। इसका पौधा 90 से.मी. से 1.20 मीटर तक ऊंचा होता है। इस पर बहार आने पर सुंदर आकार के पीले रंग के फूल लगते हैं। फूलों के बाद गुच्छों में सौंफ निकलने लगती है, जिसकी महक वातावरण को महका देती है। इसके बीज पाचक और ठंडे होते हैं। इसके बीजों का सत्व निकालकर लाभकारी औषधियां तैयार की जाती हैं तथा भोजन को स्वादिष्ट बनाने के लिए इसका भरपूर उपयोग किया जाता है।

यदि आप अपनी बगिया को सौंफ के पौधे से

महकाना चाहते हैं तो सितम्बर-अक्तूबर में इसके बीज क्यारी में सीधे बो दें। कुछ समय बाद आपकी बगिया निश्चित रूप से इसके सुगंधित पौधे से महकने लगेगी।

सदाबहार

सदाबहार एक सुदृढ़ पौधा है। प्रत्येक मौसम में इसका सुंदर पौधा अपने गुलाबी व सफेद रंग के फूलों से घर-आंगन व वाटिका की शोभा बढ़ाता है। इसकी पत्तियों में कई प्रकार के रातकोलाइड पाए जाते हैं, जिनका प्रयोग कैंसर रोधी दवाएं बनाने में होता है।

अदरक

भारत में अदरक का महत्त्वपूर्ण स्थान है। इसे तेज मसाले के रूप में प्रयुक्त किया जाता है। यह पेट के विकारों को दूर करने के लिए इस्तेमाल में लाई जाती है। इसे जून से जुलाई के अंतिम सप्ताह तक बो देना चाहिए। यह तीन से चार माह में तैयार हो जाती है।

लहसुन

लहसुन गुणकारी है एवं इसमें औषधियुक्त तत्त्व भी हैं। इसके बीज नहीं होते। इसकी गांठों को ही फोड़कर इनकी कलियां बीजों के रूप में अक्तूबर-नवम्बर में बोई जाती हैं। इन्हें अधिक गहराई में नहीं बोना चाहिए। इसकी फसल 5-6 महीने में तैयार हो जाती है। मार्च-अप्रैल में जब इसकी पत्तियां सूखने लगती हैं, तो यह लहसुन की तैयार फसल की परिचायक होती हैं।

हल्दी

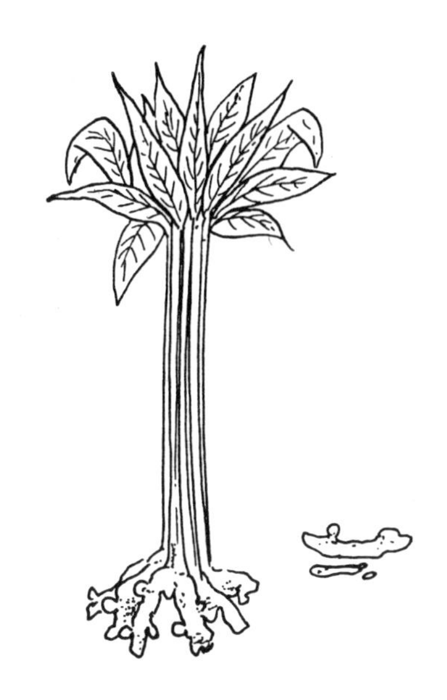

हल्दी को मसालों की 'मलिका' कहा जाता है। इसके बिना भोजन फीका लगता है और उसमें रंगत नहीं आती। यह प्रबल कीटाणुनाशक है। इसे लगाने से चर्मरोग दूर हो जाते हैं। इसका उबटन चेहरे पर लगाने से चेहरे की झांइयां दूर हो जाती हैं।

इसे बोने का आदर्श समय जून व जुलाई का महीना है।

धनिया

धनिए की पत्तियां बड़ी ही सुगंधित व स्वादिष्ट होती हैं। इसके फल व पत्तियों को सूखा व हरा, दोनों ही रूप में उपयोग में लाया जाता है। यह विशेषकर पित्त का शमन करता है। इसकी चटनी के बिना तो भोजन का आनंद ही नहीं आता। इसका रस दिन में दो बार पीने से अच्छी भूख लगती है।

सर्दियों के मौसम में इसे क्यारी अथवा गमले में लगाकर आप इसकी सुगंध का आनंद ले सकते हैं।

नागदौना

इसका वानस्पतिक नाम आर्टेमिसिआ वलगैरिस है। इसकी पत्तियां महकदार होती हैं। यह एक बहुवर्षीय शाकीय पौधा है। इसकी पत्तियां दमे के रोगियों के लिए फायदेमंद होती हैं, जबकि जड़ों से अनेक प्रकार के लाभकारी टॉनिक का निर्माण किया जाता है।

तेज पत्ता

यह लारेंसी कुल का बहुवर्षीय पौधा है। अंग्रेजी में इसे इंडियन केसिमा कहा जाता है। इसके पत्ते अत्यंत सुगंधित व चमकदार होते हैं। यह लघु वृक्ष के रूप में बढ़ता है। इसकी विशेषता यह है कि इसके पत्तों की सुगंध पत्तों के सूखने के बाद भी बरकरार रहती है। इसके

सुगंधित पत्तों का योग्य सामग्रियों को सुगंधित व स्वादिष्ट बनाने के लिए उपयोग में लाया जाता है।

कोलियम एरोमैटिक्स

यह एक बहुवर्षीय पौधा है। इसकी ऊंचाई 30-60 से.मी.तक होती है। इसे कलम द्वारा तैयार किया जाता है। इसकी पत्तियां सुगंधमय होती हैं, जिनमें अजवायन की मनमोहक सुगंध होती है। इसे पथरचूर व पथरकुची के नाम से भी जाना जाता है।

इसकी पत्तियों को गृहणियां खाद्य सामग्रियों में छौंक लगाकर स्वादिष्ट और सुगंधमय बनाने के लिए उपयोग में लाती हैं। इसके पौधों में औषधीय गुण भी विद्यमान होते हैं।

दौना

दौना का वानस्पतिक नाम आर्टेमिसिआ पैलेंस है। यह एक बहुवर्षीय पौधा है। इसके सुगंधित पुष्प व पत्तियों से देवी-देवताओं की पूजा की जाती है। इसकी पत्तियों का इस्तेमाल कई तरह के इत्र बनाने के लिए किया जाता है।

पिपरमेंट

वनस्पति शास्त्र में इसे 'मेथा पिपरिटा' कहा जाता है। यह 'लैबिएटी' कुल का शाकीय पौधा है। इसकी पत्तियों का उपयोग मुख्य रूप से साबुन, लोशन, कोलोन आदि पदार्थों को सुगंधित बनाने के लिए किया जाता है। इसके अलावा कई प्रकार की औषधियों के निर्माण में भी इसका प्रयोग किया जाता है।

यूकेलिप्टस

इसे हिंदी में नीलगिरी व सफेदा भी कहा जाता है। यह पेड़ तस्मानिया मूल का निवासी है। इसका तेल पीताभ व सुगंधित होता है, जो पत्तियों व टहनियों में पाया जाता है। कई प्रकार की औषधियों के निर्माण में इसका उपयोग किया जाता है।

मीठा नीम

मीठा नीम रूटैसी कुल का एक झाड़ीदार पौधा है। इसकी पत्तियां और सफेद फूल दोनों ही खुशबूदार होते हैं। इसे 'कढ़ी नीम' 'कढ़ी पत्ता' या 'गंधेला' के नाम से भी जाना जाता है। अंग्रेजी में इसे 'करी लीफ ट्री' कहते हैं। इसकी सुगंधित पत्तियां दाल, कढ़ी, सांभर, तरकारी के साथ-साथ भुजिया, नमकीन

व दालमोठ आदि में छौंक लगाकर स्वादिष्ट व सुगंधित करते हैं।

इसे क्यारी व गमलों में बड़े आराम से उठाया जा सकता है। इसके पौधे को बीज बोकर तैयार किया जाता है। जमीन में पौधों लगाने के लिए पौधों के बीच में 10 फुट का फासला बेहद जरूरी है।

खस

यह एक बहुवर्षीय पौधा है जिसकी खेती केरल व तमिलनाडु में विधिवत रोपाई करके की जाती है। इसकी जड़ों को खस कहते हैं और इससे प्रस्फुटित होने वाली सुगंध को भी खस कहा जाता है। इसकी मदद से इत्र के अलावा तेल व शरबत भी बनाया जाता है। इतना ही नहीं गर्मियों के दिनों में गरमी से राहत पाने के लिए इसके बने परदे, पंखे और चटाइयां बहुतायत में इस्तेमाल की जाती हैं।

लेमनग्रास (नीबू घास)

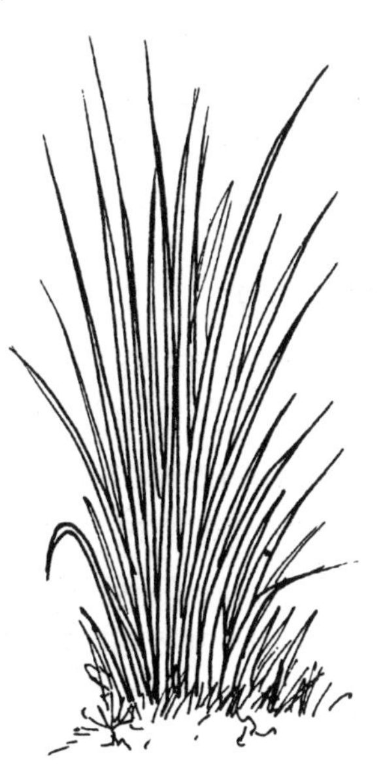

कर्नाटक राज्य के जंगलों में लेमनग्रास नैसर्गिक रूप से उगी पाई जाती है। इसे गंधतृण और भूतृण के नाम से भी जाना जाता है। इसकी पत्तियां आमतौर पर एक मीटर लम्बी होती हैं। वर्षा ऋतु में इस पर फूल आते हैं।

यह घास हरी चाय के नाम से प्रसिद्ध है। हमारे देश में लोग बाग इसकी पत्तियों की चाय बनाकर बड़े चाव से पीते हैं। इसमें एक उड़नशील तेल भी पाया जाता है, जिससे मालिश करने से वात-वेदना के कष्ट से छुटकारा पाया जा सकता है।

बगिया में लगाएं फूलों वाले वृक्ष

यूं तो बगिया में ज्यादातर फूल वाले पौधे, झाड़ियां, बेलें और अन्य सजावटी पौधे लगाए जाते हैं, फिर भी यदि आपकी बगिया में स्थान की कमी नहीं है तो आप अपनी बगिया में फूलों वाले वृक्ष भी लगा सकते हैं। ये वृक्ष आपकी बगिया में निश्चित रूप से चार चांद लगाने में सक्षम होते हैं। यहां हम कुछ ऐसे वृक्षों के बारे में बता रहे हैं, जो फूल तो देते ही हैं, साथ-साथ आपकी बगिया को सजाने-संवारने में भी अहम भूमिका निभाते हैं।

गुलमोहर

यह एक सदाबहार वृक्ष है। इसकी फैली हुई शाखाएं और पंखनुमा बारीक पत्तियां इसकी खूबसूरती में इजाफा करती हैं। हिंदी में इसे जहां अशर्फियों वाला वृक्ष कहा जाता है, वहीं बंगला भाषा में इसे 'रायल गोल्ड मोहर' के नाम से जाना जाता है।

अप्रैल से जून तक जब यह वृक्ष सफेद, पीले और लाल (दोरंगे) फूलों से लद जाता है, तब इसकी सुंदरता देखते ही बनती है।

इसे वृक्ष को आप बीज व कटिंग विधि द्वारा उगा सकते हैं। यह पेड़ तेजी से बढ़ता है और इसकी ऊंचाई 40-50 फुट तक हो जाती है। 3-4 सालों में यह वृक्ष फलने-फूलने लगता है। इसके फूलों को गुलदान में सजाकर आप अपने ड्राइंग रूम की शोभा बढ़ा सकते हैं।

कचनार

इस वृक्ष की पत्तियां 5-6 इंच लम्बी व पंख के आकार की होती हैं। इसके फूल व कलियों को सब्जी की तरह खाया जाता है। इस पेड़ का हर भाग भिन्न-भिन्न प्रकार की दवाइयां बनाने के काम आता है। दिसम्बर से अप्रैल तक जब यह वृक्ष अपने गुलाबी, सफेद, हल्के बैंगनी व पीले रंग के फूलों से ढक जाता है, तब इसकी सुंदरता में चार चांद लग जाते हैं।

10-15 फुट की ऊंचाई वाले इस वृक्ष को आप बरसात के दिनों में बीज बोकर उगा सकते हैं।

पलाश

पलाश को हिंदी में 'टेसू वृक्ष', गुजराती में 'खांकरो', संस्कृत में 'किशंक' कन्नड़ में 'मुत्तुकदंडिका', तमिल में 'पलासु', बंगला में 'पलाश' तथा अंग्रेजी में 'फ्लेम आफ दि फारेस्ट' कहते हैं। यह एक धीरे बढ़ने वाला पेड़ है, जिसे भरा-पूरा बनने में लगभग 8-10 साल लग जाते हैं। आमतौर पर इसकी ऊंचाई 20-40 फुट तक होती है। इसके पत्तों को सींकों से बुनकर पत्तल व दोने बनाए जाते हैं। गांवों में उत्सवों पर आज भी इन पर खाना खाया जाता है।

इसके फूलों को पानी में उबालकर रंग बनाया जाता है, जो कि होली में खेलने के काम आता है। एक आदिवासी जाति में तो टेसू के फूलों की वरमाला बनती है।

फ्लाश के फूलों का दवाओं के रूप में भी उपयोग होता है। इसे मानसून में बीज बोकर उगाया जाता है।

सेमल

करीब 20-30 फुट लम्बे सेमल वृक्ष की शाखाएं फैली हुई होती हैं। पत्तियां शाखाओं के अंतिम सिरे पर छितरी होती हैं। फूल बड़े लाल केसरिया रंग के झुंडों में लगते हैं।

यह पेड़ जनवरी से मार्च तक फूलों से ढका रहता है। पतझड़ के बाद जब पेड़ पर फूल आते हैं तो पेड़ फूलों से लद जाता है। फूलों के बाद पत्तियां आती हैं। फल 4-5 इंच का अंडेनुमा होता है। उसको तोड़ने से सिल्क या रेशम जैसे रेशे निकलते हैं, इसलिए इसे 'सिल्क काटन ट्री' के नाम से भी जाना जाता है।

इसके पेड़ों को बरसात के मौसम में बीजों द्वारा उगाया जाता है। ये पेड़ जब तक 4-5 फुट के न हो जाएं तब तक 1-2 वर्ष तक इन्हें 12 इंच के गमलों में ही लगा देना चाहिए।

अमलतास

इसका अंग्रेजी नाम 'गोल्डन शावर' और 'इंडियन फ्लेवरनम' है। इसका वानस्पतिक नाम केसिया फिस्टुला है।

अमलतास हमारे देश का प्राचीन वृक्ष है। संस्कृत भाषा में इसके कई नाम मिलते हैं—स्वर्णांश, स्वर्णदुम, स्वर्णभूषण इत्यादि। यह वृक्ष कालिदास और वाल्मीकि जैसे प्राचीन कवियों के काव्यों में वर्णित है।

यह फैलने वाला वृक्ष है। इसकी पत्तियां बहुत सुंदर और चमकदार होती हैं। इस पर लगे पीले पत्तों के गुच्छे बाहर आने पर बड़े मनमोहक व आकर्षक लगते हैं।

यह वृक्ष बीज बोकर उगाया जाता है। चूंकि इसका बीज कठोर होता है, इसलिए बोने से पहले इसे 5 मिनट तक पानी में उबाला जाता है। इसकी लकड़ी खेती के यंत्र बनाने के काम आती है। इसका फल औषधियों में प्रयुक्त होता है।

कम वर्षा वाले क्षेत्रों में इसे जुलाई व अगस्त में रोपा जाता है। इस पर अप्रैल-मई में फूल आते हैं।

अशोक

यह एक लम्बा सदाबहार वृक्ष है। ऊपर से 'पिरामिड' के आकार का होने के कारण यह बहुत ही खूबसूरत दिखाई देता है। इसकी ऊंचाई 8 से 18 फुट तक होती है।

इसके बीज जून-जुलाई में बोए जाते हैं। चूंकि इसकी जड़ें बहुत कोमल होती हैं, इसलिए प्रतिरोपण करते वक्त सावधानी बरतनी चाहिए।

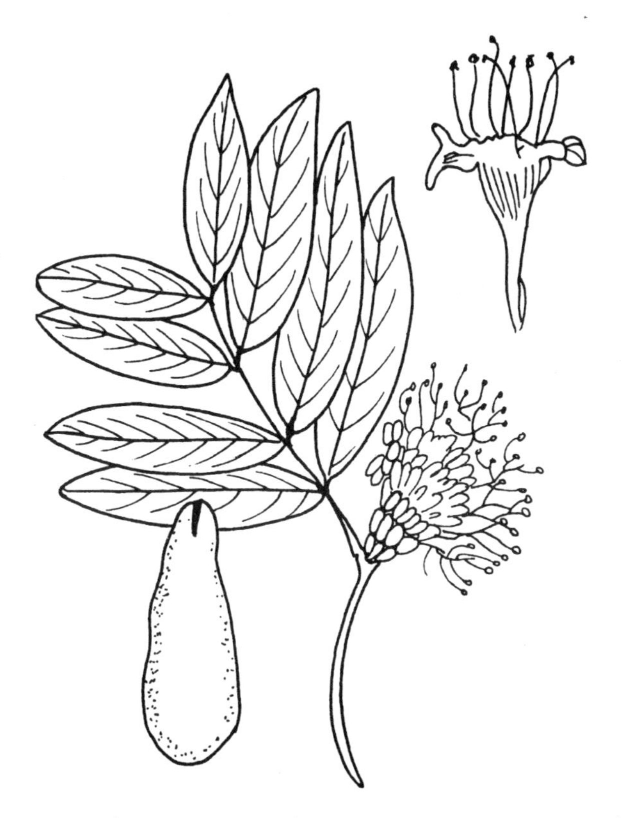

यह फरवरी–अप्रैल में पुष्प देता है। प्रत्येक गुच्छे में 5–6 फूल खिलते हैं। पुष्प छोटे–छोटे तारों के आकार के हरे व पीले रंग के होते हैं।

इसकी लकड़ी लचीली, हल्की व कठोर होती है, इसलिए यह लकड़ी ढोल, पेंसिल व बक्से आदि बनाने के काम आती है।

बगिया में हरियाली के प्रतीक : पाम

बिना पाम के पौधों के बगिया आधी–अधूरी सी दिखाई देती है। पाम की गहरे हरे रंग की पत्तियां थोड़े से समय में बगिया में चार चांद लगा देती हैं। पाम के पौधों को जमीन तथा गमलों में लगाकर आप अपनी बगिया को नया लुक दे सकते हैं। आज पाम की 3000 के करीब विभिन्न किस्में उपलब्ध हैं, जो संसार के सभी हिस्सों में बहुतायत से उद्यानों व बगीचों में लगाई जाती हैं।

पाम की किस्में

बगिया में लगाई जाने वाली कुछ प्रमुख किस्मों में बोतल पाम, फिशटेल पाम, चाइना पाम, फेन पाम, फिंगर पाम, पार्लर पाम, एरिका पाम, डेट पाम, केनेरीडेट पाम, विडेड पाम, डेजर्ट पाम, विंडमिल पाम, अमेरिकन पाम आदि बहुत ही लोकप्रिय किस्में हैं।

चूंकि पाम के पौधों पर पुरानी पत्तियां गिरती रहती हैं और नई पत्तियां निकलती रहती हैं इसलिए इनका तना समतल न होकर पत्तियों के निशान बनाए रखता है। तना पाम की विशेष पहचान है, किसी में

इनका आकार बोतल जैसा तो किसी में गोल गांठ के समान होता है। तने की लम्बाई 1 फुट से 20 फुट या इससे भी अधिक होती है।

पाम की प्रत्येक किस्म में तना तथा पत्तियों का आकार अलग-अलग होता है।

पाम के पौधों की विशेषता

पाम के पौधे अपने आकार के कारण पहचाने जाते हैं। एरिका पाम, बोतल पाम, फिशटेल पाम, डेट पाम, केन पाम आदि पौधों में तना नीचे से मोटा तथा ऊपर से पतला होता है।

चाइना पाम, अमेरिकन पाम, डेजर्ट पाम, फेन पाम, विडेड पाम तथा विंड पाम में पौधों का तना तो छोटा होता है परंतु तने से निकलकर खुली पत्तियां खुलकर और बड़ी हो जाती हैं और बाद में हरे रंग के पंखे में तब्दील हो जाती हैं।

इन किस्मों के पौधों को जमीन में खुले स्थान पर अथवा बड़े आकार के गमलों में लगाकर आप अपने घर-आंगन व बगिया की खूबसूरती को और निखार सकते हैं।

पौधों का प्रसारण

पाम के पौधों को बीज द्वारा तैयार किया जाता है। इसके बीज पोलीथिन की थैलियों में मिट्टी भरकर अक्तूबर, फरवरी तथा जुलाई माह में लगाए जाते हैं। एक थैली में एक बीज लगाना चाहिए। बीज को ज्यादा गहरा नहीं रोपना चाहिए।

आमतौर पर 20-25 दिन बाद बीज अंकुरित होकर नन्हे पौधे में बदल जाता है। एक साल बाद इस पौधे को किसी बड़े गमले या क्यारी में लगा देना चाहिए।

पाम के पौधों को बदलते समय उचित खाद अथवा पत्तियों की सड़ी खाद एवं मिट्टी के बराबर मिश्रण बनाकर बदलने से उचित परिणाम मिलते हैं।

पौधों की देखभाल

चूंकि पाम के पौधे लम्बे समय तक चलते हैं, इसलिए इन्हें समय-समय पर अच्छी खुराक की जरूरत होती है। इसकी हरियाली इसकी खुराक पर निर्भर करती है।

पाम को गोबर की खाद तथा पत्तियों की खाद के अलावा साल में 3 बार बढ़त के समय सुपर फास्फेट, बोनमिल, फिशमिल स्टेरामिल देना चाहिए।

ग्रीनपिक नामक खाद में नाइट्रोजन, पोटाश तथा फास्फोरस के साथ-साथ अरंडी के बीज की खल भी होती है, जो पाम की बढ़त के लिए फायदेमंद रहती है।

उपर्युक्त सभी का मिश्रण वर्ष में 3-4 बार करने से पौधा मजबूत तथा हरा-भरा नजर आएगा।

शुरू के 2-3 साल इन्हें अच्छी देखभाल की जरूरत होती है। बाद में ये अपना आकार स्वयं ले लेते हैं।

कुछ सुझाव : बेहतर देखभाल के लिए

पौधों को उचित दूरी पर लगाकर इनकी किस्म के अनुसार देखभाल करनी चाहिए।

सूखी पत्तियों को जरूर काटना चाहिए। इससे नई पत्तियों को निकलने में आसानी रहेगी।

पौधों की पत्तियों पर पानी का छिड़काव करने से पत्तियां साफ एव स्वस्थ रहती हैं।

पाम के पौधों को दीमक से ज्यादा नुकसान पहुंचता है। इसके लिए 'रडार 20 ई.सी.' नामक दवा का बार-बार उपयोग करने से पौधा हमेशा दीमक से बचा रहेगा। वैसे जमीन में बी एच सी पाउडर को डालकर भी दीमक से इनका बचाव किया जा सकता है।

चाजै तथा एग्रोस्टिम रसायन के छिड़काव से इनकी अच्छी बढ़त होती है।

कुछ सुझाव पाम की सजावट के लिए

फिशटेल पाम, एरिका पाम, बोतल पाम, केन पाम तथा डेट पाम को आप उद्यान में रास्ते के किनारे तथा परिसर की दीवार के पास लगा सकते हैं।

अमेरिकन पाम, फेन पाम, चाइना पाम, पार्लर पाम, डेजर्ट फेन पाम, आदि को गमलों में लगाकर आप अपनी बगिया व घर-आंगन की सुंदरता में चार चांद लगा सकते हैं।

घर की आंतरिक सजावट के लिए आप एरिका पाम को समूह में लगाकर लम्बे समय तक इनकी सुंदरता का आनंद उठा सकते हैं।

बगिया के रंग कैक्टस के संग

कैक्टस मूलतः ग्रीक भाषा के केक्टास शब्द का अपभ्रंश है। इसकी अधिकांश प्रजातियां कांटों से युक्त होती हैं।

यह भारतीय मूल का पौधा नहीं है। इसे अंगेजों द्वारा भारत में लाया गया था। यह भारत की सरजमी पर बरसों तक उपेक्षित रहा लेकिन पिछले कुछ दशकों से इसे चाहने वालों की संख्या में निरंतर वृद्धि हुई है।

कैक्टस एक ऐसा पौधा है जो साल-भर ताजगी और हरियाली का आभास देता है। इसके पौधों की खूबसूरती देखते ही बनती है। इस पर फूलों की बहार हर मौसम में चरम सीमा पर होती है। यूफोरबिया, लिथोरस, नोटो, उबलमोनिया होवनिया, रिबटिया, लोबितिया, मटुकाना, न्यूपोटेरिया, एस्ट्रोफाइटम आदि इसकी प्रमुख किस्में हैं। इनके फूलों का आकार गोल, लम्बा, मोटा व चपटा होता है। इसकी एक किस्म को ओल्डमैन कहते हैं, जिसमें बूढ़े बाबा की तरह दाढ़ी लगी रहती है।

कैसे उगाएं?

आमतौर पर कैक्टस को शुष्क जलवायु ज्यादा पसंद है, लेकिन इसकी ढाई हजार प्रजातियों में लगभग 500 ऐसी प्रजातियां हैं, जिन्हें खुले में उगाया जा सकता है।

बरसात का मौसम जहां वनस्पति जगत के लिए जीवनदायी माना जाता है, वहीं कैक्टस का मिजाज इस मौसम में काफी सुस्त हो जाता है। लेकिन शुष्क मौसम में कैक्टस व सैक्यूलेंट (वे पौधे जो बारिश के दिनों में पानी संचय कर लेते हैं तथा गर्मियों में उसी पानी से जीवित रहते हैं, सैक्यूलेंट कहलाते हैं) के फूल कुछ अधिक ही चटक रंग धारण कर लेते हैं, इसलिए कैक्टस को मौसम के अनुसार वातावरण उपलब्ध करना बेहद जरूरी है।

कैक्टस और सैक्यूलेंट को उगाने के तरीकों में भी भिन्नता होती है। जहां कैक्टस के अंकुर तनों से निकलते हैं, वहीं सैक्यूलेंट के अंकुर उसकी जड़ों से फूटते हैं जिन्हें बेहद कम वर्षा वाले क्षेत्रों में भी आसानी से उगाया जा सकता है।

कैक्टस के बारे में ऐसी धारणा है कि यह जहरीला होता है, लेकिन यह जानकर आपको बेहद हैरानी होगी कि कुछ देशों में कैक्टस व सैक्यूलेंट के गूदे से स्वादिष्ट भोजन व दवाइयां तैयार की जाती हैं।

कैक्टस की विभिन्न प्रजातियां

रोस्ट्राफाइटम कैक्टस की ऐसी प्रजाति है, जिसमें कांटों के स्थान पर ग्लोकाइड नामक रेशे पाए जाते हैं।

'फोर्सक', 'अरबिया', 'साक्रोटा' व एडनियम ऐसी प्रजातियां है, जो पूर्वी अफ्रीका में सबसे ज्यादा पाई जाती हैं और इनके ऊपर लगने वाले हल्के गुलाबी रंग के छोटे-छोटे फूल रेशम का सा एहसास कराते हैं।

'इम्पाला लिली' कैक्टस की ऐसी प्रजाति है, जिसका फूल सभी का मन मोह लेता है।

कैक्टस के गुण

घर को सजाने, संवारने में कैक्टस का जहां बहुतायत में उपयोग होता है, वहीं इससे अनेक औषधियों का निर्माण भी किया जाता है। वैज्ञानिकों के अनुसार 'फोरवीया' नामक कैक्टस जहां त्वचा केंसर के लिए उपयोगी है, वहीं 'कैरालोमा' गठिया और अलकायड नामक तरल को रक्तचाप की रोकथाम के लिए उपयोगी दवा माना जाता है।

कुछ लोकप्रिय कैक्टस

बैकबर्गिया मिलिटारिस

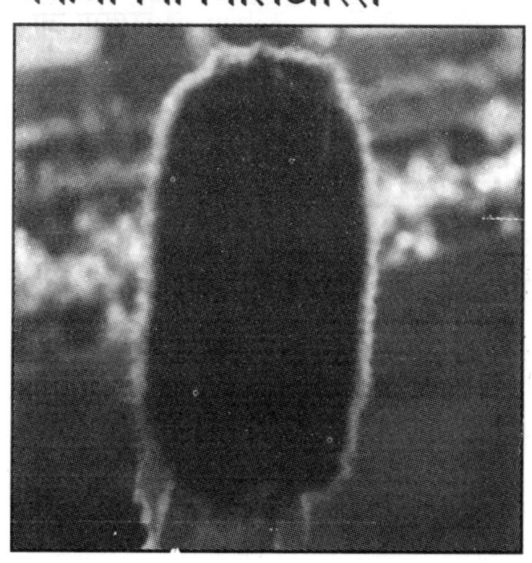

इसे 'सिरस मिलिटारिस' और 'बैकबर्गिया क्रासोमोलस' के नाम से भी जाना जाता है। इस पौधे के परिपक्व होने पर इसके चारों तरफ गुबंदनुमा ब्रश जैसे बालों का एक ताज बन जाता है। अपने मूल उदगम स्थान यानी कि मैक्सिको में यह 12 से 18 मीटर तक लम्बा पाया जाता है।

इसके पेड़ के ऊपरी हिस्से

पर जहां फूल आते हैं, वहां आकर्षक प्रभावशाली 20 सेंटीमीटर व्यास का 30 सेंटीमीटर लम्बा मुकुट जैसा सफेलियम आता है, जिसमें अनगिनत काले-भूरे बाल उग आते हैं।

इसके घंटीनुमा फूल गर्मियों में अपने रूप की छटा बिखेरते हैं। इन फूलों का रंग केसरिया लाल और क्रीमी सफेद होता है। ये 5 से.मी. लम्बे और 3-4 से.मी. व्यास के होते हैं।

कैसे उगाएं?

इसके बीज बड़े व चपटे होते हैं और उनकी ऊपरी सतह काली होती है। इस पौधे को सफेलियम के नीचे से काटकर उसमें रूट हारमोन लगाकर मिट्टी में लगा दिया जाता है।

देखभाल

बैकबार्गिया पौधे को सूर्य के प्रकाश की जरूरत होती है, इसलिए इसे धूप वाली जगहों में उगाना चाहिए। आप इसे जहां लगाएं वहां पानी निकासी की भी अच्छी-खासी व्यवस्था होनी चाहिए।

असल में इस पौधे की खूबसूरती इसका सफेलियम है। सफेलियम आने से इसकी शोभा दोगुनी हो जाती है, अतः इसके सफेलियम की विशेष देखरेख की जानी चाहिए।

लिथोरस

'लिथोरस' ग्रीक भाषा के शब्द 'लंथो' व 'आरस' के योग से बना है। इसका अर्थ है पत्थर के सदृश चेहरा। चूंकि लिथोरस कैक्टस रंग-बिरंगे पत्थरों की तरह दिखाई देता है इसलिए इसे लिथोरस के नाम से जाना जाता है। यह पौधा मूलतः दक्षिण अफीका का वासी है।

वैसे इसका पूरा नाम 'लिथोरस ओलिवेसिया' है। इसकी खासियत यह है कि इसमें दीपावली से होली तक फूल आते हैं जो 3-4 दिन और अधिक से अधिक 7 दिनों तक खिलते हैं। फूलों के खिलने का समय अधिकतर दोपहर का होता है। रात होने पर ये फूल बंद हो जाते हैं।

कैसे उगाएं?

लिथोरस को आप दो तरीकों से अपनी बगिया में लगा सकते हैं—

- बीज द्वारा
- पौधे द्वारा

बीज द्वारा

इनके बीज प्रायः अक्तूबर में बोए जाते हैं। बोने से पहले इन बीजों को एक 6 इंच लम्बी कुंडी में डालकर गर्म किया जाता है। ऐसा करने से इसके जीवाणु आदि नष्ट हो जाते हैं। इसके बाद 40 प्रतिशत मिट्टी, 40 प्रतिशत बजरी और 20 प्रतिशत गोबर की खाद का एक मिश्रण तैयार किया जाता है। मिश्रण तैयार होने के बाद उसमें तीन-चार चुटकी माइक्रोन्यूट्रेट मिलाया जाता है।

अब कुंडी में मिश्रण भरकर और उसके ऊपर एक परत सादी मिट्टी की लगाकर, बीजों को छितराकर डाल दिया जाता है। ये बीज 7 से 10 दिन में अंकुरित हो जाते हैं।

पौधे द्वारा

ये पौधे इनके गुच्छों को अलग करके लगाए जाते हैं। इसके लिए 100प्रतिशत बलुई मिट्टी ठीक रहती है। मिट्टी में पानी रुकना नहीं चाहिए।

ये पौधे 6 महीने यानी होली से दीपावली तक सुप्तावस्था में रहते हैं। ऐसे समय में इन्हें पानी की ज्यादा जरूरत नहीं होती।

विशेषता

इन पौधों की आयु मनुष्य की आयु से भी लम्बी होती है।

मैमिलेरिया कैक्टस

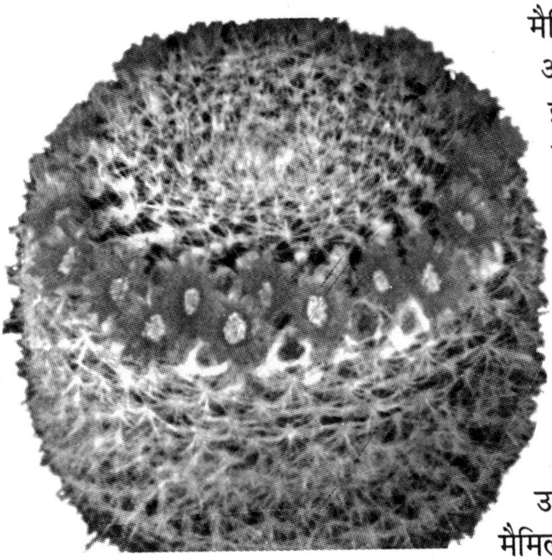

कैक्टस की दुनिया में मैमिलेरिया कैक्टस का अपना विशेष स्थान है। इस पौधे की अहम खासियत यह है कि इसमें चुचुक होते हैं, जिनमें कांटे होते हैं और नए पौधे व कलिकाएं ट्यूबरकल के मूल से निकलती हैं।

मैमिलेरिया पौधे की करीब 225 प्रजातियां उपलब्ध हैं, जिनमें मैमिलेरिया बुलाय, मैमिलेरिया

पैनिसपिनोसा, मैमिलेरिया इरियाकंथा, मैमिलेरिया मैग्निमा, मैमिलेरिया कालिंस व मैमिलेरिया बैरिडी फ्लोरा के नाम प्रमुख हैं।

कैसे उगाएं?

मैमिलेरिया के बीजों को बरसात में लगाना चाहिए पर किनारे से निकलने वाले पौधों को साल में कभी भी लगाया जा सकता है।

इसके लिए रेतीली मिट्टी में लगभग 15 किलो अच्छी गली पत्ती या गोबर की खाद व हवा के लिए कुछ बारीक कंकर मिलाएं। मिट्टी में पानी रुकना नहीं चाहिए। यद्यपि इन्हें अन्य पौधों की अपेक्षा पानी की कम जरूरत होती है पर जब भी दें, भरकर दें।

देखभाल

- पौधों को प्रतिदिन 5-6 घंटे तक धूप अवश्य देनी चाहिए।
- महीने में एक बार कीटनाशक का छिड़काव करना चाहिए।
- पौधों की तीव्र वृद्धि के लिए हर महीने शोरबा देना चाहिए।

बोनसाई

'बोनसाई' शब्द दो शब्दों के योग से बना है, बोन+साई। बोन का अर्थ है 'ट्रे' अर्थात कम गहराई वाला गमला और साई का अर्थ है पौध लगाना, यानी कम गहरे गमले में पौध लगाना।

प्राचीन भारत में इस कला को वामनवृक्ष संवर्द्धन विद्या के नाम से जाना जाता था। जिसका अर्थ है—बौनी देह वाले वृक्षों को उगाने की कला।

चूंकि उन दिनों अंग्रेजी दवाएं नहीं हुआ करती थीं, जनसाधारण को जड़ी बूटियों से तैयार औषधियों से ही काम चलाना पड़ता था इसलिए वैद्य, ऋषि-मुनि इन्हें इकट्ठा करने जंगलों में जाते थे। चूंकि बार-बार जंगलों में जाना मुश्किल काम था, इसलिए वे वहां से वृक्षों को लाकर अपने घरों में उगा लेते थे और रोगग्रस्त लोगों का इलाज किया करते थे।

बाद में बौद्ध धर्म के प्रचारक इस विद्या को जापान ले गए, जहां मंगोल जाति के लोगों ने वृक्षों के प्रति प्रेम होने से इन्हें पाला और बोनसाई रूप में प्रस्तुत करके सुंदर आकृति में ढालने की आधुनिक तकनीक विकसित की।

इसके बाद यह कला जापान से चीन होते हुए

सम्पूर्ण विश्व में फैल गई। आज बोनसाई भारत के महानगरों में अपने उत्तरोत्तर विकास पर है। आज हर उद्यान प्रेमी बोनसाई से अपना घर-आंगन व बगिया सजाना चाहता है।

राक बोनसाई

आज राक बोनसाई उद्यान प्रेमियों के बीच बहुत लोकप्रिय है। इस कला के अन्तर्गत बोनसाई पौधों को पत्थर पर रोप दिया दिया जाता है या पत्थर से लपेटकर उगाया जाता है। ऐसी स्थिति में पौधे की जड़ें पत्थर पर ही फैलतीं या उसके आस-पास लिपट जाती हैं।

राक बोनसाई के लिए आप खान से निकलने वाले पत्थर, उबड़-खाबड़ पत्थर, नदी, बांध और समुद्र के किनारे मिलने वाले पत्थर, जिन पर कुदरती गड्ढे होते हैं, का इस्तेमाल कर सकते हैं।

वैसे तो बोनसाई कला में हर पौधे के पत्ते छोटे होते हैं, फिर भी पत्थरों पर लगाने के लिए वे पौधे उपयुक्त रहते हैं, जिनके पत्ते छोटे होते हैं, जैसे जेड़, बबूल, इमली, जकरंडा, स्नोबुश, गुलमोहर आदि।

सामग्री

बोनसाई के लिए निम्न सामग्री की आवश्यकता होती है—

पौधा, पत्थर, मास, तार, खाद, मिट्टी, ट्रे, मजबूत टेप और बोनसाई के काम आने वाले कुछ औजार।

कैसे लगाएं?

राक बोनसाई लगाने के लिए बसंत ऋतु या बरसात का मौसम ठीक रहता है। जिस पत्थर पर आप पौध लगाने जा रहे हैं, उसे अच्छी तरह से धोकर सुखा लें। अब एक ऐसी ट्रे लें जिसके किनारे छोटे हो और जो पत्थर से बड़ी हो। इस ट्रे में पानी भर दें और पत्थर को ट्रे में अच्छी तरह से सेट करें। यहां इस बात का विशेष ध्यान रखना चाहिए कि आपको ऐसे पत्थर का चुनाव करना

चाहिए जिसके नीचे के हिस्से में एक छेद जरूर हो। यदि ऐसा पत्थर आपको नहीं मिलता तो आप उसमें बाकायदा छेद कर सकते हैं।

अब पत्थर के छेद में चिकनी मिट्टी, जरा सी खाद व मास (एक प्रकार की मोम) अच्छी तरह से भर दें। फिर पौधे को लेकर उसकी सारी जड़ें गीली मिट्टी में दबा दें। एक बड़ी जड़ ट्रे के पानी में छोड़ दें। पौधे में ऊपर मास भली भांति चिपका दें जिससे एक तो पेड़ स्थिर रहेगा, दूसरा मिट्टी को बहने से रोकने में मदद मिलेगी।

तार की मदद से जड़ों को बांध दें ताकि वे हिले-डुलें नहीं। इसके लिए उसे किसी एडहेसिव से चिपका दें। स्प्रे से पानी दें और करीब 15 दिन तक पौधे को छाया में रखें, जब तक कि पत्तियां खड़ी न हो जाएं। फिर धीरे-धीरे धूप में रखें और पौधे को बराबर पानी देते रहें।

देखभाल

पौधों में कीटाणु लगने पर कीटाणुनाशक दवाओं का इस्तेमाल जरूर करें।

बगिया में फूलों की बहार

बगिया की शान गुलाब

गुलाब एक उत्कृष्ट फूल है। सदियों से यह सौंदर्य और प्रेम के रूप में सारे संसार में मशहूर है। इसके बिना प्रत्येक उद्यान अधूरा प्रतीत होता है। यही कारण है कि बागों तथा घर के बगीचों में इसे विशेष महत्त्व दिया जाता है। इसकी लोकप्रियता के अनेक कारण है। इसके फूलों में भीनी-भीनी सुगंध होती है जो सहज ही सबका मन मोह लेती है। आज संसार भर में गुलाब के चाहने वाले इसकी लगभग 30,000 किस्मों से परिचित हो चुके हैं। भारत में भी गुलाब की लगभग 6000 किस्में तैयार की गई हैं। इनमें से लगभग 5000 किस्मों का गुलाब लगाया जा रहा है।

गुलाब की अनेक जातियां पाई जाती हैं, किसी में एक शाखा पर एक ही फूल खिलता है तो कुछ किस्मों में फूल गुच्छों के रूप में खिलते हैं। गुलाब को निम्न भागों में बांटा जा सकता है—

- हाइब्रिड टी
- फ्लोरीबंडा
- पोलीएंथा
- मिनिएचर

हाइब्रिड टी

इस वर्ग के पौधे लम्बे तथा फूल बड़े आकार के होते हैं।

हारब्रिड टी के फूल लंबी शाखा पर अकेले खिलते हैं। इसमें गुच्छों के रूप में फूल नहीं निकलते। इनकी कुछ किस्में इस प्रकार हैं—पेराडाइस, मृणलिनी, भीम, मांटीजूमा, डबल डिलाइट, जवाहर, सुपर स्टार आदि।

पोलिएंथा

इस जाति के पौधे सहिष्णु होते हैं और कई महीनों तक फूल गुच्छों में निकलते रहते हैं तथा फूल छोटे होते हैं। इनकी कुछ किस्में इस प्रकार हैं—मेरीपोसा, इको, मिसेज फिन्च, अंजनी, चेटलीन रोज इत्यादि।

फ्लोरीबंडा

इस किस्म को हारब्रिड टी को पोलीएंथा के साथ संकरण (मेल) कराकर निकाला गया है। इस वर्ग के फूलों की लोकप्रियता का मुख्य कारण यह है कि इनमें फूल गुच्छों में खिलते हैं लेकिन पोलिएंथा की अपेक्षा ये फूल देखने में खूबसूरत व बड़े होते हैं। इनकी कुछ किस्में इस प्रकार हैं—सदाबहार करिश्मा, फ्रोलिक, अरूणिमा, बंजारन, कंटेम्पो आदि।

मिनिएचर

मिनिएचर लघु आकार के गुलाब हैं, जिसमें छोटे आकार की पत्तियां और फूल निकलते हैं। यह गुलाब गमलों तथा किनारा (एज) लगाने के लिए उपयोगी हैं। इनकी कुछ किस्में इस प्रकार हैं—रेड एल्फ, जेट ट्रेल, ब्यूटी सीक्रेट, क्रिक्रि, जेनी विलियम्स इत्यादि।

रैम्बलर्स और क्लाइम्बर्स

क्लाइम्बर्स की उत्पत्ति 'हाइब्रिड टी' और 'नोयसेट रोज' से हुई है। जबकि रैम्बलर्स की उत्पत्ति 'रोज मल्टीफ्लोरा' से हुई है। ये सफेद, पीले, गुलाबी व लाल रंगों के होते हैं। इनकी कुछ किस्में इस प्रकार हैं——वायलेट, डॉनजुआं, लेड़ी वाटरलू, गोल्डी लॉक्स, गोल्डन शॉवर, प्रोपर्टी इत्यादि।

देशी गुलाब

इस जाति के फूलों में तेज सुगंध होती है। इन फूलों को मंदिरों में चढ़ाया जाता है तथा इनसे इत्र व गुलकंद भी बनता है। ये गुलाबी व लाल रंग के होते हैं।

गुलाब कैसे लगाएं?

बहुधा यह देखा गया है कि पुष्प प्रेमी प्राय: नर्सरी से गुलाब के पौधे खरीदकर लाते हैं और बड़े चाव से उन्हें अपने बगीचे में लगा देते हैं किंतु थोड़े ही दिनों में उचित देखभाल के अभाव में यह पौधे नष्ट हो जाते हैं। इसका एकमात्र कारण यही है कि लोगों को गुलाब के पौधों को लगाने और उसकी देखभाल करने का सही तरीका मालूम नहीं है।

यहां हम गुलाब को लगाने के बेहतर तरीके के बारे में बता रहे हैं।

स्थान का चुनाव

गुलाब लगाने के लिए सबसे पहले हमें ऐसी जगह का चुनाव करना होता

है, जहां 4 से 6 घंटे धूप अवश्य रहती हो। चूंकि गुलाब एक प्रकाश-पसंद पौधा है इसलिए इसे पूरब की ओर लगाना लाभदायक रहता है। पश्चिम की ओर या बड़े भवनों के पीछे जहां धूप नहीं पहुंचती, गुलाब नहीं लगाना चाहिए। दक्षिण दिशा में भी इसे लगाया जा सकता है।

पौधा कैसे लगाएं

गुलाब लगाने की तैयारी आप गर्मियों के मौसम मई-जून में प्रारम्भ कर दें। इन महीनों में लगभग तीन-तीन फुट गहरी पुष्ट क्यारी खोदकर मिट्टी बाहर निकाल दें। इस मिट्टी में धूप लगने से कीड़े-मकोड़े, जंगली घास-फूस के बीज और जड़ें मर जाएंगी।

इसके बाद भारतीय जलवायु के अनुसार अगस्त या सितम्बर में उपयुक्त मौसम देखकर गोबर की खाद, पत्ती की खाद और क्यारी से बाहर निकाली हुई मिट्टी एक भाग मिलाकर क्यारी में डेढ़ फुट तक भर दीजिए, इससे पानी सूखने पर मिट्टी बैठ जाएगी। दस दिन बाद फिर बराबर मात्रा में मिट्टी, गोबर की खाद बोनमील (हड्डी का चूरा) सुपर फास्फेट व पत्ती की खाद मिलाकर क्यारी में छोड़ दें। इसके बाद पानी छोड़ दें। जब मिट्टी 2-3 इंच बैठ जाए तब समझिए कि आपकी क्यारी पौधे लगाने के लिए तैयार है।

प्रायः ऐसी मान्यता है कि जब हवा में अधिक नमी हो और धूप भी अधिक तेज हो तब ही इस पौधे के पनपने की संभावना अधिक होती है।

वैसे विशेषज्ञों के अनुसार गुलाब के पौधे शाम के समय लगाने चाहिए ताकि उन्हें फौरन धूप न सहनी पड़े।

कलम कैसे लगाएं

कलम अक्तूबर, नवम्बर अथवा फरवरी, मार्च में लगाना उचित रहता है। कलम लगभग 9 इंच लम्बी तथा 3/4 से.मी.व्यास की स्वस्थ टहनी होनी चाहिए।

कलम लगाते समय मिट्टी में नमी होना आवश्यक है। कलम लगाने से पहले एक फुट गहरा व नौ इंच चौड़ा गड्ढा खोद लीजिए। दो-दो मुट्ठी गोबर की खाद, पत्ती की खाद, बोनमील, सुपर फास्फेट व मिट्टी मिलाकर रखी खाद से गड्ढे को भर दीजिए। जड़ के चारों ओर मिट्टी को हाथ से दबा दीजिए। पौधा लगाने के तुरंत बाद ही पानी लगाकर तर कर देना चाहिए। यदि जमीन तड़ककर दरार पड़ने लगे तो खुरपे की मूठ से ठोककर बंद कर दीजिए, नहीं तो हवा जड़ों में घुसकर पौधे को सुखा भी सकती है। यदि भूमि में अधिक नमी हो तो रोपाई नहीं करनी चाहिए।

पौध जल्दी तैयार करने के लिए आप सेलेडेक्स (हार्मोन्स) पाउडर कलम लगाते समय उपयोग में ला सकते हैं।

पीला, नारंगी, काला, बहुरंगी आदि गुलाब को कलम विधि द्वारा नहीं लगाया जा सकता । बडिंग द्वारा किसी भी प्रकार का गुलाब तैयार किया जा सकता है।

बडिंग करने के लिए बड (बीज) को समझना आवश्यक है। गुलाब की टहनी में जिस जगह से पत्ती निकली होती है, उस जगह जोड़-सा दिखाई पड़ता है। इसी जोड़ पर थोड़ा सा फूला हुआ भाग होता है। इसी फूले हुए भाग को बड कहते हैं। रूट स्टोक गुलाब की ऐसी किस्म है जिस पर बडिंग की जाती है। रूट स्टोक आप किसी भी पौधशाला से प्राप्त करके कलम विधि द्वारा इसकी पौध तैयार कर सकते हैं।

बडिंग नवम्बर से मार्च तक मध्य भारत में, जनवरी से मार्च तक पूर्वी भारत में, दिसम्बर से फरवरी तक उत्तरी भारत में तथा मध्यम जलवायु वाली जगह में बडिंग पूरे वर्ष की जा सकती है।

बडिंग करने के लिए सबसे पहले बड की जरूरत पड़ती है। यह बड आप किसी भी पौधशाला से प्राप्त कर सकते हैं। जिस किस्म का गुलाब आप पाना चाहते हैं उसके लिए आप उसका बीज तेज धार वाले चाकू से ऊपर से थोड़ा नीचे तक इस प्रकार काटिए कि बीज के चारों ओर छाल रहे। छाल के अंदर जो टहनी की लकड़ी है उसे बिना बीज को क्षति पहुंचाए सावधानीपूर्वक छाल से अलग कर दीजिए। यहां आपको एक बात का विशेष रूप से ध्यान रखना चाहिए कि बीज को स्वस्थ टहनी से प्राप्त करना चाहिए तथा उसे भीगे कपड़े में रखना चाहिए।

यदि आपको रूट स्टोक द्वारा तैयार की गई पौध पर बडिंग करनी है तो इसके लिए सबसे पहले आप जिस शाखा पर बडिंग करनी है, उसे छोड़कर अन्य सभी शाखाओं को काट दीजिए। इसके बाद आप चाकू की सहायता से करीब डेढ़ इंच का सीधा अथवा 'टी' आकृति का चीरा लगाइए। सुविधा के लिए निम्न चित्र देखिए।

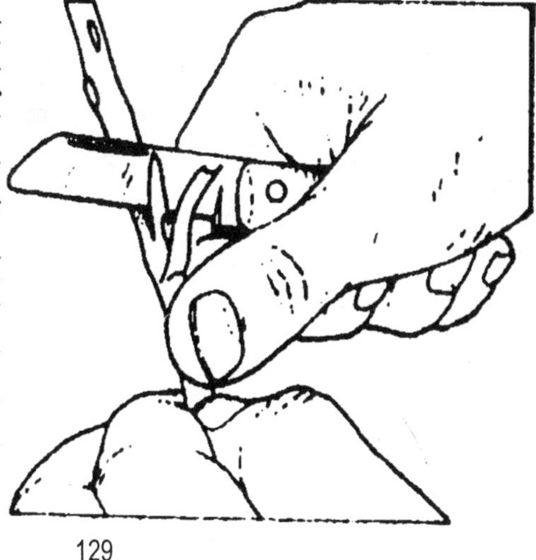

यहां आपको एक बात का विशेष ध्यान रखना है कि कट सिर्फ छाल में ही लगाना होता है। कट लगी हुई शाखा को कट की तरफ इस तरह झुकाइए कि कट लगा भाग फैल जाए तथा चाकू से ही इसे फैलाने की कोशिश कीजिए। सुविधा के लिए निम्न चित्र देखिए।

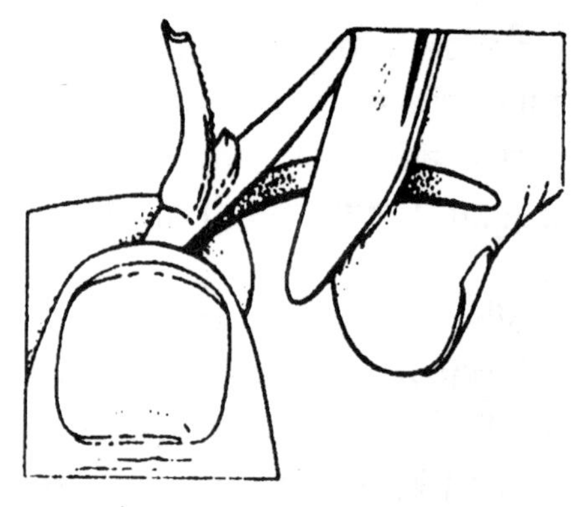

यहां आपको इस बात का ध्यान रखना है कि छाल के भीतर वाले डंठल को बिल्कुल क्षति नहीं पहुंचनी चाहिए। अब आप इस फैले हुए भाग में बीज को छाल सहित सटाकर बैठा दीजिए और फिर झुकी हुई शाखा को छोड़कर सीधी हो जाने पर उसे पोलीथीन की आध इंच चौड़ी पट्टी से इस प्रकार बांधिए कि सिर्फ बीन को छोड़कर पूरा कटा हुआ भाग पोलीथीन से बंध जाए। सुविधा के लिए निम्न चित्रों को ध्यान से देखिए।

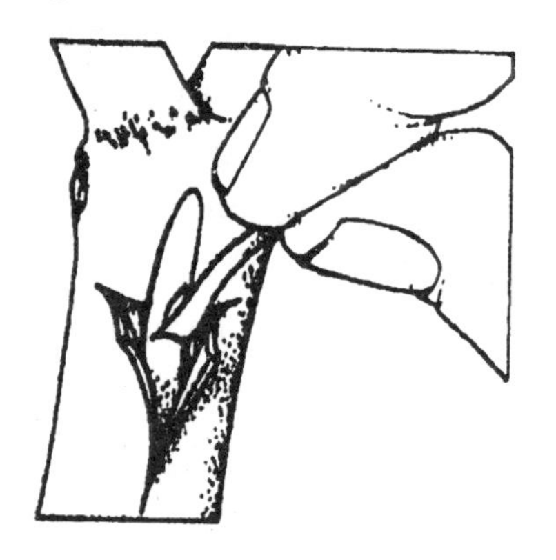

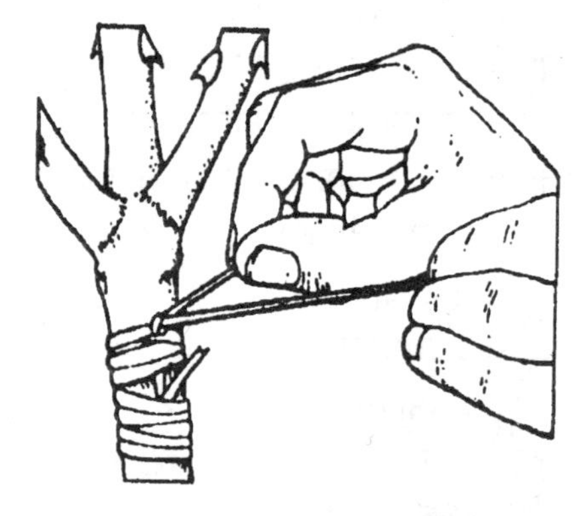

लगभग दो सप्ताह बाद बड का बढ़ना प्रारंभ हो जाएगा और इसमें पत्तियां निकलकर शाखा बढ़ने लगेगी। अब सिर्फ उसी शाखा को बढ़ने दीजिए जो उस बड से विकसित हो रही है बाकी सभी शाखाओं को आप सावधानीपूर्वक काटते रहिए। इस प्रकार कुछ दिनों बाद आप देखेंगे कि उस पौधे पर आपके मनपसंद फूल खिलने प्रारम्भ हो गए हैं।

सिंचाई

विकसित हो रहे गुलाब को नियमित रूप से पानी दिया जाना चाहिए। वर्षा ऋतु को छोड़कर पौधे की सिंचाई साल भर करनी चाहिए। सिंचाई में 10-15

दिन का अंतर अवश्य होना चाहिए। पौधे पर पानी का छिड़काव अवश्य करना चाहिए क्योंकि पानी के छिड़काव से पत्तियां स्वस्थ और हरी भरी रहती हैं। सिंचाई के बाद पौधे की गुड़ाई अवश्य करनी चाहिए।

खाद

गुलाब के पौधे को स्वस्थ रखने के लिए तथा आकर्षक फूल प्राप्त करने के लिए उर्वरकों का निम्नलिखित मिश्रण मिट्टी में मिलाना चाहिए—

अमोनियम सल्फेट : 6 ग्राम

सोडियम नाइट्रेट : 6 ग्राम

कैल्शियम नाइट्रेट : 6 ग्राम

कैल्शियम सायनेमाइड : 6 ग्राम

अमोनियम नाइट्रेट : 6 ग्राम

उपरोक्त खाद की 30 ग्राम की मात्रा प्रति वर्ग मीटर पर्याप्त होती है। वर्षा व ग्रीष्म ऋतु में खाद देने से पौधे दुर्बल हो जाते हैं। अतः खाद शीतकाल में ही देनी चाहिए।

उपरोक्त उर्वरकों के अतिरिक्त यदि 25-30 ग्राम पोटेशियम नाइट्रेट तथा 25-30 ग्राम पोटेशियम फास्फेट को 5 लीटर पानी में घोलकर गुलाब के पौधों पर छिड़का जाए, तो अच्छा रहता है।

छंटाई (प्रूनिंग)

गुलाब की छंटाई (प्रूनिंग) एक महत्त्वपूर्ण कार्य है। जब गुलाब का पौधा साल-भर का हो जाए तब उसकी छंटाई शुरू कर देनी चाहिए। छंटाई का कार्य अक्टूबर मध्य से नवम्बर मध्य तक करना चाहिए। छंटाई से पौधों में नई और दृढ़ शाखाएं निकल आती हैं तथा इन शाखाओं पर अधिक फूल लगते हैं।

छंटाई करते समय रोगग्रस्त, कमजोर, सूखी, आपस में रगड़ खाने वाली शाखाओं को अलग कर देना चाहिए। छंटाई उपयोगी सीकेटियर या तेज धार वाले चाकू से करनी चाहिए। छंटाई करते वक्त शुष्क चाकू का प्रयोग नहीं करना चाहिए। इससे पौधों को अनेक संक्रामक रोग लग जाते हैं।

कीड़ों से बचाव

लाल शल्क (स्केल) कीट

ये कीट तने, शाखाओं पर चिपककर रस चूसते हैं और संख्या बढ़ने पर पूरे पौधे पर फैल जाते हैं और पौधा मर जाता है। इन कीटों के नियंत्रण हेतु अच्छे

कीटनाशक का छिड़काव करना चाहिए। परंतु इन कीड़ों के अधिक संख्या में होने पर मोनोक्रोटोफास/नुवाक्रान अथवा मेथीलेटिड स्पिरिट की बूंदें डालकर उसे कपास की सहायता से फैलाना चाहिए। इसके अलावा पौधे के आसपास थीमेट, यूरेडान के दाने मिट्टी में डालने चाहिए, इससे शल्क कीट के अलावा अन्य रस चूसने वाले कीड़े भी नियंत्रित होंगे।

पत्तियां खाने वाला कीट (रोज चेफर)

यह कीट गुलाब के पौधे पर रात में आक्रमण करता है और पत्तियों में छेद कर देता है। इन कीड़ों से बचाव करने के लिए सेविन 50 डब्ल्यू.पी. का 4 ग्राम/ लीटर घोल का छिड़काव पौधे पर शाम को करना चाहिए।

दीमक/ सफेद चींटी

दीमक को नियंत्रण में करने के लिए कीटनाशक धूल इंडोसल्फान या कार्बारील को मिट्टी में भुरकाव कर मिला देना चाहिए। इसका प्रयोग पौधा लगाते समय भी करना चाहिए।

मांहू (एफीड)

एफीड को पौधों की जुएं भी कहा जाता है। ये पौधे के रस को चूसकर तुरंत दूसरी जगह पर हमला कर देते हैं। ये आकार में बेहद छोटे और काले होते हैं तथा धूल के कणों की तरह दिखाई देते हैं।

एफीड से बचाव के लिए मेटासिस्टाक्स अथवा नुवाक्रान (1 मिली/लीटर) का छिड़काव पौधों पर करना चाहिए।

नेमीटोड्स

ये सूक्ष्मजीवी नन्हे परजीवी गुलाब की क्यारी में झुंडों में पाए जाते हैं। इनका कार्य पौधे के भोजन पर हाथ साफ करके उसे कुपोषण का शिकार बनाना होता है, इसलिए इनकी उपस्थिति में पौधे में कोंपलें नहीं फूट पातीं और पौधे पर फूल कम मात्रा में उगते हैं। नेमोटोड्स के कारण पौधे पर दूसरे कीड़े भी आक्रमण कर देते हैं।

नेमीटोड्स से गुलाब के पौधे का बचाव करने के लिए नेमाग्रोन इस्तेमाल में लाना चाहिए।

गुलाब की बीमारियां

गुलाब के पौधे व फूल में कई प्रकार की बीमारियां भी होती हैं जिनके लक्षण व उपचार निम्न हैं—

चुर्णील आसिता (पाउडरी मिल्डीव)

सफेद चूर्ण पत्तियों, कलियों तथा शाखाओं पर जमा रहता है फिर गहरे भूरे रंग के धब्बे बन जाते हैं। नियंत्रण हेतु घुलनशील गंधक चूर्ण या ब्लाइटाक्स या बाविस्टीन अथवा डायथेन एम-45 का (2 ग्राम/लीटर) का छिड़काव पौधों पर करना चाहिए तथा पौधों को पर्याप्त दूरी पर खुले स्थान पर लगाना चाहिए।

पत्तियों पर काले धब्बे (ब्लैक स्पाट)

वर्षा के दौरान तथा सर्दियों के शुरू होते ही पत्तियों पर काले धब्बे बनने शुरू हो जाते हैं जो बाद में बढ़ते हुए पूरी पत्तियों पर फैल जाते हैं। इन धब्बों के नियंत्रण हेतु डायथेन एम-45 अथवा केप्टान (2 ग्राम/लीटर) का वर्षा ऋतु तथा शीत ऋतु के प्रारम्भ में 15-15 दिन के अंतर से छिड़काव करना चाहिए। इसके अलावा आप बाविस्टीन का प्रयोग भी कर सकते हैं।

शाखाओं का ऊपर से नीचे सूखना

नवरोपित गुलाब के बजाय यह रोग पुराने पौधों में ज्यादा लगता है। इस रोग के दुष्प्रभाव से गुलाब के पौधे की शाखाएं ऊपर से नीचे की ओर काली पड़कर सूखने लगती हैं, फलतः पौधा सूखकर मर जाता है।

इस रोग के नियंत्रण के लिए गुलाब के पौधे का रोपण धूपदार, जल निकास वाले स्थान पर पर्याप्त दूरी पर करना चाहिए तथा छंटाई के बाद कटे हुए सिरों पर बाविस्टीन, डायथेन एम-45, कापर आक्सीक्लोराइड (2 ग्राम/लीटर) घोल का छिड़काव अवश्य करना चाहिए।

गमलों में गुलाब कैसे लगाएं?

गमलों में गुलाब लगाने से पहले पौधे के आकार के हिसाब से गमले का चुनाव करना चाहिए। यदि गमला बड़ा है तो उसमें बड़ा पौधा लगाना चाहिए और यदि गमला छोटा है तो उसमें छोटा पौधा लगाना चाहिए। गमले का चुनाव करते वक्त उसे उलटकर उसके नीचे बने छेद को अवश्य देखना चाहिए। वास्तव में गमले का यह छिद्र ही पौधे की बढ़त के लिए आवश्यक होता है।

गमले में पौधा लगाने से पहले उसमें मिट्टी की तह बिछा लेनी चाहिए, फिर खाद मिली मिट्टी के मिश्रण को भरना चाहिए। इस मिट्टी का मिश्रण कुछ इस प्रकार से होना चाहिए—

- तीन भाग सड़ी हुई खाद
- एक भाग पत्ते की खाद

- एक भाग लकड़ी के कोयले की राख

मिट्टी के इस मिश्रण को तैयार करने के बाद गुलाब के एक स्वस्थ पौधे को गमले के बीच में गड्ढा बनाकर रख देना चाहिए, उसके बाद चारों ओर मिट्टी बराबर करके दबा देनी चाहिए। पौधा लगाने के बाद उसे फव्वारे से अच्छी तरह से पानी देना चाहिए। वैसे आमतौर पर गुलाब के पौधों के लिए 14 से 16 इंच तक के गमले उपयुक्त रहते हैं।

गमले में लगाए गए गुलाब के पौधे में जब नई कोंपलें फूट पड़ें तब एक चुटकी अमोनियम सल्फेट या एक चम्मच रोज फूड गमले की मिट्टी में मिला दें।

कुछ सुझाव

गमलों में लगाए गए गुलाबों में हर साल ऊपर की तीन इंच मिट्टी हटाकर छनी हुई गोबर की खाद भरनी चाहिए। ऐसा करने से पौधों को अच्छी खुराक मिलती है।

दो-तीन साल बाद गमले में लगाए गए पौधे को बाग की क्यारी में लगा देना चाहिए और गमले में दूसरा पौधा लगा देना चाहिए।

गमलों में लगाए जाने वाले गुलाब के कुछ पौधों के नाम—

हाइब्रिड टी	फ्लोरी बंडा
• गोल्डन आफ्टरनून • फ्लेमिंग सनसेट • फर्स्ट प्राइज • लेडी फ्रास्ट • मृणालिनी • पैराडाइज • हवाइट मास्टरपीस • प्रियदर्शिनी	• करिश्मा • चितचोर • शाकिंग ब्लू • कुमकुम • नीलाम्बरी • प्रेमा • जोरिना • फ्लेमेंको

गुलाब की कुछ किस्में

- लाल—इंप्रेटर, नारडिया, ट्रंपीटर, सुगंधा, मिरांडी।
- गुलाबी—अरुणिमा, फ्रोलिक, मृणालिनी, जेडिस, पिंक पारफेट।
- पीला—ब्राइट स्माइल, आरथवेल, गोल्ड डाट, अपोलो।

- सफेद—समरस्नो, जवाहर, जे.एफ. केनेडी, गार्डन पार्टी।
- नारंगी एवं सिंदूरी—जेम्बा, जोरिना, कमांड परफारमेंस, केटेंपो, सुपरस्टार, मांटीजूमा, समर होली डे।
- नील लोहित (मांव)—ब्लूमन, अफ्रीका स्टार, हेयरलूम, एजूर, एंजिल फेस, ब्लू डायमंड, लिलेक टाइम।
- दुरंगे—करिश्मा, रेड गोल्ड, पेंट वाक्स, डबल डिलाइट, पेराडाइस, किस ऑफ फायर, अमेरिकन हेरिटेज, लव।
- धारीदार—अभिसारिका, एनविल स्पार्क, सुप्रिया, मदहोश, केअरलेस लव, ओरेंज स्पार्क।
- खुशबूदार गुलाब—जेडिस, मृणालिनी, हेडले, सुगंधा, रोज शर्बत, कालिमा, काजल।

विभिन्न आकार के गुलाबों के नाम

- बड़े फूलों वाले गुलाब—अमेरिकन प्राइड, क्रिश्चियन डायर, कैनेडियन हवाईटस्टार, डबल डेलाइट, अलेक्स रेड, स्मराला, हारमोनी, ब्लैक लेडी।
- नन्हे फूलों वाले गुलाब—ड्रीम ग्लो, डॉन डॉन, मिनी पर्ल, मैरी मार्शल, लविंग टच, पप्पी लव, पेश सेंटर, लवेण्डर ग्लो।
- लरतने वाले गुलाब—क्रोनवर्ग, काकटेल, शो गार्डन, सोनिया, रेड डेलाइट, पिनाटा।
- गुच्छे वाले गुलाब— फ्रेशिया, मारगेट मे, शॉकिंग, सन फ्लेमर, बोनिका।

सबके मन को भाए : डहलिया

फूलों के संसार में एक सुंदर फूल डहलिया भी है, जो 'जाड़े का बादशाह' के नाम से जाना जाता है। बाग हो या फूलों की बगिया, डहलिया न हो तो बगिया की सुंदरता अधूरी रह जाती है या बगिया अधूरी-सी दिखाई देती है।

डहलिया शाखाओं वाला पौधा है जो सुंदर एवं बड़े फूलों के लिए उगाया जाता है। इसका जन्म स्थान मैक्सिको है पर अब यह संसार के सभी उद्यानों की शोभा बढ़ा रहा है। डहलिया में सुगंध नहीं होती, फिर भी इसे अपने खूबसूरत रंगों के कारण घरेलू बगिया से लेकर घर के अंदर तक खास स्थान दिया जाता है। इसका नामकरण 'एंड्रिसन गस्टैव डहल' के नाम पर हुआ है। सन 1857 में रायल एग्रीकल्चर सोसाइटी कलकत्ता द्वारा इसे भारत में लाया गया था।

गुलाब तथा गुलदाऊदी के बाद डहलिया ही ऐसा फूल है जिसकी सैकड़ों किस्में अलग-अलग रंगों तथा आकार में खिलती हैं। यह पौधा 0.75 से 1.0 मीटर ऊंचा तथा 2 या 3 शाखाओं वाला होता है। इस तना हमेशा हरा रहता है। डहलिया के फूल दिसम्बर से मार्च तक खिलते हैं। इसे गमलों तथा क्यारियों के रूप में लगाया जाता है और फूलदानों में सजाया जाता है।

पौधा कैसे तैयार करें?

डहलिया के पौधे को तीन तरीके से तैयार किया जाता है।

- बीज द्वारा
- जड़ के विभाजन द्वारा
- कटिंग विधि द्वारा

बीज द्वारा

जैसे किसी भी अन्य पौधे के बीजों को छोटी क्यारी में छिड़क कर पहले नन्हें पौधे को तैयार किया जाता है ठीक उसी तरह डहलिया के बीजों को बरसात की पहली फुहार के बाद छोटी क्यारी में छिड़क दिया जाता है तथा पुआल से ढककर एक हफ्ते तक उसके ऊपर से पानी दिया जाता है। कुछ दिनों बाद जब बीज अंकुरित हो जाता है तब पुआल को हटाकर इन्हें कुछ इंच और बढ़ने दिया जाता है। इसके बाद इन्हें बड़ी क्यारी या गमले में लगा दिया जाता है। आमतौर पर बीज से तैयार पौधों से फूल छोटे आकार में मिले-जुले रंगों वाले निकलते हैं।

जड़ के विभाजन द्वारा

यह विधि आलू लगाने की विधि के जैसी होती है। बरसात के मौसम तक जब डहलिया की मोटी शकरकंद जैसी जड़ों में अंकुरण दिखाई पड़ने लगता है जिसे कि आंख कहा जाता है, को अलग-अलग काटकर जमीन में लगा दिया जाता है जिससे नए पौधे तैयार हो जाते हैं, परंतु यह कम भरोसे वाला और थोड़ा मुश्किल तरीका है, क्योंकि यह जरूरी नहीं कि आपके द्वारा काटकर लगाई गई हर आंख एक नया पौधा ही दे। कई बार सारी मेहनत बरबाद हो जाती है और जड़ों के टुकड़े सड़ जाते हैं।

कटिंग द्वारा

डहलिया लगाने का सबसे लोकप्रिय और सहज तरीका कटिंग द्वारा नए पौधे तैयार करना है। इस विधि में जड़ लगी डहलिया छोटी कटिंग करके बहुत बड़े आकार के फूल प्राप्त किए जा सकते हैं। इस विधि से तैयार पौधे 1-2 फुट ऊंचे होते हैं तथा इनमें जो फूल लगता है वो आकार में काफी बड़ा होता है। इस विधि से तैयार फूलों में प्रायः सभी रंगों का मेल देखने को मिल जाता है और ये बनावट में इतने खूबसूरत होते हैं कि इन्हें फूलों की प्रदर्शनियों में प्रदर्शित किया जा सकता है। आजकल टिशू कल्चर तकनीक से प्रयोगशाला में डहलिया की कटिंग तैयार की जाती है। इन कटिंगों को नवम्बर में लगाने पर फरवरी से अप्रैल तक फूल निकलने लगते हैं।

मिट्टी तथा खाद का मिश्रण

डहलिया के पौधों को जिस क्यारी में आप लगाना चाहते हैं, वहां आप मिट्टी में गोबर की सूखी खाद तथा बालू की सही मात्रा को निम्न अनुपात में मिलाइए।

गोबर की सूखी खाद	बालू	मिट्टी
40 भाग	20 भाग	40 भाग

इस तरह तैयार किए मिश्रण में आप बोनमील को 150 ग्राम प्रति वर्ग मीटर के हिसाब से मिलाएं तथा थोड़ी सी मात्रा पोटाश की भी मिला दें।

यदि आप ज्यादा नाप जोड़ के चक्कर में नहीं पड़ना चाहते हैं तो क्यारियों को तैयार करते समय 25 किलो गोबर की सूखी खाद प्रति वर्ग मीटर के हिसाब से जमीन में मिला दें और अंदाज से ही इतनी बालू भी डाल दें कि छूने से मिट्टी हल्की भुरभुरी लगे, हाथों में चिपटे नहीं।

बड़े आकार के फूल कैसे प्राप्त करें?

डहलिया का पौधा किसी भी विधि से तैयार किया जाए किंतु बड़े आकार के फूल किस तरह प्राप्त किए जाएं, यह प्रश्न हर उद्यान प्रेमी के दिल में उठता है। वास्तव में डहलिया के बड़े फूल पाना एक कला है, जो कि कुछ जरूरी तकनीकी जानकारियों तथा अनुभवों से आप प्राप्त कर सकते हैं। इसके लिए यह परम आवश्यक है कि आप में फूल का चयन तथा उसके उचित रख-रखाव की समझ हो।

आमतौर पर डहलिया में 3 कलियां निकलती हैं। यदि इन तीनों कलियों से फूल बनेंगे तो उनका आकार छोटा होगा, लेकिन यदि बीच वाली कली, जिसे ब्राउन बड के नाम से जाना जाता है को ही रहने दिया जाए तथा बाकी दोनों कलियों को हटा दिया जाए तो इस ब्राउन बड से खिलने वाला फूल बहुत बड़े आकार का होगा।

इस तरह कटिंग विधि से तैयार डहलिया के पौधों में इस तकनीक को अपनाकर आप काफी बड़े आकार के फूल प्राप्त कर सकते हैं।

गमलों में डहलिया लगाने की तकनीक

यदि आप डहलिया के पौधों को गमलों में लगाने जा रहे हैं तो गमलों में भरने के लिए मिट्टी तथा खाद के मिश्रण को इस अनुपात में तैयार करें—

हल्की मिट्टी	गोबर खाद	बालू	पत्ते की खाद
10 बाल्टी	6 बाल्टी	4 बाल्टी	2 बाल्टी
सुपर फास्फेट	**चूना**		
30 ग्राम	5 ग्राम		

गमलों में डहलिया लगाने के लिए सबसे पहले गमले के नीचे के छिद्र को देखें। यदि वह पूरा खुला हुआ है तो सबसे नीचे मिट्टी की एक तह बिछाएं उसके बाद गोबर खाद तथा बोनमील के मिश्रण की एक पतली तह डाल दें, तत्पश्चात उसके ऊपर मिट्टी के साथ मिली हुई बालू व गोबर खाद की परत बिछा दें। इस तरह लगाए गए गमलों में डहलिया के फूल कुछ अलग ही छटा बिखेरेंगे।

डहलिया की आधुनिक किस्में

सिंगल फूल वाले डहलिया

इस किस्म में फूल का व्यास लगभग 4 इंच तथा पौधे की लम्बाई डेढ़ से दो फुट तक होती है। फूल के बीच में एक पीली घुंडी बनती है। घेरे में अलग-अलग रंगों वाली पंखुड़ियां फैली होती हैं। यह क्यारियों में लगाने के लिए सर्वथा उपयुक्त है तथा इन्हें बीज से प्राप्त किया जाता है।

डेकोरेटिव डहलिया

डहलिया की यह सबसे लोकप्रिय किस्म है। इस किस्म के फूल 3 इंच से लेकर 10 इंच तक के व्यास वाले होते हैं। इस किस्म के पौधे 3 फुट से लेकर 5 फुट तक की ऊंचाई के होते हैं। इस किस्म के फूलों को जब कटिंग विधि द्वारा तैयार किया जाता है, तब इसके फूल आकार में बड़े होते हैं।

कैक्टस डहलिया

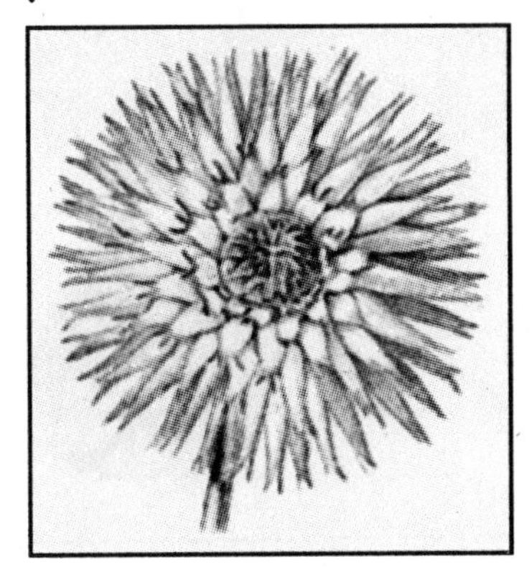

यह डहलिया की सबसे उन्नत व आधुनिक किस्म है। इस किस्म के फूलों का व्यास 3 इंच से लेकर 10 इंच तक होता है तथा पौधे की ऊंचाई 3 फुट से लेकर 5 फुट तक होती है।

कैक्टस डहलिया में बीच की घुंडी का अभाव होता है। पंखुड़ियां कई चक्र में

निकलती हैं, इसके कारण फूल मोटा और भारी होता है। इसकी पंखुड़ियां लंबी, नुकीली तथा मुड़ी हुई होती हैं। इसे केवल कटिंग विधि द्वारा ही तैयार किया जाता है।

एनीमोन डहलिया

इस किस्म में फूल का व्यास लगभग 4 इंच तथा पौधे की ऊंचाई 2 से 3 फुट तक होती है। फूल के बीच में एक लंबी हल्के भूरे रंग की घुंडी बनती है जहां फूल के बाद बीज बनते हैं। इसके घेरे के चक्र में अनेक तरह के रंगों वाली पंखुड़ियां फैली होती हैं। इसे बीज द्वारा तैयार किया जाता है। इसके बल्ब भी इसी नाम से बाजार में बिकते हैं।

पिओनी डहलिया

इस किस्म में फूल के बीच में चपटे आकार की घुंडी होती है तथा पंखुड़ियां चपटी और दो-तीन पंक्तियों में मौजूद रहती हैं। इस किस्म के पौधों की ऊंचाई ढाई से चार फुट तक होती है तथा फूल का व्यास 5 इंच तक होता है।

बॉल तथा पामपान डहलिया

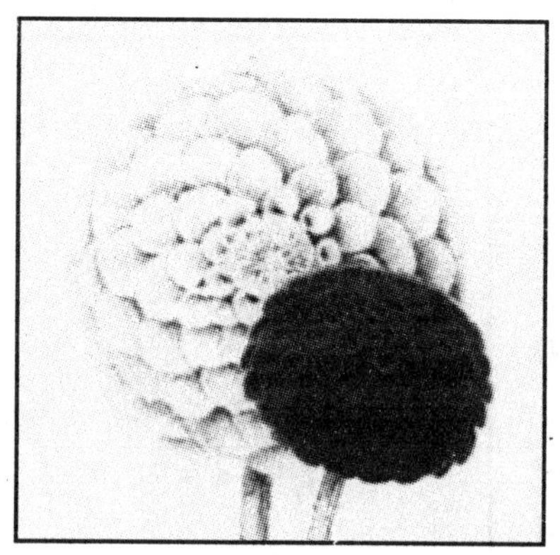

बॉल डहलिया—डहलिया की इस किस्म में फूल पूरी तरह से गोल होते हैं। यह फूल 3 इंच से लेकर 6 इंच तक के व्यास वाले होते हैं, जो 3-4 फुट की ऊंचाई वाले पौधे पर खिलते हैं।

पामपान डहलिया—इस किस्म के फूल दो से ढाई इंच तक के व्यास वाले तथा गोल होते हैं। पौधों की ऊंचाई 3 से 4 फुट तक होती है।

कोलेरेट डहलिया

ये फूल चार से साढ़े चार इंच तक के व्यास वाले होते हैं। इस किस्म के पौधों की ऊंचाई ढाई से चार फुट तक होती है। इस किस्म के फूलों में चपटी पंखुड़ियों की तहों के भीतर छोटी पंखुड़ियां मौजूद होती हैं, जिनकी लम्बाई बाहर वाली पंखुड़ियों के मुकाबले में आधी होती है।

देखभाल

डहलिया की देखभाल वास्तव में आसान नहीं है। फिर भी यदि कुछ नियमों का पालन किया जाए तो ये फूल निश्चित रूप से अपनी पूरी सुंदरता से आपकी बगिया को चार चांद लगाए बिना नहीं रहेंगे।

इनकी देखभाल के कुछ सुझाव हैं

- डहलिया जिस मिट्टी में लगाया जाता है उसका हल्का व भुरभुरा होना अत्यंत आवश्यक है ताकि पौधा बिना रोक-टोक अपनी जड़ों को फैलाकर मिट्टी पर अपनी पकड़ मजबूत कर सके।
- पौधा किसी भी विधि द्वारा तैयार किया गया हो, लेकिन बिना निराई-गुड़ाई के फल-फूल नहीं पाएगा, इसलिए पौधे पर फूल लगने से पहले 5-10 बार यह काम अवश्य करें।
- कलियां निकलने पर इनका चयन जरूर करना चाहिए, क्योंकि इसी के ऊपर फूल का आकार निर्भर करता है।
- डहलिया को ज्यादा पानी के साथ-साथ सूर्य के उपयुक्त प्रकाश की जरूरत पड़ती है इसलिए इस बात का अवश्य ख्याल रखें।
- कुछ कटिंग वाले डहलिया में फूल बहुत भारी निकलते हैं। इन्हें शुरू से ही सहारा देना चाहिए, अन्यथा फूल खिलने से पहले ही टूट जाएगा।
- यदि डहलिया की पत्तियों पर आपको भूरे धब्बे दिखाई दें तो समझिए कि पौधा कीड़ा ग्रस्त हो गया है। अत: पौधे को कीड़े से छुटकारा दिलाने के लिए ब्लाइटाक्स नाम की दवा का पतला घोल बनाइए और स्प्रेयर की सहायता से पत्तियों पर छिड़क दीजिए।
- यदि पौधे की पत्तियां गोलाई में मुड़कर सिकुड़ी हुई दिखाई दें तो मालाथिओन नाम की दवा का पतला घोल बनाकर स्प्रेयर की सहायता से पौधे पर छिड़क दें।

डहलिया के कुछ लोकप्रिय फूलों के नाम

• लार्ड बुद्धा	• मिसेज हेस्टर पोप	• डा. बी.पी.पाल
• बारबरा मार्शल	• बैलीगेज ग्लोरी	• ग्रेस हे
• अन्नपूर्णा	• प्राइम मिनिस्टर	• जैसकैट
• कोरस गर्ल	• भारत लक्ष्मी	• लैवेंडर परपल
• डाउन फार्म	• पिंक ब्यूटी	• पायोनियर यैलो
• स्वामी लोकेश्वर नन्द	• स्वामी विवेकानन्द	• केलविन
• बैन्डेरिस	• केनिया	

डहलिया की विभिन्न किस्मों के फूल

फूलों की रानी : गुलदाउदी

क्रिसन्थमम् अर्थात गुलदाउदी एक अत्यंत लोकप्रिय एवं आकर्षक फूलों वाला पौधा है जिस पर अलग-अलग आकार के रंग-बिरंगे फूल आते हैं। इसे फूलों की रानी के नाम से से भी जाना जाता है। पुष्प सज्जा में इस फूल का महत्त्वपूर्ण स्थान है। गुलाब के बाद यही फूल सर्वत्र पसंद किया जाता है।

गुलदाउदी जापान का राष्ट्रीय फूल है। जापान में इसे सन् 1910 में राष्ट्रीय फूल का दर्जा दिया गया था।

इसके अनेक नाम हैं, जिनमें चंद्रमल्लिका, सेवंती व गुलदाबरी प्रमुख हैं।

सेवन्ती के लोकप्रिय पुष्पों के नाम

क्रीम बकेट	महात्मा गांधी	वेग्गी
कॉरेन रो	मयूर	विवियन
की स्टोन	मोहिनी	विलियम टर्नर
केलिफ	मार्टिन रिले	शरद शोभा
कस्तूरी	मरकरी	शरद प्रभा
क्रिकेट	टोपाज	शान्ति
कस्तूरबा गांधी	डायमंड	स्नोवाल
कुंदन	ट्रेसी बॉलर	सुपर जायंट
परफेक्टा	डेरके बिरकमशॉ	सन्नी डे
पीकॉक	चन्द्रमा	सुहाग शृंगार
पिट्रो	ज्योत्सना	सुजाता
पेनाइन सिल्चर पेटज्वायस	जुबली	हिमानी
फैण्टेसी	जे.एस.लॉयड	अंजना
फेयरी	जया	इस्कोर्ट
फ्लाईंग सॉसर	तुषार	ऐनी लेडिगो
फ्लर्ट	नीलिमा	एवण्डेन्स
फ्रीडम	नैन्सी मैश्यूज	एबेल माइल्स
बीरबल	यलो चार्म	अर्चना
ब्लेज	यल्लो रेजोनेट	अरुण शृंगार
बॉब	राखी	अल्फ्रेड विल्सन
बेन डिक्सन	रैड चार्म	आलीशान
मेघदूत	रेगोलिया	इनोसेंस
	रीता	इवेलियन बुश
	राजा	इंदिरा
	लिलिपुट	

गुलदाउदी (क्रिसन्थमम) को जहां तक वाटिका में उगाने की बात है तो आप इसे बड़ी आसानी से उगा सकते हैं किंतु इसके लिए आपको कुछ महत्त्वपूर्ण बातों पर विशेष रूप से ध्यान देने की जरूरत है।

यह फूल जाड़ों की शुरुआत में ही खिलना शुरू कर देता है और पतझड़ तक खिला ही रहता है। इसे क्यारियों, गमलों, रॉक गार्डन तथा बार्डर पर लगाया जा सकता है। और तो और विभिन्न प्रकार के गमलों में सजाकर आप इसे घर की सीढ़ियों, पॉर्टिको, ड्राइंग रूम तथा टैरेस पर सजा सकते हैं।

लगाने के तरीके

गुलदाउदी को बीज तथा कलम विधि द्वारा उगाया जाता है। दूसरे फूलों के मुकाबले में अधिक खाद की जरूरत होती है।

हर गमले में 2 भाग गार्डन सॉयल, 2 भाग सड़ी गोबर की खाद, थोड़ी रेत और एक चम्मच गैमक्सीन का मिश्रण भर देना चाहिए, तत्पश्चात पौधों को इसमें लगाकर, पानी देकर, थोड़ी छाया वाले स्थान पर रख देना चाहिए।

कुछ दिनों बाद जब पौधे बढ़ने लगें तब सप्ताह में एक बार सड़े हुए गोबर एवं नीम की खली के पानी से इनकी सिंचाई करें। सप्ताह में एक बार एक गमले में एक चम्मच कैल्शियम नाइट्रेट डालने से इन पौधों की बढ़त अच्छी होती है।

महत्त्वपूर्ण सुझाव

गुलदाउदी को उद्यान में या घरों में ऐसे स्थान पर लगाना चाहिए, जहां निम्न सुविधाएं अवश्य हों—

- भूमि में उचित जल निकासी का प्रबंध होना चाहिए।
- क्यारियों में पानी रुकना नहीं चाहिए। क्यारियों में पानी जमा रहने से पौधे मर भी सकते हैं।
- क्यारियां ऐसे स्थान पर बनानी चाहिए जहां अच्छी-खासी धूप आती हो।
- मिट्टी भुरभुरी एवं उपजाऊ होनी चाहिए।

पोषण विधि

अक्तूबर माह में जब गुलदाउदी का पौधा काफी मजबूत हो जाता है तब इसे ऊपर से 2 इंच काट दिया जाता है।

इस क्रिया से फूल अच्छे व स्वस्थ आते हैं तथा शाखाएं मजबूत होती हैं।

यदि शाखाएं असमान रूप से ऊंची नीची बढ़ी हुई लगें तो उन्हें काटकर एक समान कर देना चाहिए।

काटने की यह क्रिया नवंबर के मध्य तक कर देनी चाहिए क्योंकि इसके बाद इसमें कलियां आने लगती हैं।

यहां एक बात विशेष रूप से ध्यान में रखनी चाहिए कि बड़े आकार के फूल वाले गुलदाउदी के पौधों की ऊपर से कटिंग नहीं की जाती क्योंकि ऐसा करने पर फूल गुच्छों में छोटे आकार में निकलते हैं।

रंगों के आधार पर गुलदाउदी के पुष्पों का वर्गीकरण

सफेद	पीला	गुलाबी	लाल
टोकिओ	पेग्गी स्टीवेन्स	शरद प्रभा	रैड चार्म
क्रिकेट	एबन्डेन्स	की स्टोन	जानरीड
फ्लाइंग सॉसर	डेनिस	ब्यूटीफुल लेडी	डायमंड
पेनाइन सिल्दर	मारटिन रिले	कीकॉक	जीन
व्हाइट कैसेकड	लिलिपुट	देसी वालेर	शृंगार
शरद शोभा	यलो चार्म	कारेन रो	कुंदन
विलियम टर्नर	यलो रेजोनैन्ट	पिंक कैस्केड	रेगौलिया
इन्नोसेंस	सुपर जायंट	नीलिमा	निवियन
स्नोवॉल	मेग्डालेना	पिंक रेनोनेट	कस्तूरी
ज्योत्सना	जे.एस.ल्वायड	पैंट ज्वायस	एवेल माइल्स
इवेलिन ब्रुश	सन्नी डे	क्लारेट ग्लो	पिट्रो
परफैक्टा	फ्रीडम	मोहिनी	इस्कोर्ट
हिमानी	अर्चना	फेयरी	ब्लेज
तुषार	बसंती	फेन्टेसी	बॉब
मरकरी		ओलिविरो	मिसेज रीड
		आलीशान	जुबली

देखभाल

गुलदाउदी का पुष्प जहां अपनी खूबसूरती, साज-सज्जा के लिए प्रसिद्ध है, वहीं इसे बहुत देखभाल की जरूरत पड़ती है। इनकी देखभाल करने के कुछ सुझाव निम्नलिखित हैं।

- इन पौधों में मुख्य रूप से बग, बीटल, एफिड नामक कीड़ों का अधिक आक्रमण होता है, इसलिए पौधों को स्वस्थ रखने के लिए समय-समय पर मैलाथियान, फोलीडाक्स, बाकिस्टीन आदि कीटनाशकों का छिड़काव इन पर करने चाहिए।
- बरसात के मौसम में गमलों के नीचे से केचुएं इसमें न घुसें। इसके लिए गमलों को ईटों के ऊपर या किसी प्लेटफार्म पर रखना चाहिए।
- गुलदाउदी के पौधे जब थोड़े बड़े हो जाएं तो उन्हें लकड़ी या बांस की खपच्चियों का सहारा अवश्य देना चाहिए।

मनमोहक पुष्प : लिलि

सुंदर चटख रंगों वाले लिलि के फूल सैकड़ों सालों से बागबानों को लुभाते आ रहे हैं। इसकी जन्मस्थली भारत और दक्षिण अफ्रीका मानी जाती है। यह क्यारियों तथा गमलों में उगाया जाता है तथा इसकी भीनी-भीनी खुशबू सबका मन मोह लेती है। कड़ी धूप व गरमी में खिलने वाला यह मनमोहक फूल लाल गुलाबी, सफेद व नारंगी आदि विविध रंगों में खिलकर हमारे घर आंगन व बाग-बगीचों में चार चांद लगा देता है।

उगाने के तरीके

लिलि उगाने के लिए सर्वप्रथम आपकी बगिया की मिट्टी में उचित रूप से हरी पत्ती की खाद और राख का मिश्रण होना चाहिए।

इसके पौधे बल्ब यानी कि कंद बोकर उगाए जाते हैं। इन बल्बों की रोपाई सितम्बर-अक्तूबर में अंकुर फूटने से पहले 2 से 5 सेंटीमीटर गहराई में की जानी चाहिए। इसमें फूल प्रायः ग्रीष्म ऋतु अप्रैल से जुलाई में निकलते हैं।

सुझाव

- लिलि की सिंचाई मौसम के अनुसार करनी चाहिए।
- इस बात का विशेष रूप से ध्यान रखना चाहिए कि इसकी क्यारी तथा गमले की मिट्टी पर्याप्त रूप से गीली रहे।
- क्यारियों तथा गमलों में पानी नहीं रुका रहे।
- प्राय 3 महीने बाद पौधों में गोबर की खाद और अन्य रासायनिक उर्वरक डालें।
- इसके बीज (बल्ब) कभी भी एक जगह पर नहीं बोएं क्योंकि इससे पौधों की बढ़वार रुकती है और फूल वाली टहनियां कम निकलती हैं।

लिलि की विभिन्न किस्में

लिलि की अनेक किस्में हैं, जिनमें प्रमुख हैं—

- हिमेंथस (फुटबाल लिलि)
- हिप्पेस्ट्रस
- जिफीरंथमस
- ईस्टर लिलि
- कूपेरेन्थस
- कैलेडियम
- ग्लेडिओलस
- एमेरेलिस
- लिलि ओराटम

हिमेंथस

इसे 'बॉल लिलि' 'फुटबाल लिलि' या 'ब्लड लिलि' के नाम से भी जाना जाता है। इसे गमले में उगाकर आप देखने वालों को चकित कर सकते हैं। यह फूल कंद के फूल की तरह गोल होता है, पर कंदब के फूल से कई गुना बड़ा होने की वजह से इसे फुटबाल लिलि कहा जाता है।

इसके पत्ते 8-10 इंच लम्बे तथा फूल का व्यास 6 से 10 इंच तक होता है। सुविधा के लिए निम्न चित्र देखें।

यह फूल जून के अंत में खिलता है। इसके प्याज जैसे कंद पूरे वर्ष क्यारियों या गमलों में पड़े रहते हैं। गरमी पाते ही पुष्प की डंडी उठने लगती है और जब पौधा अपनी ऊंचाई पूरी तरह से प्राप्त कर लेता है, तब पुष्प की पंखुड़ियां धीरे-धीरे खिलने लगती हैं। फिर 3-4 दिनों में पूरा फूल खिल जाता है। यह फूल 1 से 2 सप्ताह तक शोभायमान रहता है।

लिलि को उगाने व विकसित करने के लिए बहुत कम देखभाल की जरूरत पड़ती है, फिर भी इसकी देखभाल करते समय निम्न बातों का ध्यान अवश्य रखना चाहिए।

- एक गमले में 2-3 कंद से ज्यादा कंद नहीं लगाने चाहिए।
- अच्छा फूल पाने के लिए 10 इंच के गमले में एक ही कंद लगाना चाहिए।
- क्यारी में कंदों की दूरी कम से कम एक फुट रखनी चाहिए।
- पौधों की अच्छी बढ़ोतरी के लिए गोबर के घोल की खाद का प्रयोग करना चाहिए।
- पौधे को पानी ज्यादा नहीं देना चाहिए तथा इसे ऊंची जगह पर रेतीली मिट्टी में लगाना चाहिए।

हिप्पेस्ट्रस

आम भाषा में इसे 'रायल डच एमारीलीज' भी कहते हैं। इसके फूल आकार में बड़े व बेहद खूबसूरत होते हैं। पत्ते थोड़े चौड़े डंठल थोड़े कम लम्बे होते हैं। इन पौधों को उगाने के लिए इसके कंदों को नवम्बर तथा दिसम्बर में अंधेरी व ठंडी जगह में कुछ दिनों के लिए रख दिया जाता है फिर उपयुक्त समय आने पर अर्थात, जनवरी माह में जमीन में लगा दिया जाता है। मार्च या अप्रैल तक इसमें फूल आने शुरू हो जाते हैं। इसकी अच्छी बढ़त के लिए गोबर के घोल की खाद का प्रयोग किया जाता है।

जिफींरथमस

इस किस्म के फूल सफेद, पीले व गुलाबी रंगों में होते हैं। इसके प्रत्येक पौधे में बहुत ज्यादा संख्या में फूल लगते हैं। इसके सफेद व गुलाबी फूलों को बल्बों द्वारा तैयार किया जाता है तथा पीले रंग के फूलों को बीज बोकर उगाया जाता है। यदि पौधे मार्च में लगा दिए जाएं तो मई-जून में इन पौधों पर फूल खिलने शुरू हो जाते हैं और वर्षा ऋतु में ये फूल खूब शोभायमान होते हैं।

ईस्टर लिलि

इसे 'एमारीलीस बैलाडोना' भी कहते हैं। आम भाषा में इसे ईस्टर लिलि

ही कहा जाता है। इसके कंदों को हमेशा बालू मिली मिट्टी में ही लगाया जाता है क्योंकि इसी प्रकार की मिट्टी में इसके कंद अच्छी तरह से विकसित होते हैं।

यदि ये कंद दिसम्बर या जनवरी में लगाए जाएं तो मार्च के महीने में विकसित होने लगते हैं। विकसित होने पर जब ये कंद डंठल का रूप ग्रहण कर लेते हैं और जब इन की लम्बाई 14-15 इंच तक हो जाती है, तब इन पर फूल खिलने शुरू हो जाते हैं। इसके फूल हल्के नारंगी, लाल व सफेद रंगों के होते हैं।

कूपेरेन्थस

यह कूपेरिया और जिफीरंथमस के द्वारा बना इंटरजनेरिका हाईब्रड है। इसे बालू मिली मिट्टी में आसानी से उगाया जा सकता है। फरवरी में यह पौधा लगाने पर आप गर्मियों में इससे फूल प्राप्त कर सकते हैं।

कैलेडियम

इसे गर्म वातावरण में उगाया जाता है। बरसात में इसमें सुंदर पत्ते निकलने लगते हैं। यदि आप इसे गमले में लगाएं तो मिट्टी में पत्ते की खाद, सूखे गोबर की खाद तथा थोड़ी सी बालू अच्छी तरह से मिला दें। इसके पुष्प एकलिंगी होते हैं।

ग्लेडिओलस

यह एक खूबसूरत फूल वाला पौधा है। यह सफेद, पीला, गुलाबी, क्रीम व लाल रंगों में पाया जाता है। इसे क्यारी तथा गमले में आसानी से उगाया जा सकता है।

लिलि ओराटम

यह एक सुंदर व सुगंधित किस्म है। इसे सुनहरी किरणों वाली जापानी लिलि भी कहा जाता है। इसका पौधा 1.5 मीटर ऊंचा होता है। इसके घंटी के आकार के सफेद फूल बेहद सुगंधित होते हैं। इन फूलों के मध्य में सूर्य की किरणों की तरह पीली धारियां बनी होती हैं। इसी वजह से इसे सूर्य किरणों वाली जापानी लिलि कहा जाता है।

देखभाल

बीमारियां	लक्षण	उपचार
कंद व स्केल का सड़ना	पौधे और पत्ते पीले पड़ जाते हैं स्केल के किनारे गहरे भूरे धब्बे पड़ जाते हैं। स्केल्स सड़ने लगती है।	पौधों में अधिक पानी न ठहरने दें कंदों को फफूंदनाशक घोल में उपचारित करें लिलि को फार्मलिन से उपचारित मिट्टी में उगाया जाए।
तने का सड़ना	निचले पत्ते पीले पड़ जाते हैं पौधे अपना सही आकार प्राप्त नहीं कर पाते। पत्ते मुरझा जाते हैं।	जल निकासी का उचित प्रबंध किया जाए लिलि को फार्मलिन से उपचारित मिट्टी में उगाया जाए कंद लगाने से पहले डायथेन एम-45 (0.25 प्रतिशत) से ड्रेचिंग की जाए।
जड़ का सड़ना	कंद तथा तने की जड़ों पर हल्के भूरे धब्बे दिखाई देने लगते हैं। ग्रसित पौधों में कलियां सड़ जाती हैं। फूल छोटे तथा पूरी तरह नहीं खिलते।	डायथेन एम-45 (0.3 प्रतिशत) या रिडोमिल एम जेड (0.2 प्रतिशत) से मिट्टी में और ग्रसित पौधों पर छिड़काव किया जाना चाहिए।
पत्तों पर धब्बे पड़ना	बड़े आकार के एक से दो मिलीमीटर के गोल धब्बे अंडानुमा आकार ले लेते हैं। ग्रसित पत्ते और फूल मुरझा जाते हैं।	रोग के फैलने पर बैनीमिल बेनलेट (0.1%) + क्लोरोथेलोनिल (0.15 प्रतिशत)के घोल का छिड़काव किया जाना चाहिए। कंद लगाने से पहले मिट्टी में इसी घोल से ड्रेचिंग की जानी चाहिए।

एफिड्स और थ्रीप्स नाम के कीड़ों का आक्रमण	ये छोटे कीड़े कलियों और फूलों का रस चूसने लगते हैं।	मिथाइल डैमीटोन 0.025 प्रतिशत, मैटासिस्टाक्स(25 ई.सी.) या डाइमैथोएट (0.03 प्रतिशत) (रोग 230 ई.सी.) एक मि.ली. दवा प्रति एक लीटर पानी में घोलकर छिड़काव किया जाना चाहिए। एफिड्स तथा थ्रिप्स के नियंत्रण के लिए 0.2 प्रतिशत मैलाथियान के स्प्रे 15 दिनों के अंतराल में किए जाने चाहिए।

विभिन्न रंगों वाले लिलि के पुष्प

पुष्प	रंग
काफिर लिलि	पीला, नारंगी तथा सिंदूरी
कोबरा लिलि	पीला
क्लारम्बिंग लिलि	पीला
डे लिलि	पीला, लाल तथा नारंगी
बॉल लिलि	गुलाबी, लाल तथा सिंदूरी
बटरफ्लाई लिलि	सफेद
ब्लैक बेरी लिलि	नारंगी
ब्लू अफ्रीकन लिलि	पीला, नीला
लिलि ऑफ वैली	सफेद तथा सुगंधित
प्लैन्टेन लिलि	सफेद तथा सुगंधित
फेयरी लिलि	सफेद तथा पीला
सेंट जॉन लिलि	लाली लिए सफेद
स्पाइडर लिलि	सफेद
ईस्टर लिलि	फ्लोरोसेंट ओरेंज

कुछ लोकप्रिय लिलि

प्रचलित नाम	वानस्पतिक नाम
लिलि	लिलियम
केप लिलि	क्रायनम
एरम लिलि	जैन्टेडेशिया
वेस्ट विंड लिलि	जेफीराइन्थस
लिलि आफ दि वैली	कानवैलेरिआ मैजालिस
पेरूचिअन लिलि	अल्स्ट्रोमेरिआ
हायसिन्थस	हायसिन्थस
ग्लैडिओलस	ग्लैडिओलस
चेक्करड लिलि	फ्रिटिलैरिआ मेलिग्रीस
कक्लारम्बिग लिलि	ग्लोरिओसा
एमारिलिस	हिप्पेस्ट्रम
डे लिलि	ऐमेरोकैलिस
प्लैण्टेन लिलि	होस्टा
एक्सिआ	एक्सिजा
टार्च लिलि	निफोफिआ
लेण्ट लिलि	नैरसिसस
ज्यूरनसी लिलि	नैरीन
बाटर लिलि	निम्फेआई
टाइगर लिलि	एल.टाइग्रिनम
लेपर्ड लिलि	एल.पारडैलिनम
टर्क-स-केप लिलि	एल. मारटागॉन
कोल्डेन वर्क्स कैप लिलि	एल. हैन्सोनिल
गोल्डेन रेपड लिलि	एल. अडरैटम
कोरेल लिलि	एल. पमिलिअम
रीगल लिलि	एल. रीगल
ईस्टर लिलि	एल. लांगिफ्लोरम
कनाडा लिलि	एल. कनाडेन्स
आरेंज लिलि	एल. बल्बीफेरम
हेनरी लिलि	एल. हेनराई
मैडोना लिलि	एल. कैन्डीडम

सर्दियों की बहार : डेजी

सबके मन को लुभाने वाले डेजी के आकर्षक फूल सर्दी के मौसम में खिलने शुरू होते हैं और सर्दी में खिलने वाले अन्य फूलों की अपेक्षा अधिक दिन तक खिले रहते हैं। इसके फूलों की पंखुड़ियां सफेद, लाल, गुलाबी, नीली तथा बैंगनी आदि रंगों में होती हैं। इसके फूलों को उद्यान प्रेमी तो पसंद करते ही हैं इसके अलावा ये उद्यान के जीवों के लिए भी वरदान साबित होते हैं क्योंकि मधु मक्खियां व तितलियां इनका पराग जो इकट्ठा करती हैं।

डेजी की विभिन्न किस्में

- एस्टर एमैलस
- किंग जार्ज
- एस्टर थामोसीनी

- फ्रिकार्टी
- हारिजांटलिस
- एल्पाइन एस्टर
- हैरिंगटन पिंक
- सेप्टेंबर रूबी डेजी

एस्टर एमैलस

इटेलियन प्रजाति एस्टर एमैलस रोग रहित होने की वजह से लम्बे समय तक चलती है। हालांकि इसके फूल एक ही पंखुड़ी के होते हैं, फिर भी इसके फूलों की पंखुड़ियां बहुत बड़ी होती हैं तथा उनके रंग भी गुलाबी व बैंगनी होते हैं। इसके पौधे की ऊंचाई लगभग दो फुट तक होती है।

किंग जार्ज

बैंगनी रंग के असंख्य फूल देने वाला किंग जॉर्ज भी भारत में काफी उगाया जाता है। इसके फूल सभी का मन मोह लेने में सक्षम होते हैं। इन फूलों की अपनी ही छटा होती है।

एस्टर थामोसोनी

यह किस्म डेढ़ फुट लम्बी होती है। इसके फूल नीले रंग के होते हैं तथा बहुत सुगंधित होते हैं।

फ्रिकार्टी

यह एक संकर किस्म है। इसका फूल हल्का नीला व पत्तियां बहुत पतली होती हैं। इसके पौधे सूखा पसंद करते हैं, परंतु मिट्टी में पानी सोखने की क्षमता होनी चाहिए।

हारिजांटलिस

यह किस्म बेहद सघन पौधा उगाती है, जिसके छोटे सफेद और गुलाबी फूल बीच में गहरा रंग लिए होते हैं। इन पौधों के पत्ते भी पतझड़ के मौसम में गहरे भूरे होने लगते हैं, जिनसे पौधे की खूबसूरती देखते ही बनती है।

एल्पाइन एस्टर

एल्पाइन एस्टर हल्के नीले रंग का 6 इंच का पौधा होता है। इसमें अन्य प्रजातियों की अपेक्षा कम फूल आते हैं। यह पौधा बगीचे व पहाड़ियों पर लगाने के लिए अच्छा रहता है।

माइकलमास डेजी

माइकलमास डेजी आसानी से उगाए जा सकते हैं। इन्हें बीजों द्वारा उगाना कठिन होता है, इसलिए इन्हें कलमों द्वारा उगाया जाता है। यदि आप इसे अपनी बगिया में उगाना चाहते हैं तो सबसे पहले आप इसकी कुछ टहनियों को काटकर गमले में लगा दें। कुछ दिनों बाद जब जड़ें आ जाएं, तब इन्हें गमले से क्यारियों में हस्तांतरित कर दीजिए। इसके उगने के बाद केवल-1-2 बार ही खाद देना ठीक रहता है। समूह में लगाने से इनका विकास तेजी से होता है।

डेजी कहां लगाएं

- डेजी पौधों को ऐसे स्थान पर लगाना चाहिए, जहां 5-6 घंटे तक पर्याप्त धूप आती हो, जमीन नमीयुक्त व उपजाऊ हो तथा वहां पानी की निकासी का उचित प्रबंध हो।
- कटिंग को बरसात के मौसम में तैयार करना चाहिए।
- पौधों की दूरी इनकी लम्बाई के हिसाब से रखनी चाहिए।
- इन्हें नियमित रूप से पानी देना चाहिए।
- मुरझाए फूलों को काट देना चाहिए तथा जहां हवा का प्रकोप ज्यादा हो वहां टहनियों का सहारा लगाना चाहिए।
- अगर ज्यादा पौधों की जरूरत हो तो पौधों के कई टुकड़े करके लगाने से भी जड़ें आ जाती हैं।
- यद्यपि ये पौधे अधिक देखभाल नहीं मांगते, फिर भी इनके पेड़ों के नीचे गोबर या पत्ती की खाद नियमानुसार डालते रहना चाहिए।

देखभाल

हालांकि ये पौधे रोगों से कम ही ग्रस्त होते हैं, फिर भी कई बार इनमें काले निशान आ जाते हैं। कुछ पौधे अचानक मर जाते हैं। कई बार कुछ में पाउडरी मिल्ड्यू नामक बीमारी लगने से फंगस आ जाती है। अतः इनकी रोकथाम के लिए आप किसी भी कीटनाशक दवा का प्रयोग कर सकते हैं। चूंकि यह रोग पानी की कमी से भी फैलता है, इसलिए पौधों को समय-समय पर पर्याप्त मात्रा में पानी देते रहना चाहिए।

विलायत की बहार : नैस्टरशियम

नैस्टरशियम इंग्लैंड का लोकप्रिय पौधा है। वहां इसकी पत्तियां और आकर्षक फूल सलाद के लिए इस्तेमाल किए जाते हैं।

सदियों पहले जब नैस्टरशियम के पौधे प्रकाश में आए थे तबसे इनकी लोकप्रियता में कोई कमी नहीं आई है। चूंकि इन्हें उगाना काफी आसान होता है, इसलिए हर बागबान इसे अपनी बगिया में सजाना चाहता है। कोई भी उद्यान इसके जीवंत रंगों व आकर्षक फूलों के बिना अधूरा-सा दिखाई देता है।

आज के दौर में नैस्टरशियम ने अपनी उपयोगिता को सिद्ध कर दिखाया है। यदि आप अत्याधिक व्यस्त रहते हैं, फिर भी बहुत कम समय देकर आप इसे अपनी बगिया की शोभा बना सकते हैं।

नैस्टरशियम की विभिन्न किस्में

ट्रापियोलम

नैस्टरशियम पौधों की ट्रापियोलम प्रजाति अत्याधिक मशहूर है। इस प्रजाति में 3 मुख्य समूह पाए जाते हैं—

- क्लाइमबर्स यानी कि बेलें
- ट्रेलर्स अर्थात रेंगने वाले
- बैडिंग यानी कि पसरने वाले पौधे

ये पौधे हर जगह और हर प्रकार के गमलों में उगाए जा सकते हैं।

अलास्का

नैस्टरशियम की अलास्का प्रजाति भी कम मशहूर नहीं है। यह अपनी संगमरमर सदृश्य धब्बों वाली घुमावदार पत्तियों के लिए सर्वत्र प्रसिद्ध है।

ट्रापेलियम अजुरेम

नैस्टरशियम की यह प्रजाति बेहद दुर्लभ है। इसके फूल बैंगनी व नीले होते हैं। चूंकि यह पौधा निरंतर खिला रहने वाला होता है, फिर भी जाड़े के मौसम में कई बार यह पाले की वजह से अपना अस्तित्व कायम नहीं रख पाता।

ट्रापेलियम पैरोग्रिनम

नैस्टरशियम की इस प्रजाति को ट्रापेलियम कैनरिंस के नाम से भी जाना जाता है। इसका एक नाम 'केनरी क्रीपर' भी है। यह किस्म कनेर के पीले फूल व ग्रेगीन पत्तियों के लिए प्रसिद्ध है। इस पौधे की ऊंचाई 6 फुट तक हो जाती है।

ट्रापेलियम ट्यूबरोसम

यह नैस्टरशियम का आकर्षक पौधा है। इसके छोटे लाल, नारंगी, तुरही जैसे फूल गरमी के मध्य से पतझड़ तक खिले रहते हैं। इसे 'केन ऐसलेट' के नाम से भी जाना जाता है।

ट्रापेलियम स्पेसियस

यह नैस्टरशियम परिवार की मनमोहक बेल है। इस बेल में गजब की सहनशक्ति होती है इसलिए इसे साहसी बेल भी कहा जाता है। इसे 'फ्लेम क्रीपर' के नाम से भी जाना जाता है। इस पर गरमियों में लाल रंग के मनोहारी फूल आते हैं।

ट्रापेलियम मेजस

यह नैस्टरशियम की रेंगने वाली प्रजाति है। यह लटकने वाले गमले और खिड़कियों पर बहुत अच्छी दिखती है। इसके चमकीले लाल, नारंगी, पीले रंग तथा दोरंगे मिश्रित फूल देखने वाले को स्तम्भित कर देते हैं।

ट्रापेलियम मेजस की इम्प्रेस ऑफ इंडिया

यह नैस्टरशियम की क्यारियों में पसरने वाली प्रजाति है। इसका गहरे लाल रंग का फूल पतझड़ और गरमी के मौसम में आंखों को अजीब सी ठंडक प्रदान करता है।

वर्ली बर्ड

इस किस्म के पौधों की अधिकतम ऊंचाई 1 फुट होती है। इसके फूल एक पंखुरी वाले होते हैं।

पीच मेल्बा

पीच मेल्बा नैस्टरशियम की एक लोकप्रिय किस्म है। इसके फूल हल्के पीले व लाल धब्बों के होते हैं। इसकी ऊंचाई भी 1 फुट से ज्यादा नहीं होती।

देखभाल

- नैस्टरशियम पौधे उगाने के लिए पानी के निकास की उचित व्यवस्था अवश्य करनी चाहिए।
- ट्रापेलियम मेजस किस्मों को बरसात के मौसम में बीज द्वारा उगाना चाहिए।
- जिन गमलों में नैस्टरशियम के पौधे लगाएं उसमें नमी का अवश्य ध्यान रखें। गमलों में नमी होना अत्यंत आवश्यक है।
- इन पौधों के लिए तेज तथा कम धूप दोनों ही उपयुक्त है।
- वार्षिकी पौधों को कम से कम खाद देनी चाहिए।
- पौधा सितम्बर-अक्तूबर के बीच लगाना चाहिए।
- गमलों में पौध तैयार करके इन्हें क्यारियों में लगाया जा सकता है।

पौधों की रानी : बिगोनिया

बिगोनिया क्यारियों में लगाए जाने वाले पौधों की रानी है। इसकी तीन किस्में——बिगोनिया सेंपरफ्लोरेंस, बिगोनिया हिमैलिस और ट्यूबरस बिगोनिया लॉन या बगिया में ज्यादातर लगाई जाती हैं।

बिगोनिया सेंपरफ्लोरेंस

बिगोनिया सेंपरफ्लोरेंस को 'वैक्स बिगोनिया' के नाम से भी जाना जाता है। यह एक साहसी पौधा है जो हर परिस्थिति में खिला-खिला रहता है। चाहे सूरज की तेज रोशनी हो, छाया हो या किसी भी प्रकार की मिट्टी हो, यह पौधा मुस्कराता ही रहता है।

लेकिन अत्याधिक सर्दी या पाला पड़ने पर इसे देखभाल की जरूरत पड़ती है।

इसकी अधिकतम ऊंचाई 6 इंच होती है तथा इसमें गुलाबी, सफेद व चमकीले फूल खिलते हैं।

इन्हें गमलों व क्यारियों में लगाकर आप अपनी बगिया की खूबसूरती में चार चांद लगा सकते हैं।

बिगोनिया हिमैलिस

यह पौधा बिगोनिया सेंपरफ्लोरेंस से अधिक फूल खिलाता है। इसकी ऊंचाई 25 इंच तक होती है। इन पौधों को अपनी बगिया के किनारों पर लगाकर आप अपनी बगिया की शोभा बढ़ा सकते हैं।

ट्यूबरस बिगोनिया

बिगोनिया प्रजाति का यह सबसे खूबससूरत पौधा है। इसकी पत्तियां दो रंगों में होती है। अत्याधिक सूखी परिस्थिति में यह पौधा मुरझा जाता है, इसलिए इसे भरपूर पानी देना चाहिए।

देखभाल

ये पौधे गर्मी सहन नहीं कर पाते अत: गर्मी के मौसम में इन्हें घर के भीतर रखना चाहिए। यदि आपने इसे अपनी बगिया की क्यारी में लगा रखा है तो अत्यधिक गर्मी होने पर पौधे पर गीली चादर बांधने का इंतजाम अवश्य करना चाहिए।

बेशुमार फूलों का गुलदस्ता : बोगनवेलिया

बोगनवेलिया एक ऐसा पौधा है, जिस पर हजारों की संख्या में फूल खिलते हैं और ये फूल बहुत दिनों तक खिले रहते हैं। यों तो इसके फूलों में सुगंध नहीं होती पर ये विविध रंगों जैसे—सफेद, बैंगनी, नीला, लाल, नारंगी व पीला आदि रंगों में पाए जाते हैं। इसकी अधिकतर किस्मों की पत्तियां हरी होती हैं पर कई किस्में वेरीगेटेड (रंग-बिरंगी) पत्तियों वाली भी हैं। वेरीगेटेड पत्तियां होने के कारण जब पौधों पर फूल नहीं खिलते, तब भी इनकी सुंदरता देखने लायक होती है।

इतिहास

बोगनवेलिया की उत्पत्ति एवं नामकरण का इतिहास कुछ अज़ीब ही है। अधिकतर वैज्ञानिकों का मानना है कि इसकी उत्पत्ति दक्षिणी अमेरिका के

ब्राजील देश में हुई, जहां से यह विश्व के अन्य देशों में धीरे-धीरे पहुंचा। सर्वप्रथम फ्रांस के वनस्पति शास्त्र के वैज्ञानिक कामर्सन ने इसे ब्राजील के रीओ डे जनेरो नामक स्थान से संकलित किया तथा इसका नाम फ्रांस के एक नेवी अफसर लुइस एंटोनी डी बुगनवेली, जिनके साथ कामर्सन ने विश्व भ्रमण किया था के नाम पर बुगनवेलिया रखा।

भारत में इस पौधे का पदार्पण सन् 1860 में हुआ था। यह यूरोप से लाया गया था। सन 1935 में मद्रास की 'दि एग्री हार्ट्री कल्चरल सोसाइटी' ने इसकी 'प्रिंसेज मार्गरेट रोज' नाम की किस्म विकसित की थी।

जलवायु

मुख्य रूप से बोगनवेलिया गर्म एवं समशीतोष्ण जलवायु का पौधा है। इसे खुले स्थान में जहां पूरा दिन धूप उपलब्ध होती हो, अच्छी तरह से उगाया जा सकता है। ठंडी जलवायु में इसकी कुछ किस्मों का विकास ठीक ढंग से नहीं हो पाता।

पौधे की प्रवृति

बोगनवेलिया एक कठोर पौधा है। इसे न तो अधिक भोजन की जरूरत पड़ती है और न ही अधिक पानी की। इसलिए सभी उद्यान प्रेमी इसे पसंद करते हैं और इससे अपनी बगिया की खूबसूरती में चार चांद लगाते हैं।

उपयोगिता

बोगनवेलिया बहुपयोगी पौधा है। आप इसे लता के रूप में गेट, पोर्च, खम्भे आदि पर तो चढ़ा ही सकते हैं। साथ-साथ झाड़ीदार पौधों के रूप में अपनी बगिया के किनारों को भी सजा सकते हैं।

चूंकि इसकी टहनियों में कांटा होता है इसलिए प्रोटेक्टिव (protective hedge) के रूप में आप इसे ऐसी जगह पर लगा सकते हैं जहां पर मनुष्य एवं आवारा पशुओं से उद्यान को सुरक्षा प्रदान करने की जरूरत पड़ती है।

बोगनवेलिया को आप गमलों में भी उगा सकते हैं तथा गमलों को घर में मनचाही जगहों पर रखकर आप अपने घर की शोभा को भी दुगना कर सकते हैं।

बोगनवेलिया की विभिन्न किस्में

अब तक बोगनवेलिया की सैकड़ों किस्में विकसित की जा चुकी हैं। इसकी चार प्रजातियां हैं, जो निम्नलिखित हैं—

बोगनवेलिया पेरूवीआना

इस प्रजाति के प्रमुख किस्में हैं—

मेरी पामर	लेडी हडसन
मिसेज एच.सी.बक	यूकाडोर पिंक
डा. बी.पी.पाल	प्रिंसेज मार्गरेट
पारथा	रोज
मेरी पामर	शुभ्रा

बोगनवेलिया ग्लैब्रा

इस प्रजाति की प्रमुख किस्में हैं—

- सैंडेरिआना
- फारमोसा
- सच्चिदानंद
- स्नो व्हाइट
- त्रिनिदाद
- होमी भाभा
- मैग्निफिका
- सीफेरी
- स्टैंजी
- बुद्धदास
- ड्रीम
- गोपाल

बोगनवेलिया स्पेक्टाविलिस

इस प्रजाति की प्रमुख किस्में हैं—

- स्पेसिओसा
- थमैसी
- लैंकेस्टर
- रोज कैटेलीना
- महाराजा ऑफ मैसूर
- मिसेज
- लैटेरिटिया
- रेड
- रीफलजेंस
- जुबली टोमैटो

बोगनवेलिया बूटिआना

इस प्रजाति की प्रमुख किस्में हैं—

- मिसेज भट्ट
- एलिक लैंकेस्टर
- एनिड लैंकेस्टर
- लेडी मेरी क्वीन मैजेंटा
- गोल्डन ग्लो
- स्कारलेट क्वीन बारिंग

उपरोक्त सभी प्रजातियों की किस्मों के पौधों में साल में 2 बार फूल खिलते हैं।

पहला—सितम्बर से दिसम्बर तक

दूसरा—फरवरी से जून तक

इन किस्मों का चुनाव करते समय आपको निम्न बातों पर विशेष रूप से ध्यान देना चाहिए।

- पौधे को आप कहां लगाना चाहते हैं? क्यारी में या फिर गमले में।
- उद्यान में, सड़क के किनारे या झाड़ियों के रूप में।
- पौधे की पत्तियां वैरीगेटेड (रंग बिरंगी या चित्तकबरी) हैं या हरे रंग की।
- फूल का आकार व रंग कैसा है?
- किस्म विकसित होने के बाद पत्ती युक्त रहती है या पत्ती रहित।

यहां हम किस्मों के चुनाव में सरलता लाने के लिए प्रत्येक किस्म को उसके आकार-प्रकार, वृद्धि एवं उपयोग करने के उद्देश्य से निम्न वर्गों में विभाजित कर रहे हैं—

- हेज (झाड़ी) तैयार करने के लिए उपयुक्त किस्में :

1. पारथा 2. सैंडेरिआना 3. फारमोसा

- झाड़ीदार एवं छोटे पौधों वाली किस्में :

1. सैंडेरिआना 2. गोल्डन ग्लो 3. एच.बी.सिंह 4. फारमोसा 5. साइफेरी

- बड़े आकार के पौधों वाली झाड़ीनुमा किस्में :

ज्यादातर किस्में इसी वर्ग में आती हैं। सही तरीके से काट-छांट करके यदि आप इस किस्म के पौधों को तैयार करेंगे तो इन्हें छातानुमा, गोलाकार व तिकोनाकार आदि रूप बड़े आराम से दिया जा सकता है।

इसकी प्रमुख किस्में हैं—

- स्कारलेट
- लेडी मेरी बारिंग
- थीमा
- पारथा
- टोमैटोरेड
- मिसेज मनीला
- मीरा
- जयलक्ष्मी
- शुभ्रा
- मेरी पामर
- ओहरा
- लूइस बाथेन

- लता के रूप में उपयुक्त किस्में :
    - मेरी पामर
    - मिसेज एच.सी.बक
    - लेडी मेरी बारिंग
    - महारा
    - लूइस बाथेन

- गमलों में लगाने के लिए उपयुक्त किस्में :
    - समर टाइम
    - लास बैनोस ब्यूटी
    - आर.आर. पाल
    - शुभ्रा
    - लेडी मेरी बारिंग
    - बेगम सिकंदर
    - मेरी पामर
    - लीलैसिना

- सोनेट
- थीमा
- आइजवेल ग्रीनस्मिथ
- एच.बी.सिंह
- टोमेटोरेड वाजिद अली शाह
- म्हारा
- पौलटोनी
- ब्लांडी
- स्पेशल मिसेज एस.सी.बक
- रोजवेल्ट
- डिलाइटा
- स्प्रिंग
- फेस्टिवल
- सेंडिरिआना

- मेहराब एवं परगोला बनाने या वृक्ष पर चढ़ाने के लिए उपयुक्त किस्में:
  - मेरी पामर
  - मिसेज एच.सी.बक
  - मैग्निफिका
  - लेडी मेरी बारिंग
- बौना बोनसाई हेतु उपयुक्त किस्में :
  - मीरा
  - रूआरका
  - जयलक्ष्मी
  - एलिजाबेथ
  - पारथा
  - थीमा
  - पद्मिनी
  - मेरी पामर
  - शुभ्रा
- वातानुकूलित कमरे में सजाने के लिए उपयुक्त किस्में :
  - स्प्लेंडेनस
  - म्हारा
  - मेरी पामर
  - शुभ्रा

रंगों के अनुसार किस्मों का वर्गीकरण

पीला

- लेडी मेरी बारिंग
- गोल्डन ग्लो
- मिसेज एनिड
- लैकेंस्टर

लाल

- डा.आर. आर. महारा
- गोपाल पाल

बैंगनी

- एलिजाबेथ
- ग्लैब्रा
- सैंडरिआना
- परपुल जैम
- परपुल क्वीन
- परपुल मिस भट्ट

हल्का बैंगनी :

- एच.बी.सिंह
- एनिड वाकर फारमोसा
- प्रेसीडेंट
- सच्चिदानंद
- त्रिनिदाद

सफेद

- डा.बी.पी.पाल
- एल्वा
- हाली घोस्ट
- जेनिफर
- शुभ्रा
- मेरी पामर स्पेशल

सुनहरा : लेडी मेरी बारिंग

नीला : चेरी ब्लासम

गुलाबी :

- वाजिद अली शाह ब्लांडी
- जुबली
- एना
- लेडी हडसन आफ बैनीज ऑफ लास बैनोज
- ब्यूटी

दोरंगा (गुलाबी सफेद) :

- थीमा
- क्रिमसन येलो
- मेरी पामर
- ऐना हेनेकेर
- कलर स्प्लैस
- फैंटेसी
- रिप्युलजेन
- वेरीगेटेड

विविध रंगों वाली किस्में :

- अर्चना
- महारा
- रोजविलेज
- डिलाइट
- लाल वेनोज ब्यूटी
- चेरी ब्लासम

ऐसी किस्में, जिनके फूलों के रंग समय-समय पर बदलते रहते हैं :

- ब्लाडी
- गोल्डन ग्लो
- कोरल डान
- रोज विल डिलाइट
- वरसी कलर

रंग-बिरंगी (वेरीगेटेड) पत्तियों वाली किस्में :

- लक्ष्मी नारायण शर्मा
- थीमा
- स्पेक्टाविलिस
- एल.एन.निरेला
- राव
- वेरीगेटा
- क्रुवेंप
- ग्लैब्रा
- डा.एस.सी.भामा वेलैयानी
- रोडनी
- जोंकलास
- मिसेज वट वेरीगेटेंड
- अर्चना
- ब्रिलिएंट वेरीगेटा
- गंगमा
- ग्लैब्रा वेरीगेटेड.
- गंगा स्वामी
- जवाहर लाल नेहरु
- एल. एन. बिरला
- मुनी वेंकारप्पा
- स्कारलेट क्वीन

डीप मैजेंटा :

- एशिया
- कोरल डान

- जय उषा
- मैग्निफिका
- मिसेज एच.सी.बक
- समरटाइम
- थीमा
- लक्ष्मी
- मेरी पामर
- राव
- सिडनी
- वरसी कलर

नई किस्में :

- परपुल वंडर (बैंगनी)
- शोले डल्फ (रोज)

डबल फूलों वाली किस्में :

- अर्चना
- कारमेंसीटा
- चेरी ब्लासम
- मैरीएटा
- डिलाइट
- डबल पिंक
- डबल वाइट
- लास बैनोज ब्यूटी
- रोज विलेस

कैसे उगाएं बोगनवेलिया?

बोगनवेलिया के पौधे का प्रसारण बीज, कटिंग, बडिंग (चश्मा लगाना) तथा गुट्टी (एयर लेयरिंग) विधि द्वारा किया जाता है। इन तीनों विधियों में कटिंग सबसे आसान विधि है। बीज द्वारा प्रसारण करना सरल नहीं है, क्योंकि सभी किस्मों के फूलों में बीज नहीं बनते। केवल फारमोसा, लालबाग, रेड ग्लोरी, त्रिनिदाद, लेटेरीटिया एवं महाराजा आफ मैसूर किस्मों में ही बीज बनते हैं।

कटिंग विधि

बोगनवेलिया उगाने का यह आसान तरीका है। इसकी मदद से हम एक पौधे से सैकड़ों पौधे तैयार कर सकते हैं।

कटिंग के लिए मुलायम, कड़ा तथा अर्धकड़ा तना प्रयोग में लाया जाता है, परंतु इन तीनों में कड़े तने की कटिंग ही बोगनवेलिया के लिए उत्तम मानी जाती है। कटिंग लगाने का उपयुक्त समय जनवरी-फरवरी या जुलाई-अगस्त का महीना होता है। कटिंग 10-15 सेंटीमीटर लम्बी होनी चाहिए जिसे रूटिंग मीडिया या मोटे बालू में जड़ निकालने के लिए लगाते हैं। टहनी लगभग पेंसिल की मोटाई की होनी चाहिए।

रूटिंग मीडिया तैयार करने के लिए 1 भाग मिट्टी, 1 भाग पत्तियों की खाद और 2 भाग बालू मिलानी चाहिए। जड़ें स्वस्थ व अधिक संख्या में निकले, इसके लिए कटिंग लगाने से पहले उसके निचले 1/3 भाग को इंडोल ब्यूटाइरिक एसिड के घोल में 12-18 घंटे तक डुबोकर रख दिया जाता है।

गुट्टी विधि

इस विधि को 'एयर लेयरिंग' के अलावा 'मारकाटेज' के नाम से भी जाना जाता है। इसके लिए उपयुक्त समय जुलाई-अगस्त का महीना होता है। इस विधि से प्राप्त पौधे आकार में बड़े होते हैं।

गुट्टी विधि से पौधा उगाने के लिए एक वर्ष पुरानी टहनी, जो स्वस्थ व रोगरहित हो, का चुनाव करना चाहिए।

इस विधि के अनुसार टहनी के ऊपर से लगभग 30-45 सेंटीमीटर नीचे तने के चारों तरफ से 2.5-3.0 सेंटीमीटर लंबाई में छिलके को सावधानीपूर्वक हटाकर 10-15 दिन तक के लिए छोड़ देना चाहिए।

जब ऊपर वाले कटे भाग पर गांठ बन जाए तब वहां पर एक मुट्ठी भीगा हुआ 'मास' (काईदार) घास लपेट दें, परंतु यहां इस बात का ध्यान रखें कि उसमें पानी कम हो, कहने का तात्पर्य यह है कि घास को भिगोने के बाद हाथ से दबाकर निचोड़ लेना चाहिए। इसके बाद उस कटे हुए भाग पर चारों तरफ से रखकर ऊपर से 100 गेज मोटी पोलिथीन शीट, जोकि लगभग 20-25 सेंटीमीटर लम्बी एवं चौड़ी हो, से ढककर उसके दोनों सिरों को सुतली से बांध देना चाहिए। 'मास' घास आप किसी भी नर्सरी से प्राप्त कर सकते हैं। मास घास न मिलने की स्थिति में आप निम्नलिखित मिश्रण का प्रयोग कर सकते हैं:

- बगीचे की मिट्टी 2 भाग
- बालू 2 भाग
- पत्ती की खाद 2 भाग

जड़ें जब पूरी तरह से निकल जाएं तो सिकेटियर या तेज चाकू से टहनी काटकर ठंडी जगह या पेड़ के नीचे क्यारियां बनाकर लगा दें एवं उसमें पानी दे दें। क्यारियों में नमी बनाए रखने के लिए समय-समय पर सिंचाई करते रहें।

बोगनवेलिया से संबंधित कुछ तकनीकी जानकारियां

भूमि

बोगनवेलिया को हर प्रकार की मिट्टी में उगाया जा सकता है, बशर्ते जल निकासी का उत्तम प्रबंध हो।

इतना ही नहीं आप इसे रॉक गार्डन में, जहां मिट्टी की मात्रा बहुत कम होती है, आसानी से उगा सकते हैं।

स्थान

बोगनवेलिया के लिए प्रकाशयुक्त स्थान अति उपयुक्त रहता है। यदि आप इसे छायादार जगह में लगाएंगे तो इसके पौधों पर फूल आएंगे ही नहीं, अगर आएंगे भी तो उनकी संख्या न के बराबर होगी।

पौधे की रोपाई

पौधे की रोपाई करने से पहले इसके लिए उपयुक्त स्थान का चुनाव करें, तत्पश्चात वहां 60–75 सेंटीमीटर का गहरा गड्ढा अप्रैल–मई माह में खोदें। बाद में इस गड्ढे को धूप से उपचारित होने के लिए 15–20 दिनों तक खुला छोड़ दें।

गड्ढा सूखने के बाद प्रत्येक गड्ढे में सूखी पत्तियां रखकर उन्हें जला दें। मिट्टी में 8–10 किलोग्राम सड़ा हुआ कम्पोस्ट या गोबर की खाद मिलाकर प्रत्येक गड्ढे को भर दें।

गड्ढे खोदते समय ऊपर वाली 30–40 सेंटीमीटर मिट्टी को अलग रखें तथा नीचे वाली मिट्टी को अलग रखें और गड्ढा भरते समय उल्टा अर्थात ऊपर वाली मिट्टी को नीचे तथा नीचे वाली मिट्टी को ऊपर भरें। साथ ही गड्ढे को लगभग 6 इंच जमीन से ऊंचा एवं मिट्टी को दबाकर भरें जिससे वर्षा होने पर या पौधा लगाने के बाद पानी देने से उसके आसपास गड्ढा न बन सके।

पौधे रोपने का उपयुक्त समय जुलाई–अगस्त होता है। जाड़े के मौसम में कभी भी पौधे की रोपाई करनी चाहिए क्योंकि इस मौसम में पौधे एवं उसकी जड़, दोनों की विकास गति धीमी पड़ जाती है।

बोगनवेलिया का उद्यान बनाने या झाड़ीदार किनारा तैयार करने के लिए पौधों को 2–2.5 मीटर की दूरी पर लगाना चाहिए, जबकि हेज तैयार करने के लिए अपेक्षाकृत कम दूरी पर लगाना चाहिए।

खाद एवं उर्वरक

रोपाई के समय तथा जब तक पौधा पूरी तरह से विकसित नहीं हो जाता खाद देना बेहद जरूरी है। पौधे की रोपाई से पहले 10–15 किलोग्राम अच्छी तरह से सड़ा हुआ कम्पोस्ट या गोबर की खाद प्रत्येक गड्ढे में मिट्टी के साथ मिला देनी चाहिए। इसके बाद प्रत्येक वर्ष लगभग 250 ग्राम हड्डी का चूरा प्रति पौधे को देने से पौधा स्वस्थ रहता है तथा इसकी वृद्धि संतोषजनक होती है।

यदि पौधे की वृद्धि संतोषजनक न हो तो आप उर्वरक का प्रयोग कीजिए।

इसके लिए निम्नलिखित मिश्रण का व्यवहार 250 ग्राम प्रति पौधे की दर से जून माह में करना चाहिए।

- अमोनियम सल्फेट 1 भाग
- सुपर फास्फेट 3 भाग
- पोटेशियम सल्फेट 2 भाग

ध्यान रहे कभी भी नाइट्रोजन की खाद का अधिक मात्रा में प्रयोग न करें अन्यथा पौधे की शाकीय वृद्धि अधिक होगी, फलस्वरूप पौधे में फूल ठीक से नहीं आएंगे। बेहतर होगा कि प्रारंभिक अवस्था में तरल खाद का प्रयोग करें, क्योंकि तरल खाद गमलों वाले पौधों के लिए बहुत जरूरी होता है।

तरल खाद कैसे बनाएं

तरल खाद बनाने के लिए नाद या किसी बड़े बरतन में एक किलोग्राम कच्चे गोबर या खल्ली को 10 लीटर पानी में मिलाकर 10-15 दिनों के लिए बरतन में सड़ने के लिए छोड़ दिया जाता है। उसके बाद बरतन में फिर से पानी मिलाया जाता है, जब तक कि घोल का रंग चारा जैसा न हो जाए। अब इस तैयार घोल को लगभग आधा लीटर की दर से प्रत्येक पौधे को 15-20 दिन के अंतराल में दें। यदि पौधे की वृद्धि ज्यादा हो रही हो तो खाद देना तुरंत बंद कर दें।

सिंचाई

बोगनवेलिया के विकसित पौधे को बहुत कम पानी की जरूरत पड़ती है, परंतु नए रोपे पौधे को पानी देना जरूरी होता है। वैसे पानी कम मात्रा में कई बार देना श्रेष्यस्कर होता है।

गर्मी के मौसम में लगभग रोजाना पानी देते रहना चाहिए। यहां एक बात का विशेष रूप से ध्यान रखें—जब फूल पूरी तरह से खिल जाए तो पानी देना कम कर दें, नहीं तो फूल झड़ जाते हैं।

कटाई-छंटाई

बोगनवेलिया के पौधे को स्वस्थ एवं आकर्षक बनाए रखने एवं उचित आकार-प्रकार देने के लिए कटाई-छंटाई बेहद जरूरी है।

यदि आपने बोगनवेलिया को वृक्ष या दीवार आदि पर चढ़ाने के लिए लगाया है तो छंटाई की जरूरत न के बराबर होती है। केवल पुरानी, पतली एवं अस्वस्थ टहनियों को ही हटाया जाता है।

यदि स्टैंडर्ड बनाना चाहते हैं तो उसे छाते का आकार देने के लिए तगड़ी

छंटाई करनी पड़ती है। पौधा लगाने के बाद से ही जितनी ऊंचाई पर छाता बनाना हो वह निश्चित करके उतनी ऊंचाई के नीचे की मुख्य शाखा के अलावा अन्य सभी शाखाओं को काटकर हटाते रहना चाहिए।

इसी तरह हेज (बाड़) बनाने के लिए पौधा या कटिंग लगाने के बाद से ही जैसे ही पौधा 20-25 सेंटीमीटर का हो जाए, 15 सेंटीमीटर के ऊपर से पहली छंटाई कर दें, इससे शाखाएं ज्यादा निकलेंगी। इन नई शाखाओं को पुनः अगल बगल तथा ऊपर से काटते रहें, जब तक कि घनी बाड़ तैयार न हो जाए।

गमले वाले पौधे का या बोनसाई (बौना) पौधा बनाने के लिए ज्यादा सावधानी से कटाई छंटाई करनी पड़ती है। यहां इस बात का विशेष ध्यान रखना चाहिए कि पौधे की ऊंचाई एवं आकार गमले के अनुसार ही हो। ऐसा न हो कि गमला छोटे आकार का हो और उसमें लगा पौधा बड़े आकार का। इससे एक तो पौधे के आकार के अनुसार उस छोटे से गमले में उपस्थित खाद्य मिश्रण से भरपूर भोजन नहीं मिलेगा, फलस्वरूप पौधे की वृद्धि में बाधा पहुंचेगी और पौधा जल्दी अस्वस्थ हो जाएगा। दूसरे यदि आप भरपूर भोजन किसी तरह दे भी दें तो पौधे का वजन ज्यादा होने से गमला उसे सहन नहीं कर पाएगा और पौधा गिरकर टूट जाएगा।

गमले में बोगनवेलिया कैसे उगाएं?

बोगनवेलिया के पौधे को गमले, नाद या ड्रम में बड़ी आसानी से उगाया जा सकता है। गमले में जल निकासी का छिद्र अवश्य होना चाहिए।

गमले में भरने के लिए मिश्रण निम्न अनुपात में तैयार करना चाहिए।

- दोमट मिट्टी 3 भाग
- गोबर/कम्पोस्ट
  पत्ती की खाद 1 भाग
- बालू 1/2 भाग
- हड्डी का चूरा 1 चम्मच प्रति गमला

मिश्रण को गमले में भरने से पहले गमले के नीचे बने छेद पर 2-3 टूटे गमले के छोटे टुकड़े रखें फिर एक मुट्ठी सूखी पत्तियां रख कर उनके ऊपर मिश्रण को धीरे-धीरे भरें तथा उसे हाथ से दबाते जाएं। मिश्रण गमले में ऊपर से 1 इंच नीचे तक ही भरें।

गमला भरने के बाद पौधा लगाने के लिए उसकी जड़ में लगी मिट्टी के आकार के बराबर गमले के बीचों बीच में से मिट्टी निकालकर जगह बनाएं और पौधे को वहां लगा दें। इसके बाद पौधे के चारों तरफ हाथ या खुरफी के

हत्थे से मिट्टी को अच्छी तरह से दबा दें। यहां आप इस बात का विशेष रूप से ध्यान रखें कि पौधे का तना हर हाल में सीधा रहे।

अब फव्वारे से गमले में पानी देकर पौधे को छायादार जगह में रखें तथा 3- 4 दिन तक रोजाना सुबह फव्वारे से पानी देते रहें।

पौधों को सुंदर, हरा-भरा एवं घना बनाने के लिए शुरू से ही टहनियों के ऊपरी सिरों की बार-बार कटाई करते रहें। इसके बार हर वर्ष मई-जून में छंटाई करें तथा प्रत्येक गमले में ऊपर का लगभग 2-3 भाग मिश्रण निकालकर पुनः सड़ा हुआ कम्पोस्ट या गोबर की खाद भर दें। यह पुराने पौधों के लिए तो अत्यंत आवश्यक हो जाता है, क्योंकि पौधे को धीरे-धीरे एक गमले से दूसरे गमले में बदलते समय गमले का आकार बढ़ाते जाने के कारण एक समय ऐसा आता है, जब गमला काफी बड़े आकार का हो जाता है, साथ ही पौधा भी बड़ा हो जाता है। फलस्वरूप उसे पुनः गमले से निकालना एवं दूसरे गमले में लगाना असंभव हो जाता है।

उपर्युक्त परिस्थितियों के लिए केवल यही एक रास्ता रह जाता है कि हर वर्ष ऊपर के 4-6 इंच मिश्रण को निकालकर नया मिश्रण भर दिया जाए। इस मिश्रण में कम्पोस्ट की मात्रा ज्यादा रखें और जैसे ही फूल आने शुरू हो जाएं, हर 15 दिन के बाद तरल खाद का इस्तेमाल करें। इस तरीके से फूल ठीक से निकलते हैं और उनमें चमक भी बनी रहती है।

पौधे का स्थानांतरण

गमले में से पौधे को निकालते समय दाहिने हाथ की तर्जनी एवं बीच वाली उंगली के बीच में पौधे के तने को गमले के पास पकड़ें तथा अन्य उंगलियों एवं हथेली को गमले के मिश्रण पर फैलाकर रखें। अब बाएं हाथ से गमले को नीचे से पकड़कर उठाएं तथा गमले को उलटा करके स्टूल, मेज आदि पर उल्टा करके जमीन पर रखे हुए गमले के किनारे पर हल्का सा झटका दें। ऐसा करने से पौधा मिट्टी सहित गमले से बाहर निकल आएगा। अब पौधे की जड़ के चारों तरफ से धीरे-धीरे मिट्टी हटाएं और केवल गेंद के आकार की मिट्टी रहने दें। तत्पश्चात टहनियों की गहरी छटाई करें। इसके बाद पौधा नए गमले में स्थानांतरित कर दें।

देखभाल

बोगनवेलिया के पौधों में बीमारी एवं कीड़ों का प्रभाव बहुत ही कम देखा जाता है। फिर भी इसकी देखभाल करते समय निम्नलिखित बातों पर अवश्य ध्यान दें—

- कभी-कभी किसी किस्म के पौधे में 'लीफ स्पाट' नाम की बीमारी लग जाती है। इस बीमारी के उपचार के लिए बोर्डो मिश्रण 5.5 : 50 अर्थात 10 लीटर का घोल बनाने के लिए एक बरतन में 80 ग्राम तूतिया को 5 लीटर पानी में घोले तथा दूसरे बरतन में 80 ग्राम चूने को 5 लीटर पानी में घोल लें। फिर दोनों को एक बड़े बरतन में एक साथ गिराते हुए मिलाकर घोल तैयार करें। यदि यह घोल तैयार करने में आपको कठिनाई महसूस हो तो 0.3. प्रतिशत ब्लाइटाक्स दवा का घोल तैयार करके 15 दिन के अंतराल में पौधों पर छिड़काव करें।
- कभी-कभी पौधों में पत्तियां ऐंठ जाती हैं। ऐसा 'माइट' नामक कीड़े के आक्रमण से होता है। कीड़ा पत्तियों का रस चूस लेता है। जिसकी वजह से पत्तियां टेढ़ी-मेढ़ी हो जाती हैं। इस कीड़े से पौधों का बचाव करने के लिए केलथेन दवा का 0.1 प्रतिशत का घोल तैयार कर 15-20 दिन के अंतराल में पौधों पर छिड़काव करना चाहिए।

खुशबू से महका दे आपकी बगिया : केवड़ा

केवड़ा पैनडैनेसी कुल का सुंदर बहुवर्षीय पौधा है। हिंदी और संस्कृत में इसे केतकी कहा जाता है। अंग्रेजी में इसका नाम 'स्क्रूपाइन' है। इसका वानस्पतिक नाम 'पैनडेनस आडोरैटिसिमस' है।

केवड़ा विचित्र पौधों में से एक माना जाता है, क्योंकि इसके पौधे का मुख्य तना सीधे ऊपर की ओर बढ़ने के बजाय भूमि के पास से ही थोड़ा सा झुक जाता है तथा तिरछी दशा में ही बढ़ता रहता है।

झुकी हुई व तिरछी दशा में बढ़ने के साथ-साथ ही इसके तने की गांठों से जड़ें निकलकर सीधे भूमि की ओर बढ़ती हैं। ये जड़ें भूमि में मजबूती के साथ घुसती रहती हैं। इस प्रकार ये अवस्तंभक जड़ें पौधे को छड़ी की भांति सहारा देती रहती हैं। देखने पर ऐसा लगता कि केवड़े का पौधा इन्हीं हड्डियों (जड़ों) के सहारे आगे को बढ़ता चला जा रहा है। इसी वजह से केवड़े को चलता हुआ वृक्ष भी कहा जाता है। चूंकि इसकी जड़ें मिट्टी के कणों को जकड़ लेती हैं, जिससे भूक्षरण नहीं होता, इसलिए इसे नहरों, खेतों, नदियों व तालाबों के किनारे खासतौर से लगाया जाता है।

केवड़े का पौधा कांटेदार होता है। इसकी पत्तियां अनन्नास की पत्तियों की तरह 5-6 फुट लम्बी और रेशेदार होती हैं, इसी वजह से ये टोकरियां, थैले, छाते, चटाइयां व हैट आदि बनाने के काम आती हैं।

केवड़े का फूल एक अति सुगंधित फूल है। इससे विभिन्न प्रकार के इत्रों का निर्माण किया जाता है, जो वस्त्रों, अगरबत्तियों, साबुन व्र अन्य सौंदर्य प्रसाधन बनाने के काम आता है। इसकी खुशबू मुगलई व्यंजनों का एक आवश्यक अंग है।

केवड़ा औषधीय गुणों से भी भरपूर है। यह खाज-खुजली, कोढ़, चेचक, मस्तिष्क व दिल के रोगों के इलाज के लिए अत्यंत फायदेमंद साबित होता है। इसके फूल का अर्क हृदय और चित्त को शीतलता प्रदान करता है। यह वात, कफनाशक और निद्रा उत्पन्न करने वाला होता है। इसके पौधे की जड़ के रस का काढ़ा तथा फूल व फल आंखों के रोगों के उपचार के लिए उपयोगी होते हैं।

यह कान दर्द, सिर दर्द और कमजोरी को दूर करने में उपयोगी होता है। इसकी जड़ों से केवड़े का तेल भी निकाला जाता है, जो अत्यंत शक्तिवर्द्धक होता है। यह तेल खास तौर से दिमाग की शक्ति प्रदान करने वाला होता है। इसके फूलों से केवड़ा आसव (सत) भी बनाया जाता है। जिसे गुलाब जल की तरह मिठाई को सुगंधित और स्वादिष्ट बनाने के लिए इस्तेमाल में लाया जाता है।

कैसे उगाएं?

केवड़े के पौधे का प्रसार इसकी डंठलों की कृन्तनों द्वारा किया जाता है। इसके लिए एक या डेढ़ फुट की लम्बाई में इसकी कटिंग तैयार कर ली जाती

है। फिर इन टुकड़ों को सीधे मुख्य स्थान पर 5 फुट के फासले पर तैयार की हुई भूमि में या पौधशाला की क्यारियों में लगाकर पौधे तैयार कर लिए जाते हैं।

उपजाऊ, दोमट, चिकनी दोमट और भुरभुरी खारी मिट्टी केवड़े के लिए अधिक उपयुक्त होती है।

पौध रौपाई के 3-4 साल बाद पौधे में फूल आने लगते हैं। फूल का पूरा आकार प्राप्त करने में लगभग 15 दिन लग जाते हैं। फूल केवड़े के पेड़ के तने और शाखों की शिखाओं पर लगते हैं, जो आसानी से दिखाई देते हैं। वास्तव में ये फूल पीले रंग की छोटी-छोटी पुष्पिकाओं के समूहों से बनते हैं। ये पुष्पिकाएं 3 पंक्तियों में रहती हैं। फूलों की सुगंध इन्हीं पत्तीनुमा आकृतियों में पाई जाती हैं।

देखभाल

केवड़े के पौधे को अधिक देखभाल की जरूरत नहीं पड़ती, क्योंकि इसकी अवस्तंभक जड़ें जमीन में घुसकर खुराक लेती रहती हैं। फिर भी हौद्नुमा गमलों या ड्रम को मिट्टी से भरने से पहले यह जरूर देख लें कि इनके पेंदों में फालतू पानी गिरने और वायु के आवागमन के लिए सुराख बना है या नहीं।

एक मनमोहक वृक्ष : बाटल ब्रश

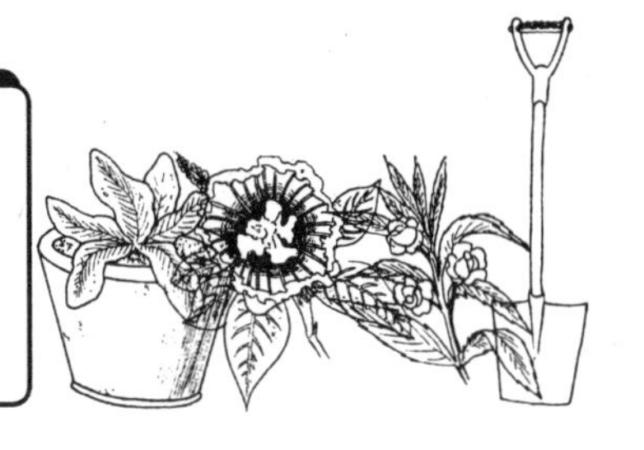

बाटल ब्रश को 'कैलिस्टेमन' के नाम से भी जाना जाता है। यह बसंत ऋतु में 4-5 सप्ताह खिलने वाला एक खूबसूरत पेड़ है। इसकी लटकती डालियों पर झूमते हुए बाटल ब्रश जब एक साथ खिलते हैं तो इनकी शोभा देखते ही बनती है।

गृहवाटिका, पार्क, बगीचों, फार्म हाउस आदि में लगाने के लिए यह एक महत्त्वपूर्ण पौधा है।

यह एस्टो एशियन प्रजाति का पौधा है। इसकी खासियत यह है कि इसे लगाने के तीसरे वर्ष ही इसमें फूल खिलने लगते हैं। इस पेड़ की डालियां खड़ी न रहकर लटकती रहती हैं।

बिना फूल के भी मोटे तने पर एक फुट से 7-8 फुट तक लटकती टहनियां पेड़ की खूबसूरती में चार चांद लगा देती हैं। अगर इन्हें काटा न जाए तो कई टहनियां जमीन भी चूमने लगती हैं और फिर भूरे रंग की गुच्छेदार टहनियों पर एक डेढ़ इंच लम्बी लटकती हरी, लैदरी, नुकीली, पत्तियों का आकर्षण देखते ही बनता है।

इसकी टहनी के ऊपर की छाल ऐसे लगती है जैसे सूखा पड़ने पर चिकनी, मिट्टी में दरारें पड़ गई हों। लाल व गहरे रंग के फूल आने पर ऐसा प्रतीत होता है जैसे हजारों की तादाद में बोतल साफ करने के ब्रश टंगे हों इसलिए इस पेड़ को 'बाटल ब्रश' के नाम से जाना जाता है।

किस्में

बाटल ब्रश की करीब 9-10 प्रजातियां उपलब्ध हैं, जिनमें कैलिस्टेमन ब्रैंचडेरस, सिदिनम, लिनेरिम, पिनिफोलियम, रिजीडस, सैलिगनस आदि के नाम प्रमुख हैं। इन किस्मों के फूल लाल, गुलाबी, हल्के पीले, नारंगी तथा क्रीम रंग के होते हैं।

कैसे उगाएं?

इसका पेड़ बीज या गुट्टी (कलम) द्वारा लगाया जा सकता है।

बीज बसंत या बरसात में रोपने चाहिए। गुट्टी बांधने के लिए टहनियों के ऊपर ही कुछ दूरी से छाल हटाकर चिकनी मिट्टी व थोड़ी खाद बांध देते हैं। इनमें पानी देते रहने से जड़ें आ जाती हैं, फिर इसे जमीन में लगा दिया जाता है। इसके लिए 25 प्रतिशत खाद तथा 75 प्रतिशत मिट्टी का अनुपात लेना ठीक रहता है।

देखभाल

- चूंकि बाटल ब्रश को पानी की ज्यादा जरूरत पड़ती है इसलिए इसे ज्यादा से ज्यादा पानी देना चाहिए। पानी की मात्रा अधिक होने पर पेड़ जल्दी बढ़ता है।
- इसे 5-6 घंटे की पर्याप्त धूप मिलनी चाहिए। छाया में इसमें फूल कम खिलते हैं।
- इसके पौधे को 4-5 टहनियों में विभाजित कर उगने देना चाहिए ताकि पौधे के पेड़ बनने पर उसकी टहनियां कलात्मक तरीके से चारों दिशाओं में फैल जाएं।
- शुरू से ही पेड़ की काट-छांट करनी चाहिए, ताकि यह अपनी सीमा में ही रहकर बढ़ता रहे और बड़ा होने पर सुंदर दिखाई दे।

बगिया सजे जब खिले : सूरजमुखी

सूरजमुखी को अंग्रेजी में 'सनफ्लावर' कहते हैं। यह हेलिऐंथस वंश और कंपोजिटी कुल का एक महत्त्वपूर्ण फूल है। इसका पौधा लगभग 3 फुट ऊंचा और फूल डेढ़ से दो इंच तक चौड़ा होता है, जिसकी पंखड़ियों के बीच गोल काला भाग (डिस्क) बहुत ही सुंदर दिखाई देता है।

सूरजमुखी की सबसे बड़ी खासियत यह है कि इसके पीले सुनहरे रंग के फूल गर्मी के मौसम के अलावा वर्षा ऋतु में भी खिले रहते हैं। इसका तना और शाखाएं चिकनी होती हैं। पत्तियां दिल के आकार की चिकनी और चमकदार होती हैं, जो लगभग 2-3 इंच लम्बी और एक-डेढ़ इंच तक चौड़ी होती हैं।

विभिन्न किस्में

- क्राइसेंथियम

  यह साधारणतः वाटिकाओं में उगाए जाते हैं।
- सन गोल्ड
- येली पिग्मी

  इसकी डबल ड्वार्फ किस्में हैं। इसके पौधे पर सुनहरे रंग के फूल आते हैं।
- सटनरेट

  इसकी लाल फूलों वाली किस्में हैं। इसका मूल स्थान इंग्लैंड माना जाता है।

कैसे उगाएं?

सूरजमुखी जनवरी से जून तक बोया जाता है। इसके लिए खादयुक्त उर्वरक तथा धूपदार वातावरण का होना बेहद जरूरी है।

इसके बीज सीधे स्थायी जगह पर बो दिए जाते हैं। बीज बोने के लगभग 3 महीने बाद इस पर फूल आने शुरू हो जाते हैं।

फूल निकलते समय तरल खाद या खाद का घोल मिट्टी में जरूर डालना चाहिए, इससे फूलों की बढ़त अच्छी होती है।

सुझाव

- सूरजमुखी को पंक्तियों में लगाना चाहिए, इससे फूल बेहद सुंदर दिखाई देते हैं।
- इसके पौधों को पानी देते समय इस बात पर विशेष ध्यान देना चाहिए कि अधिक पानी इकट्ठा न होने पाए अन्यथा पौधों की जड़ें गलने का भय रहता है।

सदाबहार पौधा : कैलेंचो

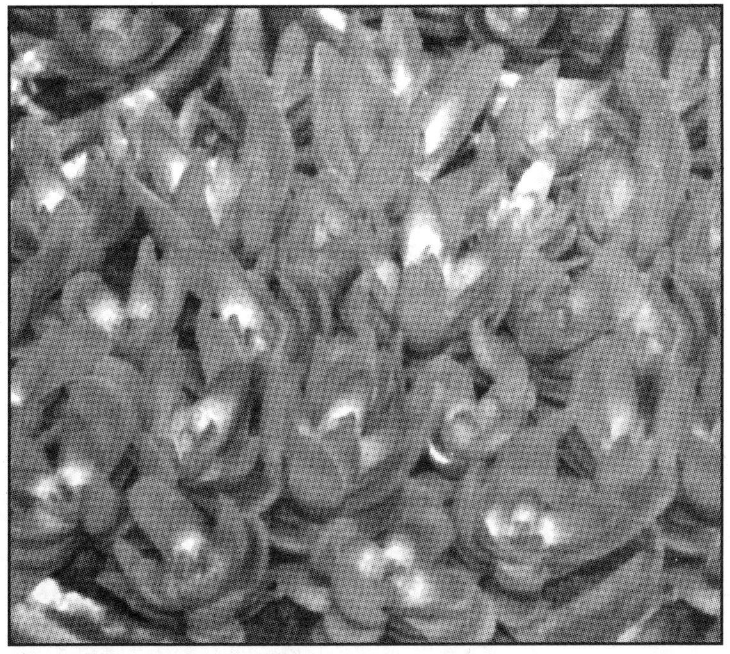

कैलेंचो क्रुसोलेसी परिवार से संबंध रखता है। यद्यपि इसका उद्गम स्थल दक्षिण अफ्रीका, मैडागास्कर, ट्रापिकल अमेरिका, भारत, श्रीलंका, फारमोसा है, परन्तु अपने रंग-बिरंगे पत्तों व फूलों के कारण यह लगभग सभी देशों में लोकप्रिय है। कैलेंचो एक झाड़ीनुमा सदाबहार पौधा है। प्रकृति से कठोर, साहसी व साल भर हरा-भरा रहने वाले इस पौधे की करीब 130 प्रजातियां पाई जाती हैं, जिनमें से कुछ के नाम हैं—

- कैलेंचो अबरप्टा
- कैलेंचो टोमनटोसा
- कैलेंचो मारमरोटा
- कैलेंचो बरगेरी
- कैलेंचो ऐरोमैटिका
- कैलेंचो एनगिलीरी

कैलेंचो के पत्ते भिन्न-भिन्न आकार के होते हैं। कई पौधों के पत्ते मोटे होते हैं जिन्हें अगर थोड़ा सा मोड़ भी दिया जाए तो वे 'कट' की आवाज के साथ टूट जाते हैं।

कई पत्तों के ऊपर बालों-सी रवें होती हैं जिन्हें छूने से फर का आभास होता है।

उगाने का तरीका

कैलेंचो को दो प्रकार से उगाया जाता है—

- बीज द्वारा
- कटिंग द्वारा

बीज द्वारा

बीज द्वारा इसे उगाने के लिए आप 6 इंच का एक गमला लें। गमले में 40 प्रतिशत मिट्टी, 40 प्रतिशत बजरी तथा 20 प्रतिशत गोबर की खाद का मिश्रण डालें और बरसात के आखिरी दिनों में बीजों को बो दें। अंकुरण के बाद पौधों का पर्याप्त विकास होने पर उन्हें सावधानीपूर्वक अलग-अलग लगा दें।

कटिंग द्वारा

कटिंग लगाने वाले गमले में 30 प्रतिशत खाद व 70 प्रतिशत मिट्टी का मिश्रण तैयार कर डालना चाहिए। कटिंग को लगाने से पहले उसे 5-6 दिनों तक छाया में जरूर सुखा लेना चाहिए, फिर रूट हारमोन में डुबोकर उसे गमले में रोप देना चाहिए। यहां एक बात का विशेष रूप से ध्यान रखना चाहिए कि मिट्टी में पानी बिल्कुल नहीं रुकना चाहिए।

चूंकि कैलेंचो सर्दियों में उगने वाला पौधा है, इसलिए यह गर्मी में सुप्तावस्था में रहता है। सर्दी के विदा होते समय कैलेंचो के पौधों में खूब फूल खिलते हैं, जो लगभग डेढ़ दो महीने तक खिले रहते हैं। फूल प्रायः गुच्छों में अनेक रंगों में आते हैं जैसे पीला, नारंगी, लाल-भूरा, कत्थई आदि।

कैलेंचो के पौधे खुश्क समय के लिए अपने भीतर पानी संचित करते रहते हैं, इसलिए इन्हें विशेष देखभाल की जरूरत नहीं पड़ती है।

रेगिस्तान का गुलाब : अडेनियम ओबेसम

अडेनियम ओबेसम गुलाब जिसे 'रेगिस्तान का गुलाब' भी कहा जाता है मूल रूप से अरेबिया, सोकोट्रा व अफ्रीका के पूर्वी भाग का वासी है। इसका मुख्य आकर्षण इसके तने का निचला भाग व जड़ का फूला हुआ होना है। इसका तना फूलने पर ऐसी घुमावदार आकृति पाता है जो इसकी खूबसूरती में चार चांद लगा देती है।

इस पौधे को इम्पाला लिलि, साबी स्टार व कुडुलिलि आदि नामों से भी जाना जाता है। इसकी ऊंचाई ढाई से 3 फुट तक होती है। इसकी 12 किस्में उपलब्ध हैं, जिनमें सोमलेक्स मल्टिफ्लोरम, हंगाई, ओलिफोलियम आदि प्रमुख हैं। हर किस्म के पौधे की पत्तियों का रूप अलग-अलग होता है। किसी किस्म के पौधे की पत्तियां नुकीली, किसी की गोल, किसी की चम्मचनुमा, तो किसी की लम्बी होती हैं।

इसके पौधे साल-भर में 6 महीने फूलों से लदे रहते हैं। इन फूलों का रंग लाल, हल्का गुलाबी, गुलाबी व रानी होता है।

कैसे उगाएं?

अडेनियम ओबेसम को आप बीज तथा कलम दोनों विधियों द्वारा उगा सकते हैं।

कलम द्वारा

कलम द्वारा इस पौधे को उगाने से पहले कलम को 7-8 दिनों तक छाया में सुखा लिया जाता है। इसके बाद 40 प्रतिशत बजरी, 30 प्रतिशत मिट्टी, 20 प्रतिशत सड़ी-गली पत्ती या गोबर की खाद, 5 प्रतिशत कोयले का चूरा व 5 प्रतिशत ईंट का पाउडर मिलाकर एक मिश्रण तैयार किया जाता है और फिर इस मिश्रण को एक सप्ताह के लिए धूप में सुखाने के लिए रख दिया जाता है, जिससे इसमें मौजूद छोटे-मोटे कीड़े व फंगस आदि नष्ट हो जाएं।

जब यह मिश्रण अच्छी तरह से सूख जाता है, तब इसे गमले में डाल दिया जाता है, इसके बाद कलम लगा दी जाती हैं।

बीज द्वारा

बीज से पौधा उगाने की प्रक्रिया बहुत धीमी होती है। बीज से पौधा तैयार करने के लिए 85 प्रतिशत मिट्टी व 15 प्रतिशत सड़ी-गली पत्ती या गोबर की खाद मिलाकर एक मिश्रण तैयार कर लिया जाता है। जिसे 10-12 दिन तक धूप में सूखने के लिए रख दिया जाता है। जब यह मिश्रण अच्छी तरह से सूख जाता है, तब इसे गमलों में भर दिया जाता है। इसके बाद बीज को गमलों में बोकर पानी दे दिया जाता है। फिर गमले को किसी जाली से ढककर ऐसी जगह पर रख दिया जाता है जहां छाया के साथ-साथ प्रकाश की भी पर्याप्त व्यवस्था होती है।

उपयोगी सुझाव

- सर्दी के मौसम में जब इस पौधे के पत्ते झड़ जाते हैं, तब इसे बहुत कम प्यास लगती है। ऐसे समय में करीब 15-20 दिन में 1 बार पानी दें और इसे पाले से अवश्य बचाएं।

चेतावनी

इस पौधे का गूदा जहरीला होता है, इसलिए इसे बच्चों से दूर रखें।

फूल जो छाया में उगे : सालि्वया

सालि्वया 'लेबिएठी' कुल का पौधा है, जिसका अंग्रेजी नाम 'सेज' है। वैसे तो सालि्वया के फूल कुछ अन्य रंगों में भी पाए जाते हैं, परंतु सर्वाधिक प्रचलित सालि्वया लाल रंग में ही पाया जाता है जिसे अंग्रेजी में 'स्कारलेट सेज' कहते हैं। इसकी बौनी किस्में भी पाई जाती हैं, जिसके फूल लाल, बैगनी, क्रीम, सफेद व गुलाबी रंगों में पाए जाते हैं। इसके फूलों में कभी-कभी भीनी-भीनी सुगंध भी आती है।

सालि्वया वंश में सालि्वया स्प्लेंडेंस के अलावा अन्य जातियां भी पाई जाती हैं, जिनमें सालि्वया आफिसिनैलिस, सालि्वया काक्सिनिया, सालि्वया पेटेंस, सालि्वया हारमोनियम व सालि्वया फैरिनेसिआ प्रमुख हैं। जिन निवास स्थानों में कम जगह होती है और धूप नहीं

पहुंच पाती या कुछ समय तक धूप रहती है, वहां के लिए इस प्रकार के पौधे सर्वथा उपयुक्त रहते हैं।

साल्विया का पूर्ण फूल लगभग साढ़े चार सेंटीमीटर से कुछ अधिक लम्बा और 9 मिलीमीटर चौड़ा होता है तथा पौधे की ऊंचाई एक से लेकर तीन फुट तक होती है।

उगाने का तरीका

इसकी पहले पौध तैयार की जाती है। जब पौध 8 से 10 सेंटीमीटर तक की हो जाती है, तब उसे गमले या क्यारी में रोप दिया जाता है।

साल्विया के पौधों का प्रसारण बीजों के द्वारा होता है। अतः अक्तूबर के महीने इसके बीजों को अवश्य बो देना चाहिए। इसके लिए साधारण उपजाऊ मिट्टी पर्याप्त रहती है, केवल जल निकासी का उचित प्रबंध होना चाहिए। इसके फूलों को खिलने में तीन से चार महीने का समय लगता है।

गर्मियों की बहार : जिंनिया

जिंनिया का वानस्पतिक नाम जिंनिया एलिंगस है। विदेशों में यह **'यूथ एंड ओल्ड एज'** के नाम से जाना जाता है।

यह ग्रीष्म ऋतु में उगाया जाने वाला विख्यात पौधा है। यह अपने सुंदर रंगों और मनमोहक आकार द्वारा हर उद्यान प्रेमी द्वारा पसंद किया जाता है। इसके फूल सिंगल व डबल किस्म के डहलिया जैसे खूबसूरत होते हैं। इसके पौधों की ऊंचाई 60 से 70 सेंटीमीटर तथा पत्तियों का आकार अंडे जैसा होता है। इसके फूलों का रंग सफेद, हल्का पीला, गुलाबी, नीला, नारंगी, लाल तथा बसंती होता है।

उगाने का तरीका

इसके बीज फरवरी–मार्च से जुलाई–अगस्त तक बोए जाते हैं। 3–4 सप्ताह बाद जब बीज में अंकुरण हो जाता है। तब इसे गमले या क्यारी में रोप दिया जाता है। इसके पौधे के बीच का अंतर 30 सेंटीमीटर से कम नहीं होना चाहिए तथा पौधे लगाने के 20 दिन बाद 50 ग्राम अमोनिया सल्फेट तथा 30 ग्राम पोटेशियम सल्फेट प्रति वर्ग मीटर के हिसाब से मिट्टी में मिला देना चाहिए, इससे पौधों की वृद्धि अच्छी होती है।

मनमोहक फूल : गेंदा

भारत के प्रमुख सुंदर व सजावटी फूलों में गेंदा एक है। अंग्रेजी में इसे 'मेरी गोल्ड' कहते हैं। यों तो इसकी जन्म स्थली मैक्सिको और दक्षिणी अमेरिका है, फिर भी यह यूरोप और एशिया के अनेक देशों में उगाया जाता है। यह लम्बी अवधि तक खिलने वाला तथा भीनी-भीनी सुगंध वाला मनमोहक फूल है, इसलिए यह बागबानों का प्रिय फूल है।

इसमें लगभग 30 जातियां पाई जाती हैं, जिनमें 'एरेक्टा', 'पेंटुला', 'सिग्नेटा', 'ल्यूसिडा' व 'माइन्यूटा' के नाम प्रमुख हैं। इसकी दो विशेष उपजातियां टैजीकस एरेक्टा (अफ्रीकी और अमेरिकी टाइप) और टैजीकम पेंटुला (फ्रेंच टाइप) बेहद लोकप्रिय हैं।

'एरेक्टा' गेंदे के पौधे लगभग 95 सेंटीमीटर ऊंचाई तक बढ़ते हैं। इनकी पत्तियां चौड़ी, फूल गोल-गोल तथा पीले-नारंगी रंग के होते हैं। फ्रेंच टाइप

'पेंटुला' के पौधे 22 से 62 सेंटीमीटर ऊंचे बढ़ते हैं और 'एरेक्टा' गेंदे की तुलना में इनके फूल आकार में छोटे और रंग में पीले या पीली सुर्खी लिए होते हैं।

इसे सभी मौसमों में आसानी से उगाया जा सकता है और लगातार फूलों की प्राप्ति की जा सकती है।

कैसे उगाएं?

गेंदा उगाने के लिए क्यारी व गमले की मिट्टी का उपजाऊ होना बहुत जरूरी है। इसके साथ-साथ जहां गेंदा लगाना हो वहां जल निकासी का उचित प्रबंध होना चाहिए।

गेंदे का पौधा सीधे बीज बोकर या कलम लगाकर उगाया जा सकता है। इसके बीज बोकर उगे पौधे, कलमों से उगाए गए पौधों की अपेक्षा अधिक बढ़वार वाले, लंबे तथा अधिक समय तक फूल देने वाले होते हैं।

बीज की बोआई मई से जुलाई तक, सितम्बर-अक्तूबर में और पुनः मार्च-अप्रैल में नर्सरियों, बड़े आकार के बक्सों, पेटियों और गमलों आदि में की जा सकती है। बीज बोने के करीब 25-30 दिन बाद पौध रोपाई लायक हो जाती है। अफ्रीकी, अमेरिकी पौध की रोपाई 22.5 × 22.5 सेंटीमीटर की दूरी के अंतर पर करनी चाहिए। रोपाई दोपहर बाद करनी चाहिए और रोपाई के तुरंत बाद हल्की सिंचाई कर देनी चाहिए।

मार्च में रोपी पौध के पौधों में अप्रैल-मई में फूल खिलने लगते हैं और जून-जुलाई तक इनकी भरमार हो जाती है।

गेंदे के औषधीय गुण

गेंदे के फूल का अर्क आंखों के कई रोगों व अल्सर जैसे भयानक रोग के इलाज के लिए इस्तेमाल में लाया जाता है। यह अर्क शरीर में खून साफ करने के अलावा खूनी बवासीर में भी आराम पहुंचाता है। इसकी सुगंधित पत्तियों से निकला सत कान दर्द और फोड़ों के प्रकोप से राहत पहुंचाता है।

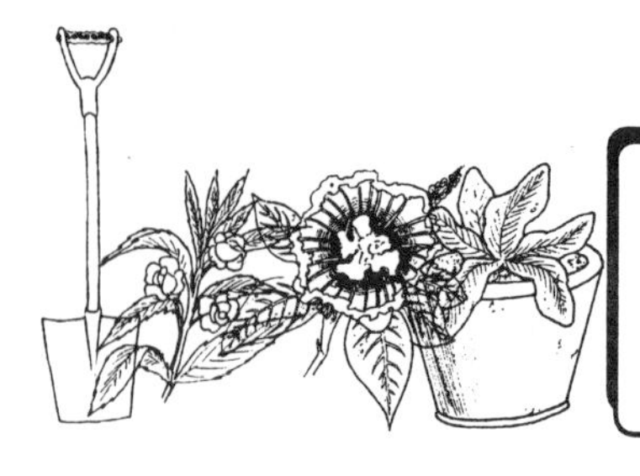

सदाबहार पौधा : पार्चूलैकेरिया एफारा

पार्चूलैकेरिया एफारा एक सजावटी पौधा है। यह शाकीय व झाड़ीनुमा भी होता है। इसे 'जेड प्लांट' भी कहा जाता है।

इसकी पत्ती 18 मिलीमीटर लंबी और 15 मिलीमीटर चौड़ी होती है। यह पत्ती हल्के हरे रंग की, मोटी, गूदेदार, चिकनी, समतल और आखिरी सिरे से गोलाकार होती है। इसके आधार की ओर का भाग न्यूनकोणीय और बिल्कुल पतला होता है।

इसके पौधे की पुरानी शाखें कुछ ललाई युक्त गाढ़े भूरे रंग की चिकनी होती हैं, जो काष्ठीय व चिमड़ीदार तथा रेशायुक्त होती हैं। इसी वजह से इसकी टहनियां व शाखें आसानी से टूट या कट नहीं पातीं। फिर भी नई शाखें हल्के हरे रंग की मुलायम व चिकनी होती हैं, जो धीरे-धीरे गुलाबी हो जाती हैं।

जेड प्लांट की शोभा इसकी पत्तियों और हरी व गुलाबी टहनियों से रहती है। गमलों में पौधे लगाने पर धीरे-धीरे गमले भर जाते हैं, जिससे ये अच्छे लगते हैं। ऐसे भरे हुए गमले यदि छत के कोने पर या अन्य किसी ऊंचे स्थान पर या सरियों के बनाए होल्डरों में रख दिए जाएं तो पौधों की लटकती हुई शाखें बड़ी आकर्षक लगती हैं। चूंकि पौधों की शाखें फैली हुई रहती हैं, इसलिए ये लटकने वाली टोकरियों में लगाने के लिए भी इस्तेमाल में लाए जाते हैं।

भूमि में लगाने पर इसके पौधे झाड़ीनुमा या छोटे वृक्ष का रूप अख्तियार कर लेते हैं। अन्य पौधों की तरह इसकी बोनसाई (बौना साइज) किस्म भी बेहद अच्छी लगती है।

कैसे उगाएं

पार्चूलैकेरिया एफारा के पौधे टहनियों की कटिंग (कलम) से तैयार किए जाते हैं। कलमें पुरानी टहनियों से वर्षा ऋतु में बनानी चाहिए।

विशेषता

जेड़ प्लांट का पौधा अत्यंत सहिष्णु होता है। इसके गमले आप बेशक कड़ी धूप में रखें या पूर्ण छाया में, नम रखें या सूखे। यह इन सभी परिस्थितियों में फलता-फूलता है। यहां तक कि यह पौधा कई महीनों तक बिना पानी के भी नहीं मुरझाता।

इस पौधे को अपने घर के ड्राइंग रूम, सीढ़ियों व अन्य कक्षों में सजाकर आप अपने घर की सुंदरता में चार चांद लगा सकते हैं।

गजानिया

गजानिया के मनमोहक व आकर्षक फूल प्रायः सभी उद्यानों में देखने को मिल जाते हैं। इसकी जन्मस्थली दक्षिण अफ्रीका भले ही है किंतु अपनी लोकप्रियता की वजह से आज यह सभी स्थानों पर देखने को मिल जाता है। यह 'कम्पोजिटी' परिवार का बहुत ही लुभावना तथा सुगंधित पुष्प है।

इसकी पत्तियां गहरी हरी, पतली, बीच में से कटी हुई तथा लम्बी होती हैं। पत्तियों की निचली सतह चमकीली होती है तथा उस पर मुलायम रेशे पाए जाते हैं। इसमें सख्त तना नहीं बनता। इसकी पत्तियां चारों तरफ फैलती हैं तथा इसके मध्य से फूल निकलते हैं, जो खुलने पर लंबी टहनी पर लगे रहते हैं।

जब गजानिया के फूल आने शुरू होते हैं, तब पूरा पौधा फूलों से भर जाता है। इसके एक ही फूल में तरह-तरह के रंगों का नजारा देखने को मिलता है।

कब और कैसे उगाएं

गजानिया को बीज द्वारा उगाया जाता है। इसके बीज को आमतौर पर अक्तूबर के महीने में बो दिया जाता है। इसके बीज हल्के होते हैं तथा उन पर मुलायम भूरे रंग के रेशे लगते हैं इसलिए इन्हें किसी चपटे आकार के मिट्टी

के बर्तन में बोना चाहिए तथा अधिक गहराई तक नहीं दबाना चाहिए। जब इसकी पौध 3 से 5 इंच तक तैयार हो जाए, तब इसका स्थान बदल देना चाहिए।

पौध लगाने से पहले क्यारियों की अच्छी तरह से खुदाई जरूर करनी चाहिए तथा सड़ी हुई खाद का इस्तेमाल करना चाहिए।

जब पौधे अच्छी तरह तैयार हो जाएं तब इनकी 15 दिन के अंतर से 3-4 बार निराई करना आवश्यक है। ऐसा करने से पौधे की बढ़ोतरी अच्छी होती है और वह मजबूत बनता है।

यदि आप गजानिया को गमले में लगाना चाहते हैं, तो इसे एक स्थान से दूसरे स्थान पर 2-3 बार बदलना जरूरी होता है तभी इसकी सुंदरता का पूरा लुत्फ उठाया जा सकता है।

विशेषता

गजानिया के पुष्प में प्रकृति ने विविध रंगों का समावेश कुछ इस तरह किया है जो सामान्यत: अन्य किसी फूल में देखने को नहीं मिलता। इसके फूलों की पंखड़ियां चपटी, लम्बी तथा चटकीले रंगों की होती हैं। इनकी आकृति नाव जैसी होती है तथा इनमें एक साथ अनेक रंगों का मिश्रण पाया जाता है। उदाहरण के तौर पर पीला, बैंगनी, गुलाबी, भूरा तथा केसरिया आदि।

कुछ सुझाव

- गजानिया का फूल सूर्य की रोशनी के साथ खिलता है तथा रोशनी कम होने पर बंद हो जाता है इसलिए इन्हें भूलकर भी छाया वाले स्थानों पर नहीं लगाना चाहिए।
- गजानिया की पौध को यदि 3-4 बार बदल दिया जाए तो पौधा अच्छी बढ़ोत्तरी करता है और ज्यादा से ज्यादा फूलों की प्राप्ति होती है।
- खिले हुए फूलों पर किसी भी प्रकार की दवा का छिड़काव नहीं करना चाहिए। दवा का छिड़काव केवल जरूरत पड़ने पर फूलों के खिलने से पहले करना चाहिए, इससे फूलों पर किसी भी प्रकार के दाग या धब्बे नहीं पड़ते और उनकी खूबसूरती बरकरार रहती है।

भीनी-भीनी खुशबू वाला खूबसूरत फूल : रजनीगंधा

खूबसूरत फूल में यदि भीनी-भीनी खुशबू भी मौजूद हो तो उस फूल की उपयोगिता और भी बढ़ जाती है। रजनीगंधा इसी किस्म का सफेद, कोमल, चमकीला तथा खुशबूयुक्त फूल है। वनस्पति जगत में यह 'पोलीएंथस ट्यूबरोज' के नाम से जाना जाता है।

रजनीगंधा की किस्में

आमतौर पर रजनीगंधा के फूल सफेद रंग में खिलते हैं, परंतु अब कुछ उन्नत किस्मों में हल्के गुलाबी रंग के भी फूल मिलते हैं, लेकिन इन किस्मों के फूलों में ज्यादा खुशबू नहीं होती।

रजनीगंधा कैसे उगाएं

रजनीगंधा को क्यारियों अथवा गमलों में बल्ब द्वारा तैयार किया जाता है। बल्ब जमीन के अंदर बढ़ने वाला तने का एक रूप होता है। रजनीगंधा को लगाने से पहले जमीन की खुदाई करके उसे कुछ दिनों के लिए खुला छोड़ दिया जाता है फिर इस गड्ढे में उचित खाद का मिश्रण डाला जाता है। इसके बाद इसके बल्ब को क्यारी में एक फुट के अंतर से लगा दिया जाता है। यदि आप बल्ब को गमले में लगाने जा रहे हैं तो इसे ज्यादा गहराई में न लगाएं।

रजनीगंधा के बल्ब गुच्छों के रूप में रहते हैं तथा एक गुच्छे में 15 से 30 तक छोटे-छोटे बल्ब होते हैं। इन्हें गुच्छों के साथ ही लगाने से आप ज्यादा फूलों

की टहनियां प्राप्त कर सकते हैं। बल्ब लगाने के बाद आप पौधे की उचित रूप से सिंचाई कर दीजिए।

बल्ब लगाने के 10-15 दिन बाद पत्तियां निकलनी शुरू हो जाती हैं। 30-40 दिन बाद पत्तियों के बीच से फूल की टहनियां निकलने लगती हैं। एक टहनी की लम्बाई आमतौर पर 15 से 30 इंच तक होती है तथा टहनी के आखिरी सिरे से बीच तक हरे रंग की कलियां मौजूद रहती हैं, जो कुछ दिनों बाद सफेद फूलों में तब्दील हो जाती हैं।

देखभाल

रजनीगंधा के फूल 15-20 दिन तक पौधे पर ताजा रहते हैं, उसके बाद ये धीरे-धीरे मुरझाने लगते हैं। एक अच्छे बल्ब के तैयार पौधे से आप फूलों की 5-6 टहनियां प्राप्त कर सकते हैं, जबकि कमजोर बल्ब से एक सीजन में एक ही टहनी आती है या कभी-कभी यह टहनी भी नहीं आती।

रजनीगंधा के पौधे को अक्तूबर माह में पानी देना बंद कर देना चाहिए। कुछ दिनों बाद जब इसकी पत्तियां पीली पड़कर सूख जाएं, तब इसके बल्ब को निकालकर खुले में सुखा लें। बल्ब के अच्छी तरह से सूखने के बाद इसे सूखी मिट्टी, चावल की भूसी या अखबार में लपेटकर अगले मौसम तक के लिए सुरक्षित रख लें। ये बल्ब दोबारा मौसम आने पर बेहद अच्छे फूल देते हैं।

फूलों का शहजादा : स्वीट सुलतान

स्वीट सुलतान जाड़े का पौधा है। इसे फूलों का शहजादा भी कहा जाता है। इसका जन्म स्थल मध्यपूर्व एशिया का कराकस क्षेत्र है। कहते हैं कि 17 वीं शताब्दी में इसे ओटोमन सुलतान की देखरेख में पूर्वी क्षेत्र से लाया गया। इसी वजह से इसका नाम स्वीट सुलतान पड़ा। 'स्वीट' शब्द फूल से आने वाली खुशबू के कारण है।

इसके पौधे 80-120 सेंटीमीटर ऊंचे तथा पत्तियां दानेदार होती हैं। फूल तने के ऊपरी भाग पर लगते हैं। फूलों की पंखड़ियां अधिक कोमल तथा आगे का हिस्सा रोंएदार कटा होता है। फूलों के रंग लाल, सफेद, गहरे लाल, गुलाबी, बैंगनी, पीला, नीला आदि रंगों के होते हैं।

किस्में

स्वीट सुलतान की प्रसिद्ध किस्मों में फेवोरिटा, अल्वा, स्प्लेंडेंस, ग्रेसीओसा, सर्वोलेंस, फ्लेवोयेलो, रोसियापिंक, ब्राइडव्हाइट, जाइंट व्हाइट, जाइंट यलो आदि प्रमुख हैं।

कैसे उगाएं?

सर्दियों में उगाए जाने वाले अन्य पौधों की तरह स्वीट सुलतान को भी सितम्बर-अक्तूबर के महीने में बीज बोकर लगाया जाता है।

इसकी पौध किसी क्यारी या गमले में बीज द्वारा तैयार की जाती है, फिर 3-4 पत्तियां आने पर आप इसे अपनी मनचाही जगह पर प्रतिरोपित कर सकते हैं। इस पर फूल 90 से 120 दिन में आते हैं।

वैसे इसे क्यारियों में 25 से 30 सेंटीमीटर की दूरी पर समूह में लगाया जाता है। इसे अच्छी तरह से विकसित होने के लिए पर्याप्त मात्रा में खुली धूप चाहिए। छायादार स्थानों पर इसकी बढ़वार ठीक ढंग से नहीं होती। इसे लगाते समय आप इस बात का खास ख्याल रखें कि इसके आस-पास पानी हरगिज जमा न हो। इसकी जड़ों में पानी लगने पर पौधे पीले पड़ने लगते हैं और उनकी जड़ गलने लगती है। यदि आप इसे गमले में लगाना चाहते हैं तो चौड़े और बड़े गमले का इस्तेमाल करें।

वैसे स्वीट सुलतान को आप जहां कहीं भी उगाएं, वहां पर 1-2 बार गुड़ाई करके घास-फूस और खरपतवार निकाल दें। फिर खाद के लिए 20-25 ग्राम कैल्शियम, अमोनियम नाइट्रेट अथवा डी.ए.पी. 1 वर्गमीटर क्षेत्र के हिसाब से मिट्टी में मिलाएं। ऐसा करने से पौधे अच्छी तरह विकसित होते हैं तथा फूल भी बड़े आकार के मिलते हैं।

स्वीट सुलतान को पानी नियमित देना होता है। अतः 7-10 दिन के अंतर पर सिंचाई करते रहें। एक बार में अधिक पानी देने के बजाय थोड़ा-थोड़ा पानी (हल्की सिंचाई) कुछ दिनों के अंतराल पर देते रहना ठीक रहता है।

देखभाल

यह पौधा बेहद नाजुक होता है। इसमें तीन तरह के रोग लगते हैं। एक रोग जिसमें पत्तियों पर सफेद चूने जैसा दिखाई देता है, जिसे 'पाउडरी मिलडीव' कहते हैं। दूसरे रोग में तना गलने लगता है जिसे 'स्टेमराह' कहते हैं तथा तीसरे रोग में पौधे अचानक मुरझाकर मरने लगते हैं, जिसे 'विल्ट' कहते हैं। अतः पौधों को रोपने से पहले बाविस्टीन या डायथेन एम-45 फफूंदनाशी के घोल में 20-25 मिनट तक अवश्य डुबोकर रखना चाहिए। बाद में 1 लीटर पानी में 2 ग्राम दवा डालकर पौधों पर रोग दिखने पर छिड़काव करना चाहिए। कीट नियंत्रण के लिए मोनोक्रोटोफास या मेरासिस्टाक्स का घोल बनाकर छिड़काव करना चाहिए। यह घोल 2 मिलीलीटर दवा और 1 लीटर पानी के अनुपात में तैयार किया जाता है।

कुछ सुझाव

- स्टीट सुलतान के फूल 90 से 120 दिन में आते हैं। इसके फूलों को कट फ्लावर्स के रूप में पानी में एक सप्ताह तक बड़े आराम से रखा जा सकता है।
- फूल सुबह के समय ही काटें।
- फूलों को शाखा सहित तब काटें, जब फूल अधखिला या ताजा खिला हो।

अदभुत पौधा : शेविंग ब्रश (बांबेकस एपीलिक्टम)

बांबेकस एपीलिक्टम पौधे की जन्मस्थली मैक्सिको मानी जाती है। यह सकुलेंट पौधों की श्रेणी में आता है। यह पौधा अपनी कोशिकाओं में पानी जमा कर लेता है, जिसकी वजह से इसकी सतह पर मोटी गांठ बन जाती है, जो हरे रंग की होने के कारण बहुत सुंदर लगती है।

कैसे उगाएं

बांबेकस एपीलिक्टम को आप बीज व कटिंग दोनों विधियों से उगा सकते हैं। इसके बीज व कटिंग बरसात के दिनों में लगाना ठीक रहता है।

इस पौधे के लिए 25 प्रतिशत खाद तथा 75 प्रतिशत मिट्टी का अनुपात उचित रहता है। इसे गमले तथा क्यारी दोनों में आसानी से उगाया जा सकता है।

इसके फूल सफेद रंग के होते हैं, जिन्हें देखकर शेविंग ब्रश का भ्रम होता है। ये फूल पेड़ लगाने के 3-4 साल बाद पेड़ पर आते हैं। पतझड़ के मौसम

में जब इस पेड़ के पत्ते झड़ जाते हैं, तब इसके तने व टहनी की सुंदरता देखते ही बनती है।

उपयोगी सुझाव

- पौधों को 5-6 घंटे की धूप अवश्य देनी चाहिए।
- गर्मियों में सप्ताह में 2 बार तथा सर्दियों में 7-8 दिन में एक बार पानी अवश्य देना चाहिए।
- समय-समय पर रासायनिक खाद अवश्य देनी चाहिए, इससे पेड़ों में बढ़त आती है।
- महीने में एक बार कीटनाशक दवाएं छिड़कते रहने से पौधे में बीमारियां, कीड़े आदि लगने का अंदेशा नहीं रहता।
- इसे बोनसाई बनाने के लिए पहले 6 इंच के गमले में लगाना चाहिए। बाद में बसंत ऋतु में सावधानीपूर्वक बोनसाई ट्रे में लगा देना चाहिए।

तितली फूल : पेंजी

पेंजी का मूल स्थान फ्रांस माना जाता है। इसका वैज्ञानिक नाम बियोला स्पिसीज है। इसके फूल का आकार व रंग तितली के समान होता है, इसलिए इसे आम बोलचाल की भाषा में 'तितली फूल' भी कहा जाता है।

भारत के कई प्रदेशों में इसकी विभिन्न प्रजातियां लगाई जाती हैं, जिनमें बियोला ट्राइकलर, वै.होरटेंसेस, वै. मैक्सीया और वै.वैरियटा बेहद लोकप्रिय हैं।

चूंकि पेंजी के पौधों की लम्बाई 10-15 सेंटीमीटर तक होती है, इसलिए आप इसे बगीचे की क्यारियों, रास्तों के किनारों व गमलों में लगा सकते हैं। इसके अलावा आप इन्हें लटकने वाली डलियों में भी सफलतापूर्वक लगा सकते हैं।

इन पौधों को क्यारियों में लगाते समय आप इस बात का विशेष रूप से ध्यान रखें कि एक पौधे की दूसरे पौधे से दूरी कम से कम 10-25 सेंटीमीटर अवश्य होनी चाहिए।

पेंजी कैसे उगाएं?

पेंजी को आप बीज से या नर्सरी से पौधे प्राप्त कर अपनी बगिया में लगा सकते हैं। बीज से पौधा तैयार करने की स्थिति में काफी सावधानी की जरूरत होती है, क्योंकि पेंजी के बीज काफी छोटे होते हैं।

यदि आप बीज द्वारा पेंजी को उगाना चाहते हैं, तो इसके लिए आप उसके बीज को सितम्बर से अक्तूबर के बीच में सीड बेड में लगा दीजिए। यहां आप इस बात का खास ख्याल रखें कि सीड बेड में पानी की निकासी का उचित प्रबंध हो तथा गोबर व कम्पोस्ट खाद का 2:1 के अनुपात का उचित मिश्रण हो।

यदि आप पेंजी के पौधों को नर्सरी से प्राप्त करके अपनी बगिया में लगाना चाहते हो तो इसके लिए उचित समय अक्तूबर से दिसम्बर के पहले सप्ताह तक का होता है। इस दौरान आप पेंजी के पौधों को अपनी बगिया की क्यारी में लगा सकते हैं। लेकिन इस बात का आप विशेष रूप से ध्यान रखें कि इन पौधों को शाम के समय आप अपनी बगिया की क्यारी में लगाएं और लगाने के तुरंत बाद सिंचाई कर दें।

उपयोगी सुझाव

- यदि आप अपनी बगिया में लगे पेंजी के पौधों से बड़े आकार के फूल प्राप्त करना चाहते हैं तो इसके लिए आप पौधे से 5-7 सेंटीमीटर की दूरी पर लगभग 5 ग्राम अमोनिया सल्फेट 15-20 दिन के अंतर से दें।
- पौधों को खाद देने के बाद पानी अवश्य दें।
- पौधों को 15 दिन के अंतर पर 2-3 बार ऊपरी भाग तोड़ देने से पौधे घने होते हैं तथा इनमें फूल अधिक संख्या में आते हैं।

देखभाल

- पेंजी के पौधों को भूमिगत रोगों से बचाने के लिए आप वेविस्टीन का 0.25 प्रतिशत का घोल बनाकर पौधों पर छिड़काव अवश्य करें।
- बीज को सीधी धूप से बचाने के लिए सीड बेड को जूट के बैग या पत्ते से जरूर ढकें और बीज के अंकुरण के बाद तत्काल हटा लें। इस तरह से सीड बेड में बोए गए बीज क्यारियों में ट्रांसप्लाट करने के लिए 25-30 दिन में तैयार हो जाते हैं।
- सीड बेड के लिए दोमट मिट्टी वाली क्यारी का इस्तेमाल करें।

सुगंध तथा सौंदर्य का अनोखा संगम : जिरेनियम

वनस्पति जगत में जिरेनियम को 'पेलार गोनियम' के नाम से जाना जाता है। यह शीत ऋतु में खिलने वाला तथा लम्बे समय तक चलने वाला बहुत ही सुंदर पौधा है। इस पौधे की सबसे बड़ी खासियत यह है कि यह साल-भर हरा भरा रहता है। इस पर फरवरी से मई माह तक फूल ज्यादा खिलते हैं।

वैसे इसे गमलों में तैयार किया जाता है, किंतु आप इसे फूलों की क्यारियों,

रास्ते के किनारों पर भी लगाकर इसकी खूबसूरती का आनंद ले सकते हैं।

जिरेनियम का पौधा छोटी अवस्था में एक फुट का तथा दूसरे वर्ष लगभग 2 फुट का हो जाता है। इसका तना गोल तथा हल्के पीले रंग का होता है। इसकी पत्तियां आकार में गोल तथा गहरे हरे रंग की होती हैं। फूल साधारणतया पौधे के ऊपरी हिस्से में गुच्छों में खिलते हैं। गुच्छे में 10–20 तक फूल खिलते हैं। ये फूल पौधे पर लम्बे समय तक लगे रहते हैं, इसी वजह से इस पौधे को प्रत्येक बागबान अपनी बगिया में लगाना चाहता है।

कैसे उगाएं?

आमतौर पर जिरेनियम पौधे को बीज अथवा कटिंग विधि द्वारा उगाया जाता है। इसके बीज भूरे तथा वजन में हल्के एवं आकार में बड़े होते हैं।

यदि आप जिरेनियम का पौधा बीज से हासिल करना चाहते हैं तो इसके लिए आप अक्तूबर के महीने में इसके बीज गमले में डाल दीजिए। कुछ दिनों बाद जब बीज अंकुरित हो जाए और पौधे में 5–6 पत्तियां निकल आएं तब इसे गमले से निकालकर उचित जगह पर लगा दें।

यदि आप पौधे को समय-समय पर उचित मात्रा में खाद व पानी देते रहेंगे तो यह निश्चित रूप से 50 दिन बाद अच्छे फूल देने लगेगा।

जिरेनियम के प्रकार तथा प्रमुख किस्में

पौधे का आकार, फूलों की बनावट, रंग तथा पंखड़ियों की बनावट के आधार पर इन्हें 3 प्रमुख प्रकार में रखा गया है।

- जोनल जिरेनियम
- रीगल जिरेनियम
- आइवी जिरेनियम

जोनल जिरेनियम

इस प्रकार के पौधों में पत्तियों पर भूरी, बैंगनी या सलेटी रंग की धारियां पाई जाती हैं। इन धारियों की वजह से पौधा बेहद खूबसूरत दिखाई देता है।

रीगल जिरेनियम

पेलार गोनियम एजोटी (सफेद), स्नोबेक (सफेद मुड़ी हुई पंखड़ियां), जिरोनिमों (लाल मुड़ी हुई पंखड़ियां), रीगल जिरेनियम की मुख्य किस्में हैं, जिन्हें आप गमलों में लगाकर अपनी बगिया की शोभा को दोगुना कर सकते हैं।

आइवी जिरेनियम

इन किस्मों में पौधे की पत्तियां छोटी व घनी होती हैं और फूल चटकीले रंग के होते हैं। आमतौर पर यह पौधा नीचे की तरफ लटक जाता है। मेडम मार्गेट (सफेद), चार्ल्स टरनर (गुलाबी) तथा मेडम क्रोपी (लाल) इस प्रकार की लोकप्रिय किस्में हैं।

उपयोगी सुझाव

- जिरेनियम पौधे को 2-3 बार बदलना ठीक रहता है। ऐसा करने से पौधे की बढ़त अच्छी होती है तथा फूल आकार में बड़े निकलते हैं।
- जहां तक हो सके पौधे को वर्षा ऋतु में ज्यादा भीगने से बचाएं क्योंकि ज्यादा पानी से इसका तना गल जाता है।
- पौधों को अतिरिक्त खुराक देने के लिए स्टीरामिल व बोनमिल जैसे उर्वरकों का प्रयोग अवश्य करें।
- जिरेनियम के फूल लंबी टहनी के आखिरी हिस्से पर गुच्छों में निकलते हैं इसलिए फूलदान में इन्हें लगाने के लिए लंबी टहनी के साथ ही काटिए।

बगिया की जान : पौपी

चटक रंगों में छटा बिखेरते बगिया की जान कहे जाने वाले पौपी के फूल हर देखने वाले को अपनी ओर आकर्षित करते हैं। इसकी कुछ किस्में निम्न प्रकार हैं :

वार्षिक : पौपी की इस किस्म में साल में एक ही बार फूल खिलते हैं।

द्विवार्षिक : पौपी की इस किस्म में 2 साल में सिर्फ एक बार फूल खिलते हैं।

बारहमासी : पौपी की इस किस्म में साल-भर लगातार फूल खिलते रहते हैं।

पौपी की कुछ लोकप्रिय किस्में

एल्पाइन पौपी

पौपी की यह किस्म ज्यादातर पहाड़ी क्षेत्रों में उगाई जाती है। रॉक गार्डन

के लिए यह एक उपयुक्त पौधा है। गर्मी के मौसम में इसमें सफेद, पीले, नारंगी व लाल रंग के लुभावने फूल खिलते हैं।

आइसलैंड पौपी

आइसलैंड पौपी में जून और जुलाई के महीनों में हल्की सी सुगंध लिए सफेद, गुलाबी, पीले व नारंगी रंगों के फूल खिलते हैं जिनकी पंखड़ियों के किनारों का कटाव बेहद आकर्षक होता है। आमतौर पर इस किस्म के पौधों की ऊंचाई 45 से 60 सेंटीमीटर तक होती है।

लेडीबर्ड पौपी

पौपी की यह सबसे बढ़िया किस्म है। लाल फूलों के बीच में एक काला चकता होता है। इसमें जून से अगस्त के महीने तक फूल खिलते हैं।

ओपियम पौपी

यह पौपी की बेहद लोकप्रिय किस्म है। इसमें बड़े-बड़े और दोहरी पंखड़ियों वाले फूल खिलते हैं।

ओरियंटल पौपी

इस किस्म के सफेद फूलों के बीच में काला रंग होता है।

पिकोटी

यह झालर के समान मुड़े हुए किनारे वाली किस्म है।

फील्ड पौपी

इसमें विभिन्न रंगों में कुछ फूल एक पंखड़ियों वाले तथा कुछ 2 पंखड़ियों वाले होते हैं।

शर्ली पौपी

शर्ली किस्म की पौपी में फूल सफेद, गुलाबी और लाल रंग में दोहरी पंखड़ियों में खिलते हैं।

कैसे लगाएं?

पौपी कई रंगों और किस्मों में पाई जाती है, इसलिए इन सभी को योजना बनाकर लगाना चाहिए। इसे आप दूसरे पौधों के किनारों के रूप में भी लगा सकते हैं, क्योंकि ऐसा करने से इसके लुभावने रंगों की छटा बेहद दिलकश

हो जाती है। वैसे ओरियंटल पौपी खासतौर से किनारों के लिए उपयुक्त मानी जाती है। ये पौधे कुछ टेढ़े-मेढ़े घुमावदार आकार में बढ़ते हैं, अतः पुरानी दीवारों और पथरीले रास्तों से बड़ी आसानी से मेल खा जाते हैं।

पौपी की रोपाई करने के लिए हल्की खाद ठीक रहती है। इसे छाया में लगाना ठीक नहीं रहता। इसके विकास के लिए इसे भरपूर मात्रा में धूप जरूर मिलनी चाहिए। यदि पौधों के बढ़ने के साथ-साथ आप इन्हें छड़ी या बांस की खप्पचियों का सहारा देंगे तो इन्हें बढ़ने में अत्यधिक मदद मिलती है।

जो पौधे बारहमासी हैं, उनके रोपण का सही समय मार्च से मई तक का है। इसके बीज को 6 मिलीमीटर गहराई में बोना चाहिए। 10 से 14 दिनों के बीच बीज में अंकुर फूटना शुरू कर देता है। जब पौधा इतना बड़ा हो जाए कि उसे उखाड़ने और दूसरी जगह रोपने में मुश्किल न हो तो उसे 20-20 सें.मी. की दूरी पर प्रत्यारोपित कर दीजिए।

पौपी से आंतरिक सज्जा

आंतरिक सज्जा के लिए आइसलैंड पौपी काफी अच्छा माना जाता है। यदि आप चाहते हैं कि पौपी आपके ड्राइंग-रूम में काफी दिनों तक सजा रहे तो उसकी कटाई आप उस वक्त करें जब उसकी कलियां फूटना शुरू हो जाएं। कटिंग करने के बाद आप डंठल के सिरे को उबलते हुए पानी में डुबोकर सील कर दें। ऐसा करने से तने की नमी बरकरार रहेगी और फूल जल्दी नहीं सूखेंगे।

देखभाल

कई बार पौपी के पत्तों पर गेरुई रंग की फफूंदी लग जाती है, अतः इस पर समय-समय पर फफूंदनाशक दवा का छिड़काव करते रहें।

चेतावनी

पौपी की कुछ किस्में जहरीली भी होती हैं। ओपियम पौपी के बीज और स्राव एवं आइसलैंड पौपी के सभी भाग जहरीले हाते हैं। अतः इनकी देखरेख करते समय आप रबर के दस्ताने अवश्य पहनें तथा इस बात का ध्यान खासतौर से रखें कि बच्चे इन्हें चबाएं नहीं।

दो घेरेदार पखड़ियों वाला खूबसूरत फूल : स्वीट पी

सर्दियों के मौसम में खिलने वाले फूलों में गुलाब के बाद 'स्वीट पी' ही अधिक आकर्षक और लोकप्रिय फूल है। दो घेरेदार पंखड़ियों वाला यह फूल अलग-अलग रंगों में पाया जाता है। इसकी लोकप्रियता का एक महत्त्वपूर्ण कारण यह भी है कि इसे उगाने और देखभाल में किसी किस्म की परेशानी का सामना नहीं करना पड़ता।

स्वीट पी की विभिन्न किस्में

स्वीट पी की तीन किस्में पाई जाती हैं।

- लंबी
- मध्यम
- बौनी।

लंबी किस्म :

इस किस्म के पौधों की ऊंचाई 6 से 8 फुट तक होती है।

मध्यम किस्म :

इस किस्म के पौधों की ऊंचाई 5 फुट तक होती है।

बौनी किस्म :

इस किस्म के पौधों की ऊंचाई 1.5 से 3 फुट तक होती है।

स्वीट पी के पौधों को कंटेनर, गमलों अथवा बगीचों में बड़ी आसानी से उगाया जा सकता है। इसके पौधे मटर के पौधों की तरह लता की तरह होते हैं, इसलिए इन्हें उगाने के लिए ऊंचे सहारे की जरूरत पड़ती है। यह लाल, बैंगनी, नीला, आसमानी, सफेद, पीला व गुलाबी आदि रंगों में पाया जाता है।

उगाने का तरीका

स्वीट पी को बीज बोकर ही उगाया जाता है। बीज बोने का उपयुक्त समय अक्तूबर तथा नवम्बर का महीना होता है।

इसे क्यारियों में लगाने से पहले मिट्टी को 2–3 बार गोड़कर 10–15 दिनों तक धूप में सूखने के लिए खुला छोड़ दिया जाता है फिर एक बार गुड़ाई करके उसमें कम्पोस्ट अथवा गोबर की खाद मिला दी जाती है। फिर दो दिन बाद उन क्यारियों में पानी भर दिया जाता है। जब मिट्टी गुड़ाई के लायक हो जाती है तो उसे गोड़कर मिट्टी को भुरभुरा बना लिया जाता है। यहां इस बात का विशेष ध्यान रखा जाता है कि बीज मिट्टी में ठीक तरह से ढक जाए, लेकिन बीजों को ज्यादा गहराई तक न बोया जाए।

बोआई के 10 दिन के भीतर ही पौधे उगने शुरू हो जाते हैं। जब पौधे पूरी तरह निकल आते हैं, तब उनकी एक बार सिंचाई की जाती है।

स्वीट पी को गमलों में बोने के लिए यही विधि इस्तेमाल में लाई जाती है और यदि रोपाई करनी हो तो पहले इसकी नर्सरी तैयार कर लें और सावधानीपूर्वक पौधों को उखाड़कर 20 से 25 सेंटीमीटर की दूरी पर रोपाई कर दें। वैसे इसके पौधे नर्सरी अथवा गार्डन सेंटर में उपलब्ध होते हैं।

इसके पौधे या बीज बोते समय एक बात का जरूर ध्यान रखें, कभी भी इसमें रासायनिक खाद का इस्तेमाल न करें।

बीज बोने से पहले

चूंकि स्वीट पी का बीज अधिक कठोर होता है, इसलिए इसमें पौधा आने में अधिक समय लगता है। स्वस्थ व सरल तरीके से पौधा उगाने के लिए बीज को कम से कम 12 घंटे तक पानी में भिगोकर रखा जाता है। इसके बाद बीज को एक बरतन में रखकर उसका मुंह पतले कागज या कपड़े से ढक दिया जाता है। 12 घंटे बाद जैसे ही बीज में अंकुर फूटते हैं, उसे मिट्टी में बो दिया जाता है।

देखभाल

यों तो स्वीट पी के पौधों को देखभाल की विशेष आवश्यकता नहीं होती फिर भी इसकी देखभाल करते समय निम्न बातों का ध्यान अवश्य रखना चाहिए।

- सिंचाई करते वक्त पानी की निकासी का उचित प्रबंध होना चाहिए।
- पौधों को पर्याप्त मात्रा में धूप मिलती रहनी चाहिए।
- पौधे जैसे ही 1 फुट के हों, बास की खपच्चियों द्वारा पौधों को सहारा अवश्य दें।

कुछ विशेष बातें

स्थान का चुनाव

इसके लिए खुली जगह का चुनाव करना चाहिए और वहां पर्याप्त धूप की व्यवस्था होनी चाहिए।

- मिट्टी इस ढंग से बिछानी चाहिए कि पानी उस पर रुके नहीं, बल्कि बह जाए।

रोपाई

- पौधे जब 10 सेंटीमीटर या लगभग 4 इंच तक बढ़ जाएं, उनकी रोपाई तभी करनी चाहिए और एक पौधे से दूसरे पौधे की दूरी 15 से 20 सेंटीमीटर तक होनी चाहिए।
- जब पौधे 10 सेंटीमीटर से अधिक लम्बे हो जाएं तब उनकी गुड़ाई करनी चाहिए। गरमी के मौसम में 7 से 10 दिन के अंतर पर एक बार गुड़ाई अवश्य करनी चाहिए।

बीज उगाना

- स्वीट पी के बीज बसंत में उगाए जाते हैं। इसे चाहें तो सीधे क्यारियों में अथवा कंटेनर में उगाया जा सकता है। बीजों को कम से कम 12 मिलीमीटर की गहराई तक और 15 से 20 सेंटीमीटर की दूरी पर बोना चाहिए। बीज बोते समय कम्पोस्ट खाद इस्तेमाल में लानी चाहिए।

रोग तथा उपचार

- यह एक प्रकार से रोगमुक्त पौधा होता है। इसे इक्का दुक्का ही रोग लगते हैं। आमतौर पर इसे हरे टिड्डों से खतरा रहता है। वे इसकी पत्तियों को खा जाते हैं। टिड्डों पर नियंत्रण पाने के लिए समय-समय पर कीटनाशक दवाओं का छिड़काव करते रहना चाहिए।

यूरोप का नायाब तोहफा : कैलेंडुला

कंपोजिटी कुल से संबंध रखने वाला कैलेंडुला पौधा वनस्पति जगत में 'कैलेंडुला आफीसीनेलिस' के नाम से जाना जाता है। दक्षिणी यूरोप के इस नायाब पौधे की लम्बाई 30 से 60 सेंटीमीटर तक होती है। 10 सेंटीमीटर के दायरे में इसके फूल पौधे पर लगे रहते हैं। फूलों का रंग पीला, नारंगी, हल्का पीला व सिंदूरी लाल होता है।

कैलेंडुला के पौधों को आप गमलों में लगाकर अपने बरामदे में सजा सकते हैं। यों तो कैलेंडुला का फूल गरमी के उतार चढ़ाव को काफी हद तक सह लेता है, लेकिन अधिक तापक्रम से इसके फूलों का रंग हल्का पड़ने लगता है।

कैसे उगाएं?

कैलेंडुला को आप बीज तथा पौध दोनों विधियों से तैयार कर सकते हैं।

इसके लिए नमीदार व अच्छी धूप वाले स्थान की जरूरत पड़ती है। इसके बीज सितम्बर माह में बो दिए जाते हैं। बीज में अंकुरण होने के कारण जब इसकी पौध तैयार हो जाती है, तब इसे गमले या क्यारी में रोप दिया जाता है। यहां एक बात का खास ध्यान रखा जाता है कि पौधे को आप जहां रोपें वहां की मिट्टी में गोबर, कम्पोस्ट की खाद तथा हड्डियों का चूरा (बोनमील) अवश्य मिलाएं और पौधे के फैलाव के लिए उसे पिचिंग जरूर करें।

कैलेंडुला की पौध पर 30-35 दिन बाद कलियां आती हैं। ये कलियां 20-25 दिन बाद फूल बनकर अनोखी छटा बिखेरने लगती हैं।

उपयोगी सुझाव

- कैलेंडुला के फूल फरवरी व मार्च में खिलते हैं, जो शाम होते ही अपनी पंखड़ियों को समेट लेते हैं, इसलिए इसके फूलों को रात की सजावट में इस्तेमाल नहीं किया जाना चाहिए।

हेलिकोनिया

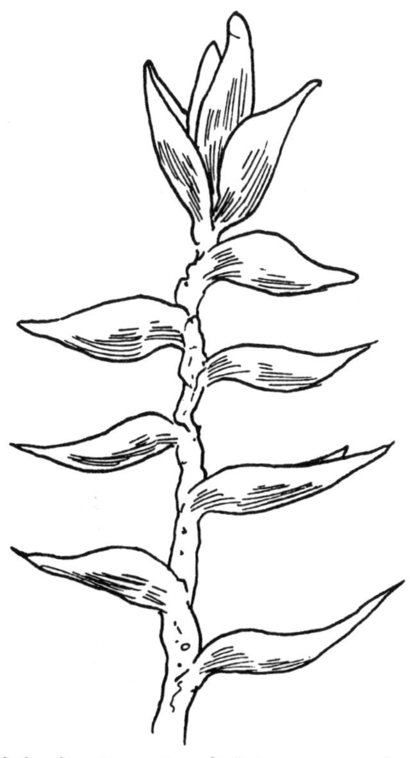

हेलिकोनिया केले के परिवार 'म्यूजेसी' का बहुत ही सुंदर पौधा है। इसमें केले की तरह फल तो नहीं लगते, लेकिन जो फूल उगते हैं, उनकी आकृति नाव की तरह होती है और वे बहुत ही सुंदर होते हैं।

हेलिकोनिया का पौधा आमतौर पर 50-60 इंच तक बढ़ता है। इसकी पत्तियां बड़ी-बड़ी, चिकनी तथा गहरे हरे रंग या भूरे रंग की होती हैं। पत्तियों के डंठल के पास से फूलों का गुच्छा निकलता है, जो ऊपर या नीचे की तरफ लटकता हुआ बेहद खूबसूरत दिखाई देता है। एक फूल के गुच्छे में 20 से 25 नाव की तरह नारंगी, लाल आकृतियां बनती हैं, जिनके किनारे हरे रंग की धारियों से मंडित रहते हैं।

किस्में

आमतौर पर बगीचे में हेलिकोनिया अंगस्टीफोलिया ही अधिक लगाया जाता है। वैसे इसकी लगभग 150 से ज्यादा किस्में उपलब्ध हैं, किंतु इनमें से अधिकतर जंगली हैं। हेलिकोनिया की कुछ लोकप्रिय किस्में इस प्रकार हैं—

- हेलिकोनिया रिवोल्यूटा
- मेरी
- डिस्टेंसा
- जेक्यूलि
- मारजीनेटा
- एक्यूमिनेटा केरीबिया
- रेस्ट्रेटा
- लैटीस्फेथा

इन विभिन्न फूलों की किस्मों में फूल का डंठल सीधा खड़ा रहता है। वैसे हेलिकोनिया की अब कुछ नई किस्में भी उन्नत की गई हैं, जो गमलों में लगाने के लिए उपयुक्त रहती हैं।

कब और कहां उगाएं

हेलिकोनिया का पौधा फूलों की क्यारियों तथा बड़े आकार के गमलों में लगाने के लिए ठीक रहता है। चूंकि इसमें बीज नहीं बनते हैं, इसलिए इसे उगाने के लिए इसके तनों को, जो कि भूमि के अंदर होते हैं, जिन्हें 'राइजोम' कहा जाता है, को विभक्त करके नया पौधा तैयार किया जाता है।

इसे उगाने के लिए वर्षा ऋतु अनुकूल समय है। इस समय तने में जड़ें अधिक निकलती हैं जो कि पौधे को नई जगह पर जमने में मदद करती हैं।

देखभाल

- हेलिकोनिया के पौधे के अच्छे विकास के लिए खुली जगह, अर्थात नमी तथा मिट्टी के साथ पिट मोस मिश्रण अत्यंत आवश्यक है। इससे पौधे को हमेशा नमी मिलती रहती है। कभी-कभी पौधों को फास्फेट देना भी ठीक रहता है।
- सर्दियों में पानी कम देना चाहिए जबकि गर्मियों में दोनों समय पानी देना चाहिए।
- पौधे को तभी विभक्त करना चाहिए, जब पौधा 3-4 साल पुराना हो जाए। इससे पहले आप पौधे को विभक्त करेंगे तो उसकी जीवन शक्ति खत्म होने का भय रहता है।

कर्णफूल

कान के झुमके की तरह गोल-गोल रंग-बिरंगे कर्णफूल मनमोहक तो होते ही हैं, साथ-साथ इनकी पत्तियां भी खूबसूरत होती है। यह 'पैरिसफ्लोरेसी' कुल का सदाबहार पौधा है। इसका वानस्पतिक नाम 'पैरिसफ्लोरा फिटिडा' है और अंग्रेजी में इसे 'पैशन फ्लॉवर' कहते हैं।

कैसे उगाएं

इसके पौधों का प्रसारण टहनियों की कलमों द्वारा वर्षा ऋतु में किया जाता है।

भूमि

कर्णफूल के लिए अच्छे जल निकास वाली मिट्टी उपयुक्त रहती है।

विशेषता

कर्णफूल को पत्तियों सहित गुलदान में सजाकर आप अपने ड्राइंग रूम की शोभा में चार चांद लगा सकते हैं। इसकी सुगंध का अपना ही मजा है।

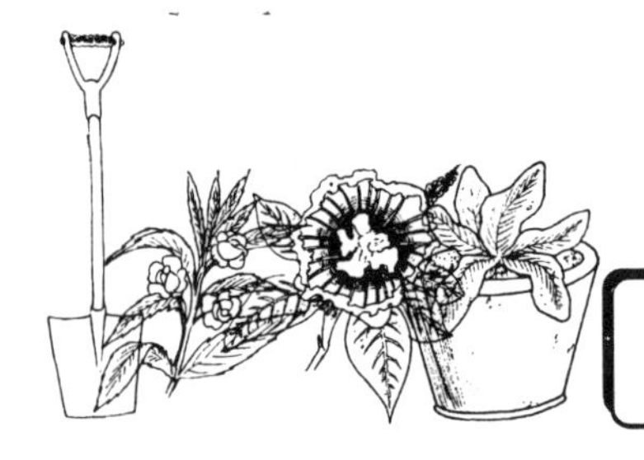

जूही

जैसमिनम वंश के विभिन्न पुष्पों में जूही के पुष्प का एक महत्त्वपूर्ण स्थान है। जूही के फूल की मादक सुगंध सबका मन मोह लेती है। इसका पौधा बहुवर्षीय और सदाबहार होता है जो लता के रूप में बढ़ता है। इसकी लता 15-20 फुट तक चढ़ जाती है।

जूही 'ओलिऐसी' कुल का पौधा है। वनस्पति शास्त्र में इसे 'जैसमिनम' के नाम से जाना जाता है। संस्कृत में इसे 'मुग्धी' 'सूचिमल्लिका' व यूथिका कहते हैं। हिंदी में इसे 'जूही' के अलावा 'जुई' भी कहते हैं।

जूही का फूल खिलने पर लगभग 3 सें.मी.चौड़ा हो जाता है। इसमें 7 या 9 पंखड़ियां होती हैं। फूल पत्तियों के कक्ष में या टहनियों की शिखा पर लगते हैं।

पत्तियों के कक्ष में जो फूल लगते हैं वे या तो अकेले या फिर 2-3 फूलों के गुच्छों में लगते हैं।

जूही की कलियां शाम होने पर फटने लगती हैं और रात होते ही पूरी तरह से खिल जाती हैं। जूही के फूल का रूप धारण करने के बाद ये रात भर अपनी सुगंध से माहौल को महकाती रहती हैं।

जो पुष्प टहनियों की शिखा पर लगते हैं, वे 10–12 फूलों के गुच्छे में होते हैं, जिससे हरी पत्तियों के बीच सफेद फूल और भी खूबसूरत लगते हैं। औरतें जूही के फूलों की वेणी अपने बालों में बड़े चाव से लगाती हैं। इसके अलावा इनसे गुलदस्तों तथा मंडपों आदि को सजाया जाता है।

इसकी खेती उत्तर प्रदेश के जौनपुर, गाजीपुर, फर्रूखाबाद तथा कन्नौज में बड़े पैमाने पर की जाती है। इसके फूलों से सुगंधित तेल और विभिन्न प्रकार के इत्र तैयार किए जाते हैं।

किस्में

उन्नत किस्मों में जूही की सी ओ–1, मल्लाई, पैरिमल्लाई, लार्ज राउंड, शार्ट पाइंट और लार्ज पाइंट किस्में प्रमुख हैं।

कैसे उगाएं

जूही के पौधे दाब कलम विधि द्वारा तैयार किए जाते हैं। दाब कलम विधि का उल्लेख हम इसी पुस्तक के 'कलम लगाना' अध्याय में कर चुके हैं।

जूही के पौधे लगाने के लिए बलुई दोमट मिट्टी उपयुक्त रहती है। मिट्टी चिकनी नहीं होनी चाहिए तथा पौधे के चारों ओर पानी भी नहीं रुकना चाहिए।

पौधे बरसात में लगाने चाहिए। यदि कई पौधे लगाने हों, तो उन्हें परस्पर 6 फुट की दूरी पर लगाने चाहिए।

पौधा लगाने के लिए 30 सें.मी.गहरे व 30 सें.मी. चौड़े गड्ढे गर्मी में खोद लेने चाहिए। एक महीने बाद इन गड्ढों में आधी मिट्टी और आधी गोबर की खाद डाल देनी चाहिए। इनमें 40–50 ग्राम गैमेक्सिन पाउडर भी जरूर मिलाना चाहिए। इससे दीमक से बचाव होता है। एक दो बार बारिश होने के बाद इन गड्ढों में पौधों को रोप देना चाहिए।

जूही की लताएं बाग–बगीचों, गृह–उद्यानों, सार्वजनिक उद्यानों, मिलों, चिकित्सालयों, फैक्ट्रियों, विद्यालयों व कार्यालयों आदि में लगाई जा सकती हैं।

इन्हें पंडालों, फाटकों और तार व रस्सी के सहारे दीवारों और छतों पर चढ़ाकर, स्थान को सजा और महका सकते हैं।

इस प्रकार जूही के फूलों की मधुर सुगंध से सुवासित वायुमंडल मनुष्य के व्यथित मन को उमंगों से भर देता है तथा व्यक्ति मानसिक शांति का अनुभव कर प्रफुल्लित हो उठता है।

कामिनी

रात्रिकाल में पूरी तरह खिलने वाली कामिनी की कलियां बहुत आकर्षक दिखाई देती हैं। इस झाड़ीनुमा पौधे को आप चाहे तो अपने घर की चारदीवारी के किनारे लगाएं या फिर शयनकक्ष के समीप, आप हमेशा सुगंध ही पाएंगे।

'कामिनी' सुगंधित फूलों वाला एक झाड़ीनुमा पौधा है। यह प्रायः 5-6 फुट की ऊंचाई तक बढ़ता है, फिर भी यदि पौधे को बिना काट-छांट के छोड़ दें तो यह 10-12 फुट की ऊंचाई तक पहुंचकर एक छोटे वृक्ष का रूप धारण कर लेता है। इस कारण यह घरेलू तथा अन्य बगीचों और मार्गों के किनारे लगाने के लिए बड़ा ही उपयोगी पौधा है।

कामिनी नीबू वर्गीय फलों के परिवार का बहुवर्षीय पौधा है। इस पौधे का वंश नाम 'मुर्राया' जाति नाम 'एक्सोटिका' तथा वनस्पति शास्त्रीय नाम 'मुर्राया एक्सोटिका' है।

अंग्रेजी में इसे 'आरेंज जैसमिन' कहा जाता है तथा हिंदी में इसे 'कामिनी'

के अलावा 'बिसर' और 'मनोकामिनी' भी कहते हैं। कामिनी का फूल छोटा व सफेद रंग का होता है।

खिलने से पूर्व फूल की कली लगभग 2 सें.मी.लंबी होती है। इसमें 4 मि. मी.लंबा हरे रंग का डंठल भी रहता है। कली की चौड़ाई 5 मि.मी. होती है। दिन ढलते ही कलियां फटने लगती हैं और रात्रि होने पर पूरी तरह खिल जाती हैं।

कामिनी के पौधे में निबोली (निमकौड़ी) की भांति फल लगते हैं, जिनके बीज बोकर कामिनी के पौधे तैयार किए जा सकते हैं। पौधों को पौधशाला (नर्सरी) में तैयार हो जाने के बाद वर्षा ऋतु में यथा स्थान लगा देना चाहिए। लगभग 1 फुट के पौधे पौधशाला से निकालने के लिए उपयुक्त होते हैं। बीज पोलिथीन की थैली में भी बो सकते हैं।

कामिनी के सफेद फूल गाढ़े रंग की हरी पत्तियों पर विशेष रूप से आकर्षक लगते हैं।

ये सूर्योदय के पूर्व तक अपनी सुगंध का पूर्ण लाभ प्रदान करते हैं। बाद में सूर्य के प्रकाश से धीरे-धीरे पुष्प की सुगंध कम होने लगती है। यदि बादल छाए हों तो फूल अधिक समय तक सुगंध बिखेरता रहता है।

शाम होने पर पहले खिले हुए फूलों की पंखड़ियां ढीली पड़ने लगती हैं। इसके बाद रात में ये पंखड़ियां टूट-टूटकर भूमि पर बिखरती रहती हैं, जिन्हें देखकर ऐसा लगता है जैसे जमीन पर सफेद चादर बिछा दी गई हो।

ये पत्तियां हवा से हिलने पर या किसी के हिलाने पर गिरकर भूमि पर बिछ जाती हैं। इस प्रकार नए फूलों के खिलने और खूशबू बिखेरने तथा पूर्व खिले फूलों की पंखड़ियां गिरने का क्रम एक साथ जारी रहता है।

बालसम

बालसम को हिंदी में 'गुलमेहंदी' कहा जाता है। यह गर्मी और वर्षा ऋतु में उगाया जाता है। इसकी पत्तियां पतली तथा भाले के समान नोकदार होती हैं। इसके फूलों का रंग सफेद, गुलाबी, नारंगी, जामुनी, लाल व सुर्ख लाल होता है।

इसका वानस्पतिक नाम 'इमपशेंस बाल समीना' है। यह 'बाल सामिनेसी' जाति से संबंध रखता है और 'टच मी नॉट' नाम से विख्यात है।

किस्में

इसकी डबल व सिंगल दोनों प्रकार की किस्में होती हैं।

भूमि

यह किसी भी प्रकार की भूमि में उगाया जा सकता है। जल निकास की सुविधा उत्तम होनी चाहिए। इसे खुले व धूप वाले स्थान में लगाया जाना चाहिए।

कब बोएं

इसके बीज क्यारियों में जनवरी-फरवरी से मई-जून तक बोए जाते हैं। छंटाई करने के बाद पौधों के मध्य 20 से 30 से.मी.का अंतर रखना चाहिए।.इसकी बौनी किस्म गमलों में उगाई जाती है तथा उसे घर के भीतर, बरामदों में या छायादार स्थानों में रखा जाता है।

बोने के दो-ढाई महीने के बाद पौधों पर फूल आने लगते हैं। इन्हें वाटिका की क्यारियों में भी बखूबी लगाया जा सकता है।

यूफोरबिया

यूफोरबिया पौधों का अपना एक अलग परिवार है जिसके अंदर पत्ते वाले पौधों से लेकर कांटे वाले पौधे तक शामिल हैं। ये पौधे अफ्रीका, मैडागास्कर, अरेबिया, मोरक्को, कांगो, सीलोन, एशिया और भारत में पाए जाते हैं।

यूफोरबिया की लगभग 2000 प्रजातियां उपलब्ध हैं, जिनमें यूफोरबिया कोडिसीफोलिया और यूफोरबिया फ्रूटीकोसा कैक्टस की तरह लगती है। यूफोरबिया पौधों की खासियत यह है कि इसका पत्ता या टहनी तोड़ने पर सफेद रंग का दूध निकलता है।

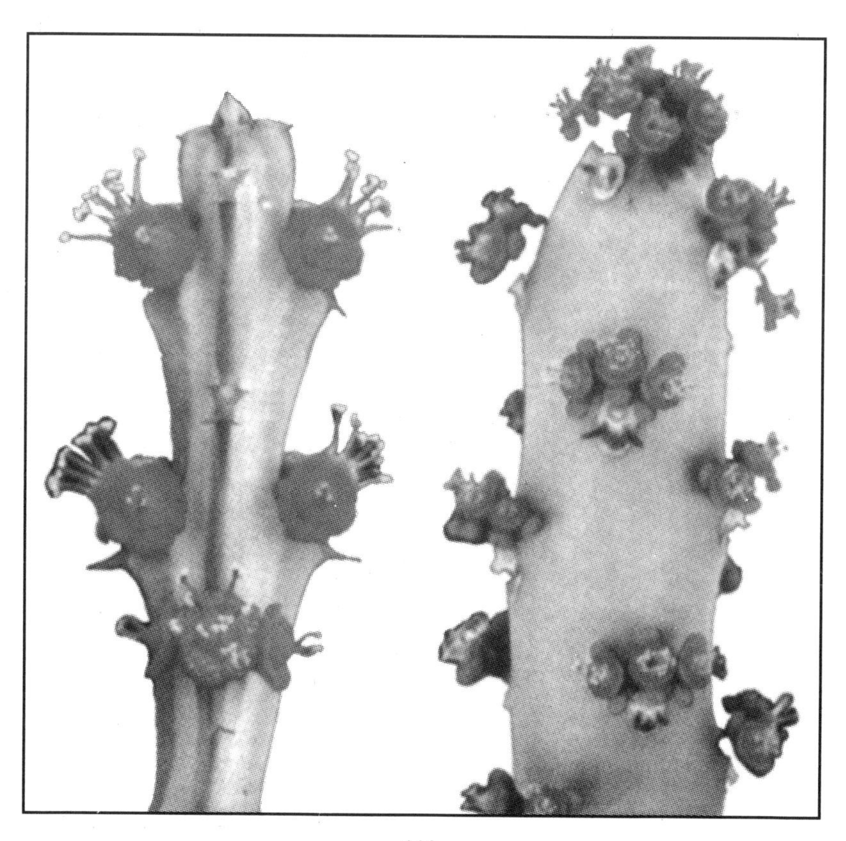

खुश्क वातावरणीय स्थानों पर यूफोरबिया को इंडोर प्लांटस की तरह लगाया जाता है। इसकी कुछ प्रजातियां उम्र के हिसाब से धीरे-धीरे भीमकाय झुंड (3-4 मीटर का झुंड) बना लेती हैं। बरसात के मौसम में इन पर पत्ते आते हैं। सर्दी के मौसम में इनके पत्ते गिर जाते हैं और बसंत आने पर इसके चारों ओर तरह-तरह के फूल खिल जाते हैं।

कैसे उगाएं?

यूफोरबिया पौधों को आप बीज व कटिंग विधि द्वारा उगा सकते हैं। इन्हें गर्मी शुरू होने पर अर्थात बसंत ऋतु के तुरंत बाद इन्हें लगाना ठीक रहता है।

बीज लगाने के लिए 10 प्रतिशत खाद तथा 90 प्रतिशत मिट्टी का अनुपात लेना चाहिए।

कटिंग लगाने के लिए कटिंग को काटकर उसके दूध को अच्छी तरह साफ करके 4-5 दिन छाया में सुखा लेना चाहिए, फिर उसे एक डेढ़ इंच रेत में गाड़ देना चाहिए। करीब 3-4 सप्ताह बाद इनमें जड़ें निकलना शुरू हो जाती हैं।

चेतावनी

यूफोरबिया के पौधों का दूध जहरीला होता है। अतः काम करते समय सावधानी बरतनी चाहिए और इन्हें बच्चों की पहुंच से दूर रखना चाहिए।

कोनोफाइटम

कोनोफाइटम सकुलेंटस पौधों की श्रेणी में आते हैं। यह आम पौधों से अलग होते हैं। जहां कुंभकरण 6 महीने सोता था, वहीं ये पौधे 6 से 9 महीने तक सोते हैं इसलिए भारत में इसे कुंभकर्णी पौधे के नाम से भी जाना जाता है। वैसे ये दक्षिणी अफ्रीका के निवासी हैं और मूल रूप से ही वहां ही पाए जाते हैं। जब ये अपनी प्राकृतिक अवस्था में होते हैं तो ऐसा लगता है जैसे ये पत्थरों में समा गए हों। इनकी कई जातियों को देखकर तो छोटे-छोटे पत्थर होने का भ्रम होता है।

ये पौधे कम जगह घेरते हैं, इसलिए इन्हें खिड़की के छज्जों पर भी रखा जा सकता है। इनका आकार आधे सेंटीमीटर से लेकर 2–3 सेंटीमीटर तक होता है। इसके फूल बेहद सुंदर व आकर्षक होते हैं। कुछ पौधों के फूल दिन में, तो कुछ के रात में खिलते हैं।

कैसे उगाएं?

इन पौधों को बीजों व पौधों के रोपण द्वारा उगाया जा सकता है। इनके बीजों को सर्दियों में बोना चाहिए। ये 3 दिन से लेकर 2 सप्ताह में अंकुरित हो जाते हैं।

देखभाल

- कोनोफाइटम पौधों को चूहों, गिलहरियों, पक्षियों आदि से डर होता है, अतः इनसे बचाव की उचित व्यवस्था करनी चाहिए।
- जब ये पौधे सोते हैं, तब महीने में एक बार कीटनाशक व फफूंदनाशक दवाएं इन पर अवश्य छिड़कनी चाहिए।

मोरपंखी

मोरपंखी हरे रंग का बारीक मुलायम कांटों का गुच्छेदार पौधा होता है। जब गुलाब या अन्य फूलों के गुलदस्ते बनाए जाते हैं, तब इनका भरपूर उपयोग किया जाता है। चूंकि ये बहुत खूबसूरत होता है, इसलिए इससे गुलदस्तों की शोभा में और निखार आ जाता है।

टापियरी विधि द्वारा आप मोरपंखी के पौधों को इच्छानुसार आकार दे सकते हैं। टापियरी विधि, सुर्दशन कला को कहते हैं। इस कला के अन्तर्गत पौधों की कटाई-छंटाई करके उन्हें खूबसूरत बनाया जाता है।

मोरपंखी को लगाने के लिए पहले गमले व गड्ढे की मिट्टी साफ कर ली जाती है। फिर उसमें गोबर की खाद और उम्दा कम्पोस्ट मिला दी जाती है। इसके पौधों को कुछ फैलावदार बनाने के लिए समय-समय पर उसकी छंटाई की जाती है।

वैसे तो यह मोरपंखी गर्मी सहन कर लेता है, फिर भी गर्मी के मौसम में इसे नियमानुसार पानी देते रहना चाहिए।

यदि आप इन्हें गमलों में लगाना चाहते हैं तो बड़े गमलों का चुनाव करना चाहिए। गमलों में भी एक भाग गोबर और पत्ती की खाद तथा एक भाग रेत का मिश्रण बनाकर इन्हें लगाना चाहिए।

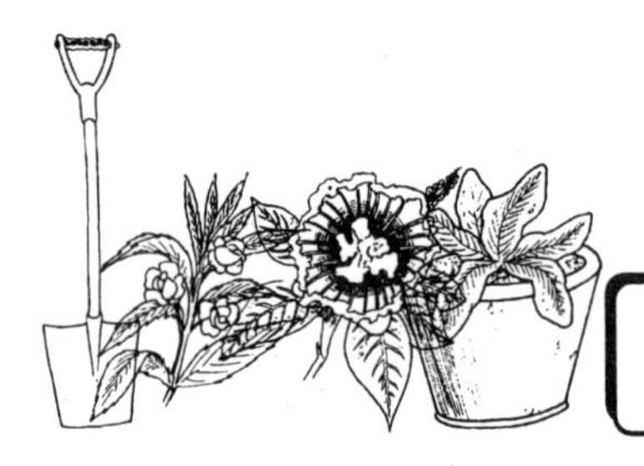

मैक्सिकन एस्टर

मैक्सिकन एस्टर का वानस्पतिक नाम 'कास्मॉस बाइप्नेटिफडा' है। यह कंपोजिटी फैमिली का फूल है। हिंदी में इसे 'दिलरूबा' के नाम से जाना जाता है।

इसके फूल सफेद, गुलाबी, लाल, सुर्ख लाल व जामुनी रंग के और पत्तियां पक्षियों के पंखों जैसी होती हैं।

इसके पौधे की ऊंचाई 36 से 90 से.मी.तक होती है।

किस्में

'अलीपुर ब्यूटी' इसकी अति लोकप्रिय किस्म है। इस किस्म के फूल गुलाबी रंग के होते हैं।

'अली मेम्बर्स'—इसमें कई किस्में होती हैं। इसके फूल हल्के, गुलाबी सफेद और गहरे गुलाबी रंग के होते हैं।

खाद

चूंकि यह पौधा आसानी से उग जाता है, इसलिए इसे अधिक खाद की जरूरत नहीं पड़ती।

भूमि

इसे आप साधारण किस्म की भूमि में ऊंची-ऊंची झाड़ियों के साथ बड़े आराम से लगा सकते हैं।

समय

इसके बीज मध्य सितम्बर से मध्य नवम्बर तक बो देने चाहिए। बीज बोने के ढाई-तीन महीने बाद ही इस पर फूल आने शुरू हो जाते हैं।

सावधानी

पौधों में 30 से 40 से.मी. तक का अंतर अवश्य रखना चाहिए।

पिटुनिया

पिटुनिया बहुत ही सुंदर और जाड़े के मौसम में उगाया जाने वाला आकर्षक पौधा है। भारत में शायद ही ऐसा कोई उद्यान हो जहां यह पौधा न उगाया जाता हो। यह पौधा 20 से 30 से.मी. ऊंचा व मोटी पत्तियों वाला होता है। इसका वानस्पतिक नाम 'पेटुनिया हाइब्रिड' है।

इसके फूल बड़े तथा आकर्षक रंगों (नीले, जामुनी, लाल, गुलाबी, सिंदूरी, बैंगनी, बादामी, पीले तथा किरमिजी) के होते हैं।

किस्में

सुपर्व एम्प्रेस और सुपरबिसिमा इसकी बौनी किस्में हैं।

कहां उगाएं

यह उद्यान की क्यारियों अथवा उनके किनारों पर सामूहिक रूप से उगाया जाता है। सभी बड़े-बड़े उद्यानों में इसकी बौनी किस्म उगाई जाती है।

खाद व भूमि

इसके लिए पत्तों की खाद व हल्की मिट्टी अच्छी रहती है। वैसे समय-समय पर इसे तरल खाद भी देते रहना चाहिए।

कब बोएं

चूंकि पिटुनिया के बीज बहुत हल्के व बारीक होते हैं, इसलिए इन्हें बालू में मिलाकर अगस्त-सितम्बर में बो दिया जाता है। बीज बोने के दो महीने बाद ही इसकी तैयार की गई पौध क्यारियों या गमलों में स्थानांतरित कर दी जाती है। पौधों के मध्य 30 से 45 से.मी. का अंतर अवश्य रखना चाहिए। अच्छे फूल प्राप्त करने के लिए पौधों को भरपूर धूप मिलनी चाहिए।

बुआई के तीन-साढ़े तीन महीने बाद इन पौधों पर सुंदर-सुंदर फूल आने शुरू हो जाते हैं।

ब्रायोफाइलम

ब्रायोफाइलम एक सजावटी पौधा है जो क्रैसुलेसी कुल से संबंध रखता है। आम भाषा में इसे अजूबा कहा जाता है तथा इसकी गणना मांसल पौधों (सकूलेंटस) में की जाती है।

इसकी कई जातियां हैं, जिनमें 'ब्रायोफाइलम इंडिका' ही अधिक लोकप्रिय है। देशी भाषा में इस जाति को 'पत्थरचटा' कहते हैं।

पत्थरचटा में एक विशेष गुण यह है कि चोट लग जाने पर इसकी गूदेदार पत्तियों को कुचलकर घाव पर लगाने से काफी राहत मिलती है।

'ब्रायोफाइलम' शब्द यूनानी शब्दों यानी ब्रायो (फुटाव लेना) और फाइलान (पत्ती) के योग से बना है। इसी के अनुसार ब्रायोफाइलम की पत्तियों के किनारे पूरे घेरे में अपने पौधे के छोटे-छोटे बच्चों (प्लांटलेटस) से घिरे रहते हैं। वास्तव

में होता कुछ यों है कि इन पत्तियों के कटावों पर प्रायः कलियां निकल आती हैं जो फुटाव लेकर पौधों के छोटे-छोटे बच्चों को जन्म देती हैं।

पौधों के ये बच्चे पत्तियों के कटावों की वृद्धि करते हैं। इनका लालन-पालन पौधे की गूदेदार पत्तियों में एकत्रित खाद्य सामग्री द्वारा होता रहता है। कभी-कभी कटावों पर बच्चों की संख्या अधिक हो जाने पर कुछ बच्चे नीचे गिर जाते हैं, जो मिट्टी में जड़ पकड़ लेते हैं। बाद में इन्हें पत्तियों से अलग करके नया पौधा तैयार कर लिया जाता है।

किस्में

अजूबा की 2 किस्में होती हैं—

पहली किस्म की पत्तियां हल्के हरे रंग की होती हैं। इनकी हरियाली सर्दियों में और पुरानी होने पर प्रायः ललाईयुक्त हो जाती है। इसके फूल चमकदार सिंदूरिया रंग के बड़े आकर्षक होते हैं।

दूसरी किस्म की पत्तियां अपेक्षाकृत गाढ़ापन और कुछ पीलापन लिए होती हैं, परंतु ये भूरे या काले रंग के छोटे-छोटे अंडाकार, आयताकार या गोलाकार अथवा बिंदुनुमा चित्रों से भरी रहती हैं। इन कारणों से पत्तियां अधिक सुंदर लगती हैं।

कहां उगाएं

ब्रायोफाइलम के पौधे आप अपनी सुविधानुसार गमलों या क्यारियों में उगा सकते हैं।

कहां सजाएं

ब्रायोफाइलम के पौधों को आप बैठकों में, दालानों में, खिड़कियों पर, छत पर, छज्जों पर, रास्तों के किनारों पर व कार्यालय कक्ष में अपनी पसंदानुसार सजा सकते हैं।

देखभाल

गर्मी के मौसम में पौधों की सिंचाई 5-7 दिन में तथा सर्दियों में कभी-कभी करें। वैसे यदि 10-15 दिन तक भी ब्रायोफाइलम के पौधों को पानी नहीं मिलता, तब भी ये चलते रहते हैं।

स्वीट हार्ट

फिलोडेंड्रान जाति का 'स्वीट हार्ट' सबसे अधिक लोकप्रिय और आसानी से उगने वाला पौधा है। इसे आप मौसपोल या जाली पर भी आसानी से चढ़ा सकते हैं। यह लटकी हुई टोकरी में बहुत ही खूबसूरत दिखाई देता है। इसकी नीचे तक लटकी हुई लताएं सभी का मन मोह लेती हैं। दिल के आकार की इसकी पत्तियां चमकीले हरे रंग की होती हैं। नई पत्तियां 10-15 सेंटीमीटर लम्बी होती हैं और परिपक्व होने पर 30 सेंटीमीटर तक भी जा सकती हैं।

स्वीट हार्ट को अधिक तापमान की जरूरत पड़ती है। 1 से 24 सेंटीग्रेट का तापमान

इसके लिए उपयुक्त रहता है। यह प्रकाश से विपरीत दिशा में बढ़ता है, इसलिए अंधेरे कमरों में इसे बिना किसी परेशानी के सजाया व उगाया जा सकता है।

इसके पौधे को बहुत कम पानी की जरूरत होती है। इसे इतना ही पानी चाहिए कि इसकी मिट्टी हल्की-सी नम रहे। इसे पानी न देने से इतनी हानि नहीं होती जितनी कि ज्यादा पानी देने से हो सकती है। इसके पौधों की अच्छी बढ़त के लिए सामान्य खाद का इस्तेमाल किया जाता है।

देखभाल

- स्वीट हार्ट के पौधे की पत्तियां जब पीली पड़ने लगें तो उन्हें काटकर अलग कर देना चाहिए।
- पौधे को नष्ट करने वाले कीड़ों को भगाने के लिए बड़ी पत्तियों को गुनगुने साबुन के पानी से धोना चाहिए और पत्तियों पर जमी धूल को साफ कर देना चाहिए।
- हर 6 सप्ताह में पत्तियों को चमकाने वाले लीफ शाइन का प्रयोग अवश्य करना चाहिए।

पीकाक प्लांट

पीकाक प्लांट का वानस्पतिक नाम 'केलाभिया मकोयाना' है। यह मरांतासी परिवार से संबंध रखता है। इसकी पत्तियां चमकीले रंग की तथा पक्षी के फैले हुए पंखों की तरह होती हैं। ये पत्तियां 15 सें.मी. के तने पर लगती हैं तथा मुख्य पौधे से दूर होती हैं। इन पौधों को घरों में उगाना बहुत मुश्किल होता है फिर भी यदि उचित तापमान या नमी का ध्यान रखा जाए तो आप इन्हें बड़ी आसानी से उगा सकते हैं।

चूंकि यह पौधा जल्दी-जल्दी बदलने वाले तापमान में पूरी तरह से नहीं उग पाता, इसलिए जब इन पौधों का विकास हो रहा हो तो इनकी वृद्धि के मौसम

में 15 डिग्री सेंटीग्रेड का तापमान उचित रहता है। इन पौधों के लिए न्यूनतम तापमान 10 डिग्री सेंटीग्रेड तक हो सकता है। सही तापमान के अलावा इन पौधों के लिए ऐसी हवा का भी होना बेहद जरूरी है जो खुश्क न हो।

पीकाक प्लांट को ज्यादा से ज्यादा नमी की जरूरत पड़ती है। इसलिए इसे नष्ट होने से बचाने के लिए गमले को नमी वाले बरतन में रखना चाहिए। इनकी अच्छी बढ़वार के लिए 2 सप्ताह में घरेलू खाद का प्रयोग करना चाहिए और इसकी पत्तियों को पत्तियां चमकाने वाले पदार्थ लीफ शाइन से साफ करना चाहिए।

देखभाल

- जब पौधे पर भूरे-सलेटी रंग की फफूंद लग जाए तो इसे हवा में रखना चाहिए और इसकी नमी का ध्यान रखना चाहिए।
- कम तापमान होने पर इस पौधे की पत्तियां निस्तेज व ढीली हो जाती हैं, इसलिए उचित तापमान का प्रबंध करना चाहिए।

स्नेपड्रेगोन

स्नेपड्रेगोन का वानस्पतिक नाम 'एंटीरहेनियम' है। यह 'स्क्रोफुलेरएसी' परिवार से संबंध रखता है। यह पौधा सीधा ऊपर को 75 से 100 से.मी. तक बढ़ता है। इसकी पत्तियां संकरी व कोमल होती हैं। इसके फूल बेहद खूबसूरत व सफेद, हल्का पीला, गुलाबी, सिंदूरी, गहरा लाल, नारंगी आदि रंगों में पाए जाते हैं। फूल की दो पंखड़िया होती हैं। जब फूल को नीचे से दबाया जाता है तो कुत्ते के खुले मुख की तरह दिखाई देने लगता है। इसी वजह से इसे 'डॉग फ्लॉवर' के नाम से भी जाना जाता है।

किस्में

ऊंचाई के हिसाब से स्नेपड्रेगोन की निम्नलिखित किस्में हैं।

- **मध्य या अर्ध बौनी :** इस किस्म के पौधे 60 से 70 सेंटीमींटर तक ऊंचे होते हैं।

- **ऊंची या ग्रेंड फ्लोरम :** इस किस्म के पौधे 90 से 120 सेंटीमीटर तक ऊंचे होते हैं।
- **बौनी या मैजिक कारपेट :** इस किस्म के पौधे 10 से 15 सेंटीमीटर तक ऊंचे होते हैं।

❑ इसकी डबल फूल वाली किस्मों के नाम हैं—
राकेट, सुप्रीम, बैनगार्ड, हाईलाइफ, वीनस, सुपरजेट, टॉपर स्नेपड्रेगोन तथा फ्लोइल कारपेट

❑ इसकी आधुनिक प्रचलित किस्मों के नाम हैं—
सुपर टेट्रा, स्नेपड्रेगोन, ग्लेशियर क्रिमसन ज्येंट हाईनून।

❑ इनके फूल अपेक्षाकृत अधिक फैले हुए होते हैं।

❑ जूलियाना और टिंकर स्नेपड्रेगोन की नव विकसित किस्में हैं। इनके फूल भिन्न-भिन्न आकार के होते हैं तथा फूलों की पंखड़ियां अधिक खुली हुई होती हैं।

कैसे उगाएं

स्नेपड्रेगोन को यदि आप गमलों में उगाना चाहते हैं तो मध्य आकार के पौधों का चुनाव करें और यदि आप इन्हें क्यारियों में लगाना चाहते हैं तो बौनी किस्म के पौधों का चुनाव करें। परन्तु पौधे उगाते समय निम्न बातों पर जरूर ध्यान दें—

- भूमि को आवश्यकतानुसार खाद जरूर दें।
- समय-समय पर आवश्यकतानुसार सिंचाई जरूर करें।
- जब पौधा लगभग 20 सें.मी. ऊंचा हो जाए, तब बढ़वार वाले भाग को ऊपर से 2 सेंटीमीटर लम्बाई में नोंच दें। ऐसा करने से पौधे की पार्श्विक शाखाओं में अत्याधिक वृद्धि होती है। जिस कारण अधिक फूल लगते हैं। यह विधि बड़े फूल वाली किस्मों को छोड़कर अन्य किस्मों में प्रयोग में लाई जाती है।

एस्टर

इस फूल का वानस्पतिक नाम 'केलिस्टेफस चाइनेंसिस' है तथा यह 'कम्पोजिटी' फैमिली का फूल है। चूंकि इसका मूल स्थान चीन है इसलिए यह 'चाइना एस्टर' के नाम से भी जाना जाता है। लगभग 200 साल पहले यह चीन से दूसरे देशों में पहुंचा था।

गृहवाटिका या गृह-सज्जा के लिए यह फूल सर्वश्रेष्ठ है, क्योंकि यह पौधे से अलग होने के बाद दो सप्ताह तक पानी में बिना मुरझाए रह सकता है। यदि पानी में चीनी मिली हुई हो तो इसकी ताजगी और अधिक दिनों तक कायम रहती है।

आमतौर पर एस्टर के पौधे की ऊंचाई 15 से 6 सेंटीमीटर तक होती है।

यह फूल दो किस्म का होता है। बौनी और ऊंची किस्म का। बौनी किस्म में जहां ड्वार्फ क्राइसेंथेमस, ड्वार्फ कर्कवेल, ड्वार्फ क्वीन और ड्वार्फ ट्रायफ के नाम प्रमुख हैं, वहीं ऊंची किस्मों के अंबिया, अमेरिकन, ब्रांजि, उचेज, अर्लीवंडर, क्वीन ऑफ द मार्किट व रोजाबेला के नाम लोकप्रिय हैं।

कैसे उगाएं

एस्टर गमलों में, क्यारियों में बड़ी आसानी से उगाया जा सकता है लेकिन मिट्टी दोमट और जल निकासी की व्यवस्था अच्छी होनी चाहिए।

कब बोएं

ये पौधे अगस्त से अक्तूबर तक बोए जाते हैं। जहां बारिश कम होती है वहां इसे जून-जुलाई में बो दिया जाता है।

खाद

पौधे में कलियों के निकल आने के बाद हर पखवाड़े द्रव खाद देना लाभदायक होता है।

फूल आने का समय

जल्दी फूल देने वाली किस्मों में बुआई के 3-4 महीने बाद फूल आ जाते हैं, जबकि देर से फूल देने वाली किस्मों में बुआई के 5-6 माह बाद फूल आते हैं।

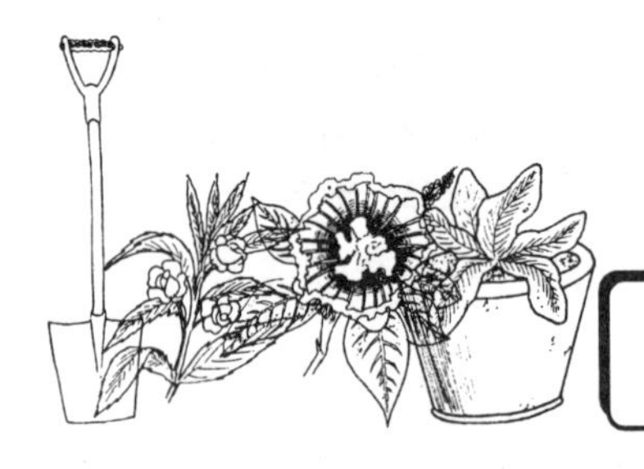

वीपिंग फिग

घरेलू सजावटी पौधों में वीपिंग फिग काफी पसंद किया जाता है। यह फाइकस जाति का पौधा है। इसका वानस्पतिक नाम फाइकस बैंजामिना है। यह न सिर्फ देखने में अच्छा लगता है, बल्कि इसकी देखभाल भी बहुत आसान है। इसकी लंबी, अंडाकार और सिरे से नोकदार हरी पत्तियां देखने वालों का मन मोह लेती हैं।

तापमान

वीपिंग फिग के लिए आदर्श तापमान 18–24 डिग्री सेंटीग्रेड है। चूंकि यह पौधा काफी नाजुक होता है। इसलिए इसे सूर्य की सीधी किरणों से बचाना चाहिए और छाया वाली जगह में ही उगाना चाहिए।

सिंचाई

वीपिंग फिग के पौधे के लिए मिट्टी का नम होना बेहद जरूरी है। लेकिन पानी देते समय इस बात का विशेष ध्यान रखें कि पानी कहीं रुका न रहे। शरद ऋतु में इसे गुनगुने पानी से सींचना पौधे की बेहतर बढ़वार के लिए उचित रहता है।

जलवायु

इसे नमीयुक्त जलवायु की आवश्यकता होती है। इसलिए इसे नियमित रूप से पानी देना चाहिए। ठंडे मौसम में इसे कम पानी देना चाहिए, क्योंकि ठंड के दिनों में इसकी आर्द्रता प्राकृतिक रूप से सुरक्षित रहती है।

खाद/ उर्वरक

वीपिंग फिग की जब पौध तैयार हो जाती है, तब 2 सप्ताह में एक बार तरल उवर्रकों का पोषण देना जरूरी हो जाता है, खासकर गर्मी व बसंत के मौसम में। यदि वीपिंग फिग का पौधा आपने किसी नर्सरी से खरीदा है तो इसे कम से कम 6 महीने तक कोई पोषण नहीं देना चाहिए।

स्थानांतरण

इसकी पौध को एक गमले से दूसरे गमले में लगाने का सही समय बसंत का मौसम है। इसे स्थानांतरित करते वक्त दोमट मिट्टी में गोबर या कम्पोस्ट खाद को अच्छी तरह से मिला देना चाहिए।

देखभाल

- वीपिंग फिग के पौधे को सबसे ज्यादा नुकसान लाल मकड़ियां पहुंचाती हैं। छोटी-छोटी लाल मकड़ियां अक्सर इन पर आक्रमण कर देती हैं। इन मकड़ियों से पौधों को बचाने के लिए पानी की तेज धार का प्रयोग करना चाहिए।
- यदि मकड़ियां पौधे को अपनी चपेट में पूरी तरह से ले चुकी हैं तो पौधे को जलाना ही श्रेयस्कर रहता है ताकि मकड़ियां अन्य पौधों को अपनी गिरफ्त में न ले सके।
- भूरे रंग का 'छोटा स्केल' भी वीपिंग फिग के पौधों को काफी नुकसान पहुंचाता है। यह कीट पत्तियों के नीचे रूई जैसे दिखने वाले खोल में छिपकर रहता है। इसे रूई या कपड़े के गोले में स्प्रिट लगाकर हटाया जा सकता है।

नौलिना

वास्तव में नौलिना एक जंगली पौधा है। चूंकि यह देखने में अति सुंदर और उगाने में आसान है, इसलिए आजकल ये बहुतायत में घरों में सजावटी पौधे के रूप में इस्तेमाल किया जा रहा है। यदि आपके पास पौधे लगाने के लिए बहुत कम जगह है तो आप इस पौधे को वहां रखकर अपने उस स्थान की सुंदरता बढ़ा सकते हैं।

नौलिना अपने गोल तने और मुंह पर उगने वाली लम्बी पत्तियों की वजह से सुंदर दिखाई देता है। इसकी ढेर-सी लम्बी-लम्बी पत्तियां कंद से निकलकर गमले के चारों ओर फैलकर गमले की सुंदरता में चार चांद लगा देती हैं।

नौलिना को भुरभुरी और पथरीली मिट्टी पसंद है। ढलवां पहाड़ी पर भी यह खूब फलता-फूलता है। जंगल में अपनी मर्जी से फैलने वाला नौलिना 6 से 8 फुट की ऊंचाई तक चला जाता है और गमले में उगाने पर इसकी ऊंचाई केवल दो ढाई फुट रह जाती है।

यह पौधा बहुत कम सिंचाई और खाद में भी पनप जाता है। इसके बढ़ने की गति बहुत धीमी होती है। पूरे वर्ष में यह केवल 3-4 इंच तक ही बढ़ पाता है। इसमें फूल या बीज नहीं बनता। इसका प्रसारण जड़ से बनने वाले कंदों द्वारा किया जाता है।

एलपिनीया

एलपिनीया

यह जिनजीबिरेसी परिवार का बाग तथा घरेलू बगिया में लगाया जाने वाला एक खास किस्म का सदाबहार पौधा है। इसकी दो किस्में एलपिनीया कोकसिनीया, एलपिनीया सेनडिरी सर्वत्र लोकप्रिय हैं।

एलपिनीया कोकसिनीया

आमतौर पर इस प्रजाति का पौधा लगभग 3 फुट लम्बाई तक बढ़ता है। इसकी पत्तियां गहरे हरे रंग की तथा लम्बाई में 20-25 इंच तक बढ़ती हैं। इन पत्तियों को मसलने पर इलायची की खुशबू आती है। इसी वजह से यह बागबानी में इलायची पौधे के रूप से जाना व पहचाना जाता है।

गर्मी के मौसम में पत्तियों के बीच से लम्बी टहनी पर इसके फूलों के गुच्छे निकलने शुरू हो जाते हैं जोकि अपनी बनावट में एक बड़े आकार के अंगूर के गुच्छों जैसे दिखाई देते हैं। इन गुच्छों का रंग सफेद, हल्का गुलाबी अथवा हल्का पीलापन लिए होता है। इनके गुच्छों में एक खास बात यह पाई जाती है कि ये असामान्य रूप से चमकीले होते हैं।

फूलदान में लगाने के लिए यह बहुत ही सुंदर फूलों का समूह है, जोकि अपने दम पर बहुत से फूलों की कमी को दूर कर देता है।

एलपिनीया सेनडिरी

इस जाति का पौधा सामान्यता 5 फुट तक बढ़ता है तथा अपनी रंग-बिरंगी पत्तियों की वजह से अपनी खास पहचान अपने आप बनाता है। इनमें से निकले श्वेत, रेशमी चिकने फूलों की कलियां अपनी अनोखी बनावट के कारण अलग ही पहचान बनाए रखती हैं।

कैसे उगाएं?

इन पौधों की बढ़ोतरी इसके जमीन के अंदर लगे हुए राइजोम से की जाती है। राइजोम को बरसात में अलग करके इनके नए पौधे तैयार किए जा सकते हैं। इनकी बेहतर बढ़वार के लिए मिट्टी के साथ पत्तियों की सड़ी खाद का प्रयोग किया जाता है।

यों तो इस पौधे में साल में एक बार ही फूल आते हैं, लेकिन अपने सदाबहार स्वभाव के कारण यह पूरे साल आपकी बगिया में हरियाली की छटा बनाए रखता है।

एलपीनिया की अन्य महत्त्वपूर्ण किस्मों में एलपिनीया केलकेरटा अपने बैंगनी, सफेद, गुलाबी फूलों के गुच्छों के कारण बगिया में लगाया जाता है।

देखभाल

चूंकि एलपिनीया एक सदाबहार पौधा है इसलिए कभी-कभार इस पर दीमक के लगने का भय रहता है। इसको दीमक से बचाने के लिए रडार 20 ई.सी.इस्तेमाल में लाना चाहिए।

कोचिया

कोचिया मूल रूप से फ्रांस व जापान का पौधा है। वनस्पति शास्त्र में इसे 'कोचिया स्कोपैरिया ट्राईकोपिला' के नाम से जाना जाता है। चीनो पोडिएसी कुल का यह पौधा पत्तेदार पौधों की श्रेणी में आता है। इसमें हरे रंग की लम्बी, नोकदार, मुलायम पत्तियां होती हैं।

गर्मियों में उगाए जाने वाले पौधे की लम्बाई करीब-करीब 2 फुट होती है। अपनी बगिया में हैज की तरह इसे लगाकर उसकी सुंदरता में चार चांद लगा सकते हैं।

कैसे उगाएं?

कोचिया के बीज फरवरी के अंतिम सप्ताह से लेकर मार्च तक बो देने चाहिए। बीज बोने के कुछ दिन बाद ही नन्हे-नन्हे पौधे उग जाते हैं, जो लगभग 4 सप्ताह में 4-5 से.मी. लम्बे हो जाते हैं।

अप्रैल के महीने में जब पौधे 4-5 से.मी.के हो जाएं तब इन्हें उखाड़कर गमलों तथा क्यारियों में लगा देना चाहिए। क्यारी में इन पौधों को लगाते वक्त पौधों के बीच की दूरी कम से कम 2 फुट रखनी चाहिए, जबकि एक गमले में एक ही पौधा लगाना चाहिए। मई माह तक कोचिया का पौधा अपने पूर्ण यौवन पर आ जाता है और गोल आकार ले लेता है।

बरसात के अंत में कोचिया का पौधा पूर्ण रूप से परिपक्व हो जाता है। उस समय पौधों की पत्तियों पर बहुत छोटे आकार के लाल रंग के फूल आ जाते हैं। इन्हीं फूलों के पक जाने पर कोचिया के बीज प्राप्त किए जा सकते हैं। पकने पर इन बीजों को इकट्ठा करके रख लिया जाता है और अगले साल इन्हें बोकर काफी संख्या में कोचिया के पौधे तैयार किए जा सकते हैं।

बगिया में सब्जियां उगाएं

किचन गार्डन में आप साल-भर भरपूर उपज पा सकते हैं, परंतु इसके लिए आपको इस बात की जानकारी अवश्य होनी चाहिए कि किस मौसम में कौन-सी उपज बोई जाए। यहां हम आपको इस बात की जानकारी दे रहे हैं कि किस प्रकार की मिट्टी पर और किस माह में कौन-सी फसल बोकर आप ज्यादा से ज्यादा सब्जियां उगा सकते हैं।

आलू

सबसे पहले हम आलू के बारे में ही बातचीत करते हैं। एक जमाना था जब आलू अमेरिका व पेरु, चिली प्रदेशों में बहुतायत में पैदा होता था। वहीं से आलू की खेती भारत में पहुंची और आज भारत में आलू की पैदावार अमेरिका, पेरु और चिली से अधिक होती है। वास्तव में यह एक ऐसी सब्जी है जो घर-घर में समान भाव से बनाई जाती है और सब जगह लोकप्रिय है। हमारे देश भारत में आलू की तीन किस्में पाई जाती हैं—

- मैदानी
- पहाड़ी
- शाख

मैदानी आलू कुछ मीठे होते हैं। इनमें सबसे लोकप्रिय आलू पहाड़ी इलाकों के होते हैं, जिनका स्वाद मीठा नहीं होता। शाख आलू नंगार एवं बिहार में ही पैदा होते हैं। यह आलू देखने में शकरकंद जैसा और इसका रंग सफेद होता है।

शिमला, अलमोड़ा, नैनीताल और नीलगिरि जैसे पहाड़ी स्थानों में पहाड़ी

आलुओं की उम्दा किस्में पाई जाती हैं, जबकि मैदानी आलू बिहार और उत्तर प्रदेश में पैदा किए जाते हैं।

कब बोएं

यदि आपका किचन गार्डन किसी पहाड़ी इलाके पर बना है तो आप अपने यहां आलुओं को फरवरी के शुरू में और मार्च-जून में बो लें। यदि आपका किचन गार्डन किसी मैदानी इलाके में स्थित है तो आप इसकी बुआई अगस्त के अंतिम सप्ताह से लेकर अक्तूबर के अंतिम सप्ताह तक कर सकते हैं। यदि आप बंगाल या बिहार के निवासी हैं, तो आप अपनी बगिया में शाख आलू जून से लेकर जुलाई के अंतिम सप्ताह तक बो सकते हैं।

कैसे बोएं

सबसे पहले गार्डन की जमीन पर खाद बिखेर दें। यह खाद कम्पोस्ट अथवा गोबर की हो तो बेहतर है। अब आप जमीन को खुरपी अथवा कुदाल से अच्छी तरह खोद डालें। इसके बाद मिट्टी समतल कर दें। यहां इस बात का विशेष ध्यान रखे कि मिट्टी भुरभुरी होनी चाहिए। अब क्यारियां तैयार करें। क्यारियां तैयार करते समय यह बात ध्यान में रखें कि क्यारियां एक-दूसरे से लगभग 35 सेंटीमीटर की दूरी पर होनी चाहिए।

अब क्यारियों में आलू बोएं। आलू अधिक गहराई में न रोपें। 5 सेंटीमीटर की गहराई काफी है। अब इस पर हल्की सिंचाई कर दें।

कुछ दिनों बाद जब पौधे उग आए तो इसकी निराई कर दें। यह तभी करें जब पौधे की लम्बाई लगभग 15 सेंटीमीटर तक बढ़ जाए। निराई के बाद अमोनिया खाद छिड़ककर गुड़ाई कर दें।

यों तो आलू प्रत्येक जमीन पर उगता है, मगर इसके लिए दोमट मिट्टी अधिक फायदेमंद साबित होती है।

देखभाल

क्यारियों में अच्छे किस्म के आलू बोने चाहिए। चूंकि आलू के अलग से बीज नहीं होते, इसलिए क्यारियों में नन्हे-नन्हे आलू ही बोए जाते हैं।

आलू की जब पौध बढ़ती है तब इसको विशेष देखभाल की जरूरत पड़ती है। अक्सर सिंचाई करने से क्यारियों की मिट्टी का रक्षण होता है। जिससे पौध की जड़ उखड़ने लगती है। ऐसी हालत में क्यारियों की मिट्टी को ठीक करते रहना चाहिए। यदि पौध की जड़ नंगी होने लगे तो उस पर मिट्टी थोप देनी चाहिए।

क्यारियों में पानी जमा नहीं रहना चाहिए। क्यारियों में पानी की निकासी का उचित प्रबंध होना चाहिए।

आलू की पैदावार लगभग 4 महीने में शुरू हो जाती है। जब पौध के पत्ते पीले पड़ने लगें तो समझ जाइए कि आलू की फसल तैयार हो गई है। फसल पकते ही आलू निकाल लेने चाहिए अन्यथा इनके अधिक दिनों तक जमीन में पड़े रहने से इनके सड़ने की संभावना रहती है। फसल में जो नन्हे-नन्हे आलू मिले उन्हें बीज के रूप में इस्तेमाल करने के लिए अलग से रख लें।

रोगों व कीटाणुओं से बचाव

उचित देखभाल के अभाव में आलू की पौध को रोग लग जाते हैं। आलू जिन कीटाणुओं चपेट में आता है उनमें लीफ हापर्स, कटवर्म्स एवं एफिड्स आदि प्रमुख हैं। इन कीटाणुओं से आलू की पौध को बचाने के लिए फसल पर तत्काल निकोटिन, सल्फेट, डी.डी.टी. पैराथियान, एलड्रिन और फाली डाल आदि दवाओं का छिड़काव करना चाहिए।

कीटाणुओं के अलावा आलू की फसल को बंगड़ी, फुगना, ऐंठन, मोजेक एवं खोखा आदि रोग भी लग जाते हैं। इन रोगों के कारण पौध मुरझाने लगती है और उसके पत्ते पीले पड़ जाते हैं। इन रोगों से छुटकारा पाने के लिए अच्छी दवाइयां बाजार में उपलब्ध हैं।

बीज की सुरक्षा

जैसा कि हम आपको बता चुके हैं कि आलू की फसल में जो नन्हे-नन्हे आलू पाए जाते हैं, उन्हें बीज के तौर पर अगली फसल उगाने के लिए अलग से सुरक्षित करके रखा जाता है। इन आलुओं को 'हेना' कहा जाता है। चूंकि 'हेना' में कीड़े आदि लगने की संभावना रहती है, इसलिए इसे अगली रोपाई तक बालू में रख देना चाहिए।

जब इन आलुओं के बोने का मौका आए तब इन्हें एराटान या एगलोन के 0.2 प्रतिशत घोल में डुबोकर बोना चाहिए।

नोट : चूंकि आलू की अब कई किस्में विकसित कर ली गई हैं, इसलिए अब इनके बीज बाजार में भी आसानी से मिल जाते हैं।

टमाटर

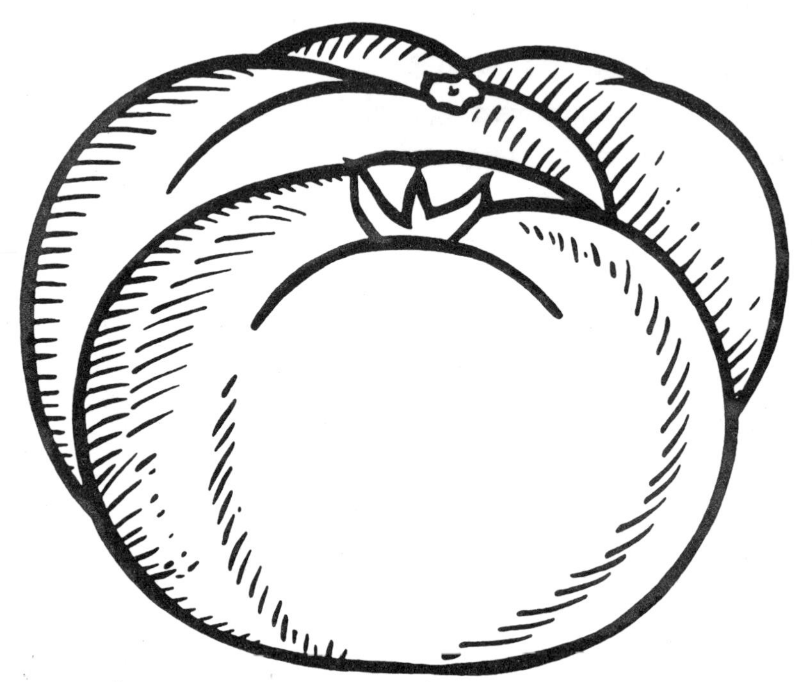

आलू के बाद टमाटर ही ऐसी सब्जी है, जिसे हर तबके के लोग बड़े चाव से खाते हैं। टमाटर खाने में ही स्वादिष्ट नहीं, बल्कि पौष्टिक तत्वों से भी भरपूर है। इसमें लवण तथा विटामिन 'ए' और 'सी' बहुतायत में पाया जाता है।

कब बोएं : कहां बोएं

टमाटर समतल जमीन पर ही बोया जाता है। इसके छोटे-छोटे झाड़ीनुमा पेड़ होते हैं, जिनकी डालियों पर टमाटर लगते हैं। अतः इसके लिए आप जो क्यारियां तैयार करें, वह आलू की फसल की तरह उभरी हुई न हों।

यों तो टमाटर की फसल वर्ष-भर प्राप्त की जा सकती है, किंतु इसे बोने का सबसे बढ़िया समय बसंत ऋतु है। इसकी पैदावार प्रत्येक मिट्टी पर सुगमता से हो जाती है। फिर भी इसके लिए दोमट तथा बलुई मिट्टी बढ़िया रहती है।

कैसे बोएं

टमाटर बोने के लिए सबसे पहले आप बाजार से बीज लाकर जमीन पर छिटक दें, फिर ऊपर से खाद डाल दें। अगर जमीन पहाड़ी हो तो उसे जोतकर उसमें बीजों को एक-दो से.मी. की गहराई में बो दें।

लगभग 3 से 4 सप्ताह तक बीजों की पौध निकल आएगी।

देखभाल

जब आप पौधों की निराई करें तो उन्हें दो-ढाई सेंटीमीटर ही करें। चूंकि निराई के वक्त पौधे बहुत कमजोर होते हैं, इसलिए उन्हें बांस या खपप्चियों का सहारा अवश्य दें।

पौध में कीड़े आदि न लगें, इसके लिए क्यारियों में समय-समय पर बी.एच.सी. का पाउडर अवश्य छिड़कें।

आमतौर पर टमाटर की पौध को जो कीड़े नुकसान पहुंचाते हैं, वे हैं चेपा और सफेद मक्खियां। इन कीड़ों के पौध पर आक्रमण करते ही सारी पत्तियां सूखकर मुरझा जाती हैं। इनसे छुटकारा पाने के लिए मैलाथियान का पानी मिला घोल महीने में लगभग 2 या 3 बार फसल में छोड़ना चाहिए।

प्याज

प्याज का सब्जियों में प्रमुख स्थान है। यह एक ऐसी सब्जी है जो अपने आप अकेले नहीं बनाई जाती, बल्कि अन्य सब्जियों को अधिक स्वादिष्ट, गाढ़ा और बेहतर बनाने के लिए इस्तेमाल में लाई जाती है।

भारत में इसका सेवन प्राचीन काल से किया जा रहा है। इसमें अनेक पौष्टिक तत्त्व निहित हैं। इसमें विटामिन 'बी' और 'सी' की काफी मात्रा पाई जाती है।

इसे लगभग प्रत्येक तरह की मिट्टी में उगाया जा सकता है, फिर भी देखा गया है कि इसकी पैदावार के लिए दोमट मटियार मिट्टी अधिक उपयुक्त रहती है।

कब बोएं

जिनका किचन-गार्डन पहाड़ी क्षेत्रों में है, वे प्याज के बीज बसंत ऋतु के आगमन के साथ लगाना आरम्भ कर दें और जून के अंत तक इसे लगा ही लें।

महाराष्ट्र व दक्षिणी भारत के निवासी इसे बारिश के मौसम में रोप सकते हैं।

उत्तर प्रदेश के किचन गार्डन में इसका रोपण अक्तूबर से दिसम्बर के तीसरे सप्ताह तक कर लेना चाहिए, जबकि बिहार में इसका रोपण दिसम्बर से लेकर फरवरी के मध्य तक कर लेना चाहिए। पंजाब में इसे सितम्बर से नवम्बर के अंतिम सप्ताह तक रोपा जा सकता है और बंगाल में अगस्त से दिसम्बर के अंतिम सप्ताह तक। मध्य प्रदेश तथा गुजरात के इलाकों में भी इसे अगस्त से दिसम्बर तक रोप देना चाहिए।

कैसे बोएं

प्याज के बीज रोपने के लिए जमीन का मुलायम या नम होना बेहद जरूरी है, अतः जमीन को अच्छी तरह से नम व भुरभुरी कर लेना चाहिए। इसके बाद इस पर खाद छोड़ देनी चाहिए। आमतौर पर प्याज की उम्दा फसल के लिए गोबर की खाद बेहतर रहती है। खाद को मिट्टी के साथ एकसार करके जमीन को समतल कर दें।

अब इस भूमि पर अपनी खपत के अनुसार बीज छिटक दें। जब तक बीजों की पौध निकले तब तक किचन-गार्डन में नालीदार क्यारियां तैयार कर लें। कोशिश करें कि क्यारियां एक-दूसरे से 30 सेंटीमीटर की दूरी पर हों।

जब प्याज की पौध अंकुरित हो तो उसे सावधानी से उखाड़कर क्यारियों में 15-15 सेंटीमीटर की दूरी पर रोप दें।

प्याज की फसल लगभग ढाई महीने से चार महीने में तैयार हो जाती है।

देखभाल

- प्याज के आस-पास खरपतवार को अवश्य हटाना चाहिए।
- सिंचाई से जमीन का क्षरण हो तो पौध को मिट्टी से ढक देना चाहिए।
- स्वस्थ पौध के लिए क्यारियों में नाइट्रोजन, फासफोरस, गोबर, राख व सरसों की खली की खाद का प्रयोग करना चाहिए।
- पौध को कीटाणुओं से बचाने के लिए कीटाणुनाशक मेटासिस्ट, मैलोथियान व आयोडीन का प्रयोग करना चाहिए।

मूली

मूली भारत की लोकप्रिय फसल है। यह वार्षिक तथा द्विवार्षिक दोनों श्रेणियों में आती है। भारत में इसका इस्तेमाल पुरातन काल से होता आ रहा है। वैसे इसका मूल स्थान दक्षिणी चीन है। स्वास्थ्य के लिए मूली बहुत ही गुणकारी सब्जी है।

किस्में

मूली की तीन प्रमुख किस्में हैं—

- **देसी किस्म**

इस किस्म की मूली लम्बी, मोटी और चौड़ी होती है। इसे बेमौसम में भी तैयार किया जा सकता है।

- **एशियाई किस्म**

इस किस्म की मूली का गूदा कम व रेशा अधिक होता है। यह 40 से 45 दिनों में तैयार हो जाती है।

- **यूरोपीय किस्म**

यह 25–30 दिन में खाने के लिए तैयार हो जाती है। यह आकार में छोटी तथा खाने में स्वादिष्ट होती है।

भूमि

यों तो मूली की खेती सभी प्रकार की मिट्‌टी में की जा सकती है किंतु इसके लिए बलुई दोमट मिट्‌टी अच्छी रहती है।

जलवायु

यह शीतकाल की सब्जी है। इसके लिए 10–15 डिग्री सेंटीग्रेड तापक्रम उपयुक्त होता है। कोमल व स्वादिष्ट मूली जाड़ों में ही होती है। गर्मियों में मूली जड़ीली व रेशेदार होती है।

तैयारी

मूली के लिए गहरी जुताई की आवश्यकता होती है। 4–5 बार जुताई अवश्य करनी चाहिए।

बुआई

मूली के लिए क्यारियां तैयार की जाती हैं। इन क्यारियों में 37–45 सेंटीमीटर के अंतर पर मुंडेरे बनाई जाती हैं। इन मुंडेरों (मेंड़ों) में 1 से 1.5 सेंटीमीटर के अंतर की गहराई पर बीज बोए जाते हैं।

समय

उत्तरी भारत में जून से सितम्बर तक मूली बोई जाती है। पहाड़ी क्षेत्रों में बुआई मार्च से अगस्त तक होती है।

खाद

इसके लिए गोबर की खाद उपयुक्त रहती है। यदि गोबर की खाद न मिले तो सुपर फॉस्फेट, अमोनिया सल्फेट और पोटेशियम का मिश्रण देना चाहिए। वैसे आवश्यकतानुसार फास्फोरस भी दिया जा सकता है।

सिंचाई

मूली का खेत लगातार नम रहना चाहिए। साधारणत: 8–9 दिन तक वर्षा ऋतु में 15–20 दिन बाद सिंचाई करनी चाहिए।

गुड़ाई

मूली के लिए 3–4 बार गुड़ाई करना अत्यंत आवश्यक है।

देखभाल

एफिड नाम का कीट मूली को सर्वाधिक हानि पहुंचाता है। इन कीटों पर नियंत्रण पाने के लिए फसल पर निकोटीन सल्फेट का छिड़काव करना चाहिए। वैसे मैलोनिन्यन अथवा कोलीडोल का प्रयोग भी लाभकारी होता है।

गाजर

गाजर की खेती पूरे भारत में की जाती है। मध्य एशिया में इसका मूल स्थान पंजाब और कश्मीर की पहाड़ियां हैं। आमतौर पर यह लाल, पीली, काली व बैंगनी रंगों की होती है।

भूमि

गाजर के लिए गहरी, ढीली दोमट मिट्टी की जरूरत होती है। अधिक अम्लीय या कठोर चिकनी मिट्टी में इसका उत्पादन बेहतर ढंग से नहीं होता।

जलवायु

गाजर सर्दियों की फसल है। इसकी उपज पर तापमान का प्रभाव पड़ता है। 15–20°C तापमान इसके लिए ठीक रहता है।

खाद

गाजर की फसल के लिए गोबर की खाद उपयुक्त रहती है।

बुआई

गाजर के बीज मेंड़ बनाकर या छितराकर, दोनों तरीकों से बोए जा सकते हैं। मेंड़ें 45 सेंटीमीटर के अंतर पर 20–25 सेंटीमीटर ऊंची बनानी चाहिए।

सिंचाई

शुरू में सिंचाई जल्दी करनी चाहिए। उसके बाद 10–15 दिन के अंतर से सिंचाई करनी चाहिए।

शलजम

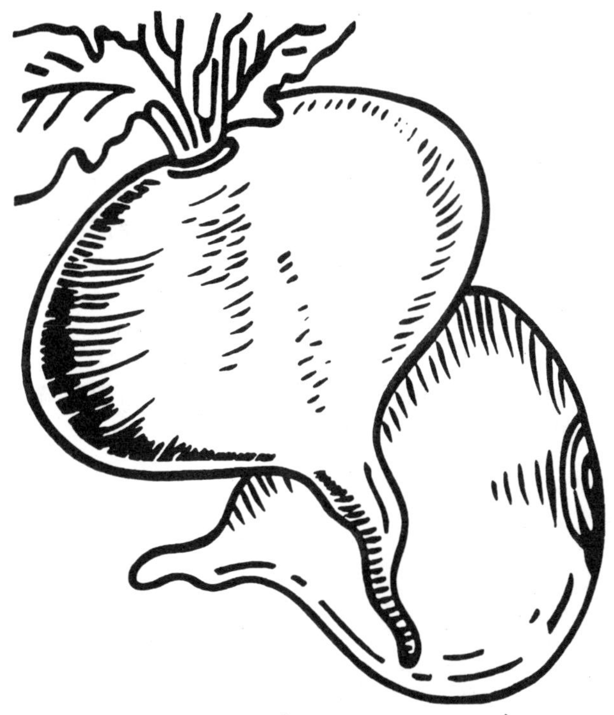

शलजम का मूल स्थान भारत और यूरोप माना जाता है। पंजाब, हरियाणा व उत्तर प्रदेश में इसका बहुत उत्पादन होता है।

भूमि

वैसे तो शलजम को हर प्रकार की मिट्‌टी में उगाया जा सकता है, किंतु दोमट, बलुई व भुरभरी मिट्‌टी इसके लिए उपयुक्त होती है। कठोर भूमि इसके लिए ठीक नहीं रहती।

खाद

गोबर की सड़ी-गली खाद इसके लिए बेहतर होती है।

समय

शलजम की देसी किस्में उत्तरी भारत में जुलाई से सितम्बर तक और विदेशी किस्में मार्च से जून तक बोई जाती हैं।

बुआई

शलजम के बीज मेंड़ें बनाकर बोए जाते हैं। मेंड़ें 45 सेंटीमीटर के अंतर पर 15-20 सेंटीमीटर ऊंची बनाई जाती हैं। बीज को गीली मिट्टी में 0.5 सेंटीमीटर गहराई तक बोया जाता है। बीजों के मध्य 15 सेंटीमीटर का अंतर रखा जाता है।

सिंचाई

अंकुरण के बाद सिंचाई अवश्य करनी चाहिए। सिंचाई करते वक्त इस बात का खास ध्यान रखा जाता है कि मेंड़ के सिरे तक नहीं पहुंचे।

गुड़ाई

समय-समय पर खरपतवार को निकालते रहना चाहिए। पहले गुड़ाई करके मिट्टी को नरम, भुरभुरा बना लेना चाहिए और गुड़ाई के बाद जड़ों पर मिट्टी चढ़ा देनी चाहिए।

फूल गोभी

फूल गोभी का मूल स्थान दक्षिणी यूरोप है। भारत में इसका प्रवेश मुगलकाल में हुआ था। आज इसकी खेती भारत के सभी प्रदेशों में की जाती है।

जलवायु

शीत व आर्द्र जलवायु चाहने वाली इस सब्जी के लिए तापमान 15–22° C है। वैसे न्यूनतम 8° C व अधिकतम 25° C पर यह उगाई जा सकती है। उच्च तापमान या गर्मी इसकी फसल के लिए हानिकारक है।

खाद

भूमि की तैयारी के समय गोबर की खाद डाली जाती है। इसके बाद तीन बार सुपर फॉस्फेट, पोटेशियम सल्फेट और अमोनियम सल्फेट का मिश्रण देना चाहिए।

समय

मैदानी क्षेत्रों में इसकी पौध जुलाई से अक्तूबर तक, पहाड़ी क्षेत्रों में मार्च से जुलाई तक तथा दक्षिण में सितम्बर से नवम्बर तक तैयार की जाती है।

सिंचाई

पौध रोपने के तुरंत बाद हल्की सिंचाई कर देना ठीक रहता है। उसके बाद 5-6 दिन के अंतर से निरंतर सिंचाई करनी चाहिए।

भूमि

फूल गोभी वैसे तो हर प्रकार की मिट्टी में उगाई जा सकती है किंतु दोमट मिट्टी इसके लिए अति उत्तम रहती है।

मटर

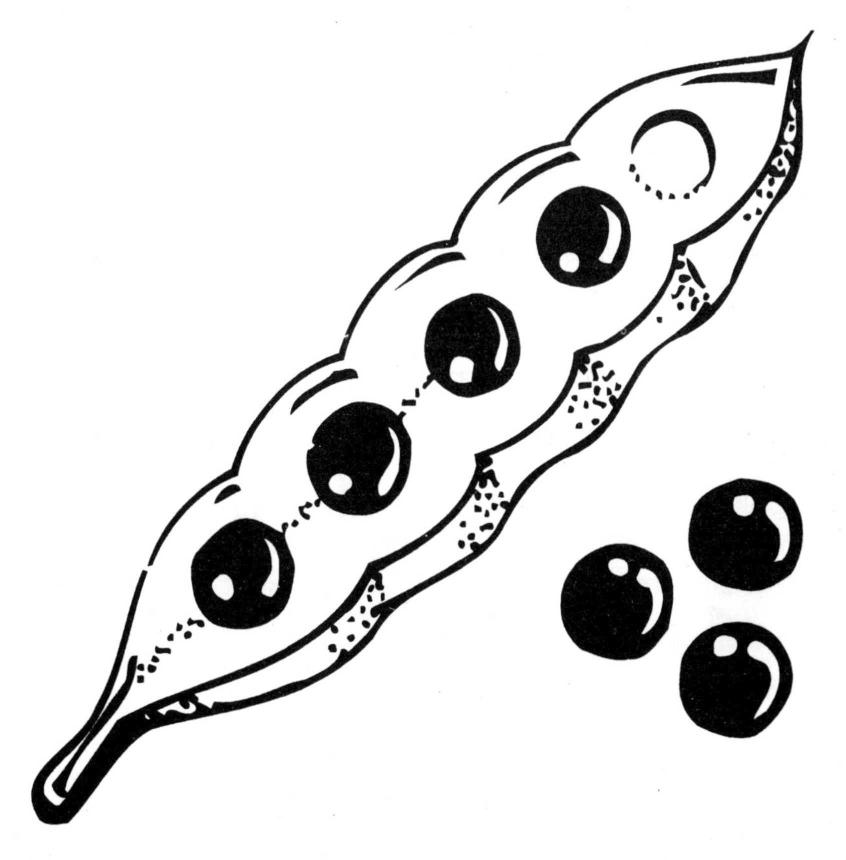

मटर का मूल स्थान इथोपिया माना जाता है। वैसे तो यह पूरे भारत में बोया जाता है, किंतु पंजाब, उत्तर प्रदेश, बिहार और मध्य प्रदेश आदि राज्यों में इसका उत्पादन बहुतायत में किया जाता है।

भूमि

मटर को सभी प्रकार की उपजाऊ भूमि में बोया जा सकता है। वैसे इसके लिए ढीली, भुरभुरी, दोमट मिट्टी अच्छी रहती है।

जलवायु

मटर शुष्क व ठंडी जलवायु की फसल है। यह ज्यादा ठंड बर्दाश्त नहीं कर सकती। इसके लिए अनुकूल तापमान 18–19° C है।

खाद

इसकी अच्छी फसल के लिए वर्षा ऋतु में गोबर की खाद का इस्तेमाल करना चाहिए। उसके बाद पहली जुताई के समय सुपर फॉस्फेट तथा अमोनिया सल्फेट उर्वरक डालने चाहिए।

समय

पहाड़ी क्षेत्रों में मार्च से मई तक, उत्तरी भारत के मैदानी क्षेत्रों में मध्य अक्तूबर से दिसम्बर के पहले सप्ताह तक बौनी किस्में बोई जा सकती हैं। इससे पहले बोया जाने वाला बीज सूक्ष्म जीवाणुओं के कारण सड़–गल सकता है।

बुआई

मटर को क्यारियों में मेंड़ बनाकर बोया जाता है।

सिंचाई

बुआई के बाद सिंचाई जल्दी कर देनी चाहिए। 8–10 दिन बाद बीजों के अंकुरित होने पर फिर से सिंचाई करनी चाहिए। इसके बाद 15–20 दिन के अंतर से आवश्यकतानुसार सिंचाई करते रहना चाहिए।

बैंगन

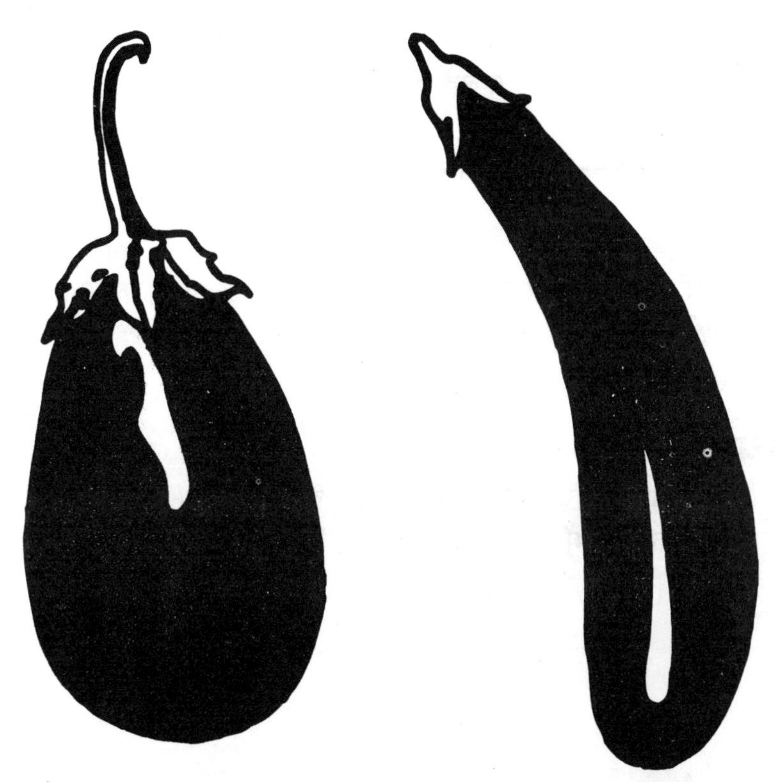

बैंगन का मूल स्थान पूर्वी भारत तथा दक्षिणी चीन है। हमारे देश में यह प्राचीन काल से उगाया जा रहा है। यह पूरे साल मिलता है।

भूमि

बैंगन हर प्रकार की भूमि में सफलतापूर्वक उगाया जा सकता है। वैसे इसके लिए दोमट मटियार व मटियार भूमि ज्यादा उपयुक्त रहती है।

जलवायु

बैंगन गरम और तर मौसम में उगाए जाते हैं। शुष्क व हल्की ठंड में भी ये

हो सकते हैं। किंतु अधिक शीत में पौधे नष्ट हो जाते हैं। इसके लिए बेहतर तापमान 13 से 12° C है।

समय

मैदानी क्षेत्रों में बैंगन की तीन फसलें प्राप्त हो जाती हैं जबकि पहाड़ी क्षेत्रों में केवल एक की जाती है।

पहली फसल—बतिया या सिरहंदी किस्म के लम्बे बैंगन मध्य फरवरी से जुलाई तक लगाए जाते हैं।

दूसरी फसल—आकार में बड़े, मारू बैंगन मई से जुलाई तक लगाए जाते हैं।

तीसरी फसल—अक्तूबर-नवम्बर में बोई जाती है।

खाद

गोबर की खाद उत्तम रहती है। इसके अलावा नाइट्रोजनीय, फास्फोरसीय और पोटेशीय उर्वरक भी 1-2 किस्तों में पौध लगाने से पहले खेतों में डालने चाहिए।

सिंचाई

पौधे लगाते ही सिंचाई करना जरूरी होता है। ग्रीष्म ऋतु में 3-4 दिन के बाद तथा शीत ऋतु में 12-15 दिन के बाद सिंचाई करनी चाहिए।

भिन्डी

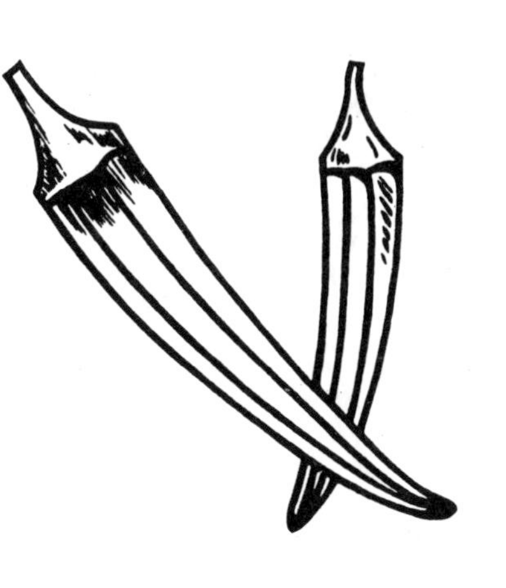

भिंडी का मूल स्थान अफ्रीका है। यह भारत की महत्त्वपूर्ण फसलों में एक है। पूरे भारत में इसकी खेती होती है।

जलवायु

भिंडी के लिए गर्म जलवायु अति उपयुक्त है, क्योंकि इसके बीज 20° C से ऊपर तापमान पर अंकुरित होते हैं। शीत से पौधे प्रभावित होते हैं तथा ठीक ढंग से पनप नहीं पाते।

भूमि

भिंडी के लिए दोमट मिट्टी अच्छी रहती है।

खाद

भिंडी की फसल के लिए गोबर की खाद, पोटेशियम क्लोराइड व सुपर फास्फेट की खाद का इस्तेमाल करना ठीक रहता है।

समय

पंजाब, राजस्थान, दिल्ली व उत्तर प्रदेश में फरवरी-मार्च, असम, बंगाल व उड़ीसा में जनवरी-फरवरी और पहाड़ी क्षेत्र में भिंडी मार्च से जुलाई तक बोई जाती है।

सिंचाई

भिंडी की बुआई से पहले यदि भूमि में नमी हो तो सिंचाई अवश्य करनी चाहिए तथा ग्रीष्म ऋतु में 5-6 दिन के अंतर से पानी अवश्य देना चाहिए।

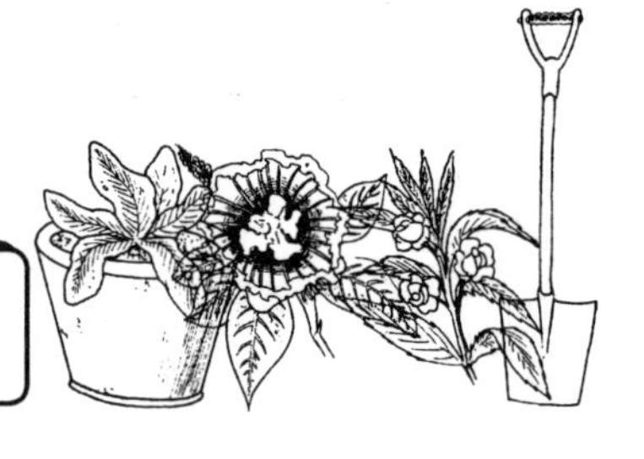

सेम

सेम भी एक अच्छी हरी सब्जी है। सेम की अनेक किस्में हैं, लेकिन जो इस्तेमाल में लाई जाती हैं, उनमें देशी, फ्रेंच व चौकोर सेम प्रमुख हैं।

भूमि

सेम के लिए दोमट और मटियार मिट्टी ठीक रहती है।

बुआई का समय

- देशी सेम जून से अगस्त तक बोई जाती है।
- फ्रेंच सेम मई के अंतिम सप्ताह से लेकर नवम्बर के आखिरी सप्ताह तक बोई जाती है।
- चौकोर सेम मार्च से दिसम्बर तक बोई जाती है।

बोने का ढंग

भुरभुरी नर्म और समतल जमीन पर क्यारियों का निर्माण करें। ये क्यारियां एक-दूसरे से एक से डेढ़ मीटर की दूरी पर तथा 15 सेंटीमीटर से ज्यादा गहरी न हों। अब इसमें बढ़िया सी खाद मिलाएं। खाद मिलाने के बाद क्यारियों में 5 या 6 सेंटीमीटर के छिद्र बनाकर बीज रोप दें। बीजों को पंक्ति में रोपें और इन्हें 50-60 सेंटीमीटर की दूरी पर बोएं। बीज बोकर हल्की सिंचाई कर दें।

सावधानी

- बीजों को उपचारित करने के बाद ही बोना चाहिए।
- पौध के आस-पास खरपतवार न हो इस बात का ध्यान रखना चाहिए।
- पौध के विकसित होने के बाद अतिरिक्त डालों व पत्तों को साफ कर देना चाहिए।

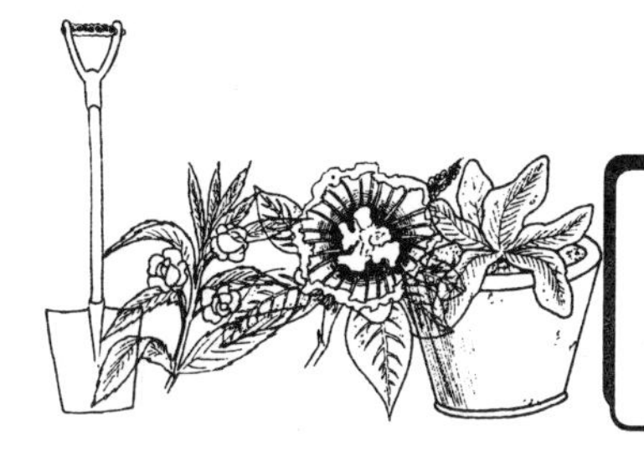

पौधों की देखभाल कैसे करें?

जिस प्रकार एक घर बनाना तो आसान है, मगर उसे सुरक्षित रखना कठिन कार्य है, ठीक उसी प्रकार पौधे लगाना आसान है मगर उनकी उचित देखभाल करना एक कठिन कार्य है। सच तो यह है कि जब तक आपको 'पौध संरक्षण' की समुचित जानकारी नहीं होगी, तब तक आप अपनी बगिया की उचित रूप से देखभाल नहीं कर पाएंगे।

यहां हम आपकी बगिया के पेड़ पौधों की सुरक्षा के कुछ सुझाव दे रहे हैं जिनका पालन करके आप अपनी बगिया को प्राकृतिक प्रकोप, कीट-पतंगों व खरपतवार से बचा सकते हैं।

प्राकृतिक प्रकोप से सुरक्षा

लू से बचाव

- ग्रीष्म ऋतु के आते ही आपको अपनी बगिया की सुरक्षा के प्रति सजग हो जाना चाहिए। अप्रैल माह के शुरू होते ही आपको अपने पौधों की कटाई छंटाई-बंद कर देनी चाहिए क्योंकि गर्मी अधिक होने से पौधे वैसे ही कम बढ़ते हैं और पत्ते कम रह जाने से उनके मरने की संभावना अधिक हो जाती है।
- गर्मी की अधिकता को देखते हुए आपको पौधों में पानी की मात्रा बढ़ा देनी चाहिए। क्यारी में लगे पौधों में आप एक दिन छोड़कर भी पानी दे सकते हैं, लेकिन गमलों में आप रोज पानी डालें।
- सीधी कड़ी धूप पौधों के लिए अत्यंत हानिकारक होती है। इस गर्मी से पौधे न भी मरें, लेकिन झुलस अवश्य जाते हैं। अतः आपको चाहिए कि आप मौसमी पौधों को छोड़कर बाकी पौधे और उनकी देखभाल के लिए घास फूस का छप्पर बांध दें। यदि पौधों के गमले हैं तो किसी पेड़ की आड़ में या दीवार के सहारे रख दें, जिससे पौधों को दिन में कुछ छाया भी प्राप्त हो सकें।
- गमलों को पक्के फर्श पर हरगिज न रखें, क्योंकि गर्मियों में फर्श तपकर

गमलों को अधिक गर्मी देता है। कोशिश करें कि गमलों को कच्ची मिट्टी पर रखें और मिट्टी को पानी से तर कर दें।

- अप्रैल से जून तक के महीनों में पौधों में किसी भी प्रकार की खाद व कीटनाशक दवा न डालें, क्योंकि इनकी गर्मी पानी देने के बावजूद भी पौधों को जला देती है। यदि किसी कारणवश कीटनाशक डालना बहुत जरूरी है तब उसकी कुछ मात्रा सूरज निकलने से पहले व डूबने के बाद डालें। यहां इस बात का आप विशेष ध्यान रखें कि कीटनाशक डालने के बाद पौधों को अच्छी तरह से पानी दे दें।
- यदि पौधे थोड़े हैं और नाजुक हैं तो उनके बचाव के लिए आप कोई पुरानी चादर छाया करने के लिए उनके ऊपर बांध सकते हैं।
- कभी-कभी किसी लकड़ी एवं सुतली के सहारे घर में पड़ी टूटी चटाई को पौधों के ऊपर बांधकर छांव करने का इंतजाम किया जा सकता है। सुबह शाम इस चटाई पर पानी का छिड़काव करके तापमान को नियंत्रित कर पौधों को ठंडक पहुंचाई जा सकती है।
- पौधों को सप्ताह में एक बार अवश्य धोएं, क्योंकि पौधों को पानी से धोने से उनकी धूल व गंदगी हट जाती है और उसकी पत्तियां चमकने लगती हैं।

कीट-पतंगों से सुरक्षा

कीट, बालकीट (कैटरपिलर), गोबरीले (बीटिल्स), टिड्डी, पतंग, दीमक (व्हाइट आंट्स), पाइरिला, गंधी आदि जैसे कीट-पतंग आपकी वाटिका और उसमें लगाए श्रम को तो नष्ट करते ही हैं, साथ-साथ आपके धन का नाश भी करते हैं। अपनी बगिया को इन कीट-पतंगों से बचाने के लिए आपको निम्न उपाय अवश्य करने चाहिए।

- यदि किसी क्यारी में कीट-पतंगे व चीटियां हों तो आप उस क्यारी के चारों ओर मिट्टी का तेल डाल दें। तेल की दुर्गंध से कीट-पतंगे व चीटियां अपना स्थान छोड़ देती हैं। यहां आप इस बात का ध्यान जरूर रखें कि तेल क्यारी के अंदर न पड़े।
- जहां पौधे के लिए नर्सरी बनाई गई हो, वहां चीटों को भगाने के लिए नैप्थलीन का चूरा उपयोग में लाना चाहिए।
- कभी-कभी चूहे, गिलहरी और चिड़ियां भी आपकी बगिया के बीज चुग जाती हैं या फिर कुतर डालती हैं। अपनी बगिया को इनसे बचाने के लिए आपको बगिया के बीजों को नीले थोथे के घोल में डुबोकर रखना चाहिए।
- बहुत से स्थानों पर फूल के पौधों को दीमक के प्रकोप का सामना करना पड़ता है। दीमक से बचाव का सबसे बढ़िया तरीका यही है कि आप उस

स्थान पर अच्छी सिंचाई और गहरी निराई करें। इसके अलावा आप दीमक का नाश करने के लिए निम्न विधि का इस्तेमाल कर सकते हैं

- 4 लीटर मिट्टी के तेल को एक बड़े बरतन में डालकर उबालें। जब तेल उबलने लगे तो उसमें आधा किलो साबुन का घोल तैयार करके मिला दें। इसके बाद इस द्रव्य को थोड़ा-थोड़ा करके ऐसे स्थानों में छिड़क दें जहां दीमक हो या होने की संभावना हो।
- जिन वाटिकाओं में चूहे अत्याधिक मात्रा में हो वहां गर्म पानी में नीला थोथा घोलकर चूहों के बिलों में डाल दें। ऐसा करने से चूहे निश्चित रूप से मर जाएंगे।
- यदि आपके बगीचे में बोए गए फूलों के बीजों को चिड़िया नुकसान पहुंचाती हैं तो आप क्यारी को किसी जाल से ढक दें ताकि चिड़ियां बीजों को चुग न सकें।
- जो कीड़े पत्ते खाने वाले होते हैं, उन्हें मारने के लिए 'लैडक्रामिंट' नामक दवा उपयोग में लानी चाहिए। इस दवा को खाने से कीट आदि मर जाते हैं। इस दवा को इस्तेमाल करने का तरीका यह है कि इसकी 50 ग्राम मात्रा को 50 लीटर पानी में मिलाकर एक घोल तैयार किया जाता है जिसे पिचकारी या हजारे की सहायता से पौधों पर छिड़का जाता है।
- फूलों का रस चूसने वाले कीड़ों को मारने के लिए 50 लीटर पानी में लगभग 750 ग्राम क्रूड आयल इमल्शन घौलकर पौधों पर डालना चाहिए। इसके स्पर्श से कीड़े मर जाते हैं।
- कीट-पतंगों को मारने के लिए तंबाकू का गाढ़ा घोल भी प्रयोग में लाया जा सकता है। यह घोल तैयार करने के लिए 10 लीटर पानी में 5 किलो तंबाकू 24 घंटे भिगोकर रखा जाता है। उसके बाद उसे छानकर पाव भर साबुन छाने गए पानी में मिला दिया जाता है। तत्पश्चात इसे पौधों पर छिड़का जाता है।
- कीट आदि को नष्ट करने के लिए बोर्डियो मिश्रण भी काम में लाया जाता है। इसे बनाने के लिए एक पात्र में लगभग 300 ग्राम चूना लेकर उसे पानी में धीरे-धीरे डाला जाता है। फिर एक बड़े मिट्टी के बरतन में लगभग 500 ग्राम नीला थोथा एक कपड़े में बांधकर लगभग 20 लीटर पानी में डाल दिया जाता है। इसके बाद दोनों मिश्रण को आपस में मिलाकर खेतों में डाल दिया जाता है। इस मिश्रण से कीड़े-मकोड़े पल भर में नष्ट हो जाते हैं।
- पेड़ पौधों को धूप से बचाने के लिए धूप तापी पेस्ट भी बहुधा इस्तेमाल में लाया जाता है। यह पेस्ट 10 किलो बुझा हुआ चूना, 1 किलो नमक, 20 लीटर पानी तथा 250 मिलीलीटर अलसी का तेल को मिलाकर तैयार किया

जाता है। इस पेस्ट को तैयार करने के लिए पहले चूना और नमक पानी में घोल लिया जाता है और बाद में अलसी का तेल मिला दिया जाता है। पेस्ट तैयार होने के बाद इसे पौधों व पेड़ों के तनों पर पोत दिया जाता है, जिससे तना तेज धूप से झुलसने से बच जाता है।

- कीट-पतंगों का प्रकोप कम्म करने के लिए आप नीम की पत्ती का काढ़ा भी इस्तेमाल में ला सकते हैं। यह काढ़ा 1 लीटर पानी में 50 ग्राम नीम की पत्ती को 10 मिनट तक उबालकर तैयार किया जाता है। इसके बाद इसे हजारे या अन्य छिड़काव साधनों द्वारा पेड़ पौधों पर छिड़क दिया जाता है।
- पेड़-पौधों की कटाई-छंटाई के बाद उसे सड़ने से बचाने के लिए बोर्डो पेंट का इस्तेमाल किया जाता है। यह पेंट भी नीला थोथा (कॉपर सल्फेट), अनबुझा चूना और उबला हुआ अलसी का तेल क्रमशः 1: 2: 3 के अनुपात में मिलाकर तैयार किया जाता है। इसमें पानी मिलाने की आवश्यकता नहीं होती। इसे तैयार करते समय नीला थोथा और चूने को एक साथ मिला लिया जाता है। उसके बाद अलसी का तेल बूंद-बूंद डालकर मिलाया जाता है। पेस्ट तैयार होने के बाद इसे पेड़ पौधों के कटे हुए हिस्सों पर लगाया जाता है ताकि उन्हें सड़ने से बचाया जा सके।
- उड़ने वाले तथा फुदकने वाले कीड़ों को नष्ट करने के लिए आप कपड़े की एक थैली बना लें। इस थैली को बनाने का तरीका यह है कि एक गोल घेरा कड़े तार का बना लेना चाहिए और उसमें एक महीन कपड़ा इस प्रकार बांधना चाहिए कि कपड़े की थैली सी बन जाए, जिसका मुंह तार वाला गोल घेरा हो। इस घेरे में एक लम्बा हैंडिल भी लगा होना चाहिए। जिसे पकड़कर किसी उड़ते हुए कीट को फंसाया जा सकता है। कीटों को पकड़ने के लिए थैली का मुंह खोलकर मुंह को तेजी से कीट के ऊपर ले जाना चाहिए, जिससे हवा थैली के भीतर भर जाए और कीट हवा के साथ-साथ थैली के भीतर बंद हो जाए।
- पेड़ के तने को छेदने वाले कीट गोबरीले कीट की जाति के होते हैं। ये कीट पेड़ के धड़ या शाखाओं में छेद करते हैं। इनके किए हुए छेदों में एक तार को ठंडा ही अथवा गर्म करके डालने से कीट मर जाते हैं। इसके अलावा आप क्लोरोफार्म और क्रियोसोट के मिश्रण के रूई के एक छोटे से टुकड़े में मिलाकर कीड़ों द्वारा किए गए छेदों में भर दें। ऐसा करने से कीट मर जाते हैं।

कीटनाशकों का उपयोग करते समय बरतने वाली कुछ सावधानियां :

- यदि निरोधात्मक उपायों से आपका काम चल सकता है तो आप कीटनाशक दवाइयों का उपयोग न करें।

- कीटनाशक दवाइयों का उपयोग रोग तथा कीट को पहचानने के बाद ही करें।
- दवा छिड़कते समय ध्यान रखें कि पौधे अच्छी तरह से तर हो जाएं। जब घोल टपकने लगे तब छिड़काव बंद कर दें।
- अक्सर कीट पौधों की पत्तियों के निचले भाग में छिपे रहते हैं। अतः दवा का छिड़काव उचित रूप से करना चाहिए।
- चूंकि कीटनाशक दवाएं जहरीली होती हैं इसलिए इनका उपयोग करते समय मुंह पर रूमाल अवश्य बांधना चाहिए।
- दवा छिड़कने के बाद स्नान अवश्य करना चाहिए।
- कीटनाशक दवाइयों का संग्रह अधिक मात्रा में हरगिज न करें। बल्कि जब जरूरत महसूस हो, तभी लाकर तुरंत इस्तेमाल करें।
- दवाई इस्तेमाल करने के बाद खाली रैपर या डिब्बा यहां-वहां न फेंकें, बल्कि जमीन में गाड़ दें।
- दवा छिड़कने के 7 से 15 दिन के बाद ही फूल और सब्जियों का इस्तेमाल करें।
- यदि वर्षा होने की संभावना हो तो दवा का छिड़काव न करें, क्योंकि इससे दवा बेअसर होने की पूरी संभावना रहती है।
- दवा का चुनाव और उपयोग करने से पहले किसी विशेषज्ञ की सलाह अवश्य लें।
- दवाइयों का छिड़काव सुबह शाम को ही करें।

खरपतवार व उनकी रोकथाम

खरपतवार पौधों को पूर्ण रूप से विकसित नहीं होने देते। ये बिना बोए आपकी बगिया में उग आते हैं तथा पौधों की खुराक से पनपते हैं। ये कृषि कार्य में बाधक होते हैं तथा आपका खर्चा बढ़ाते हैं। इनकी वजह से लगभग 20 प्रतिशत उपज कम हो जाती है। वास्तव में ये आपकी बगिया में बोए गए पौधों के महत्त्वपूर्ण आहार व पौष्टिक तत्वों का शोषण करते हैं, जिससे आपकी बगिया में उगाए गए पौधे पौष्टिक आहार से वंचित रह जाते हैं।

खरपतवार को रोकने के लिए आपको निम्न उपाय अवश्य करने चाहिए।

- बीज बोने से पहले उन्हें अच्छी तरह से साफ कर लें।
- बागबानी के सभी उपकरण अच्छी तरह से साफ करने के बाद उपयोग में लाएं।
- पूर्ण रूप से सड़ी-गली खाद का प्रयोग करें।
- विशिष्ट खरपतवारों को नष्ट करने के लिए 2-4 डी रसायन का प्रयोग करें।

शीत से बचाव

साधारणतया शीत जनवरी और फरवरी मास में अधिक होती है। उस समय पाला बहुत अधिक पड़ता है। वैसे तो पाला शीत ऋतु के आरम्भ से ही पड़ना शुरू हो जाता है, परंतु अधिकतर दिसम्बर के अंत से मार्च के शुरू तक इसका प्रकोप ज्यादा रहता है।

पाला पौधों को कई प्रकार से नुकसान पहुंचाता है। इससे बचने के निम्नलिखित उपाय हैं—

- अधिक पाला पड़ने वाले स्थान पर बगिया नहीं लगानी चाहिए।
- पौधों की केवल वही जातियां लगानी चाहिए जो पाले को सहन करने योग्य हों अथवा जिन पर पाले का प्रभाव बहुत ही कम पड़े।
- पेड़ों की काट-छांट इस प्रकार से की जाए कि फल अंदर के भागों पर अधिक लगें, मुख्य तने से शाखाओं के जोड़ कमजोर न होने पाएं और एक ही स्थान पर दो शाखाएं न ली जाएं। एक शाखा से दूसरी शाखा का अंतर पर्याप्त होना चाहिए।
- ओले के प्रभाव को कम करने के लिए पेड़ों के ऊपर जालियां लगा दी जानी चाहिए। ये जालियां लोहे या नायलॉन की ली जा सकती हैं।
- खेत में हीटर लगाकर भी पाले के प्रभाव को कम किया जा सकता है। विदेशों में तो ऐसा ही किया जाता है, परन्तु हमारे यहां खेत में आग लगाकर यह कार्य किया जाता है।
- छोटे पौधों को ग्लास हाउस (glass house) में रखने से उन पर पाले के प्रभाव को रोका जा सकता है।
- पाला पड़ने के तुरन्त बाद सिंचाई कर देनी चाहिए। ऐसा करने से पेड़ के अंदर का पाला पिघल जाता है तथा उसके सब भाग सक्रिय हो जाते हैं।

पौधों से सजावट : कुछ सुझाव

अपनी हरीतिमा से पौधे किसी भी स्थान की सुंदरता में चार चांद लगा देते हैं। पौधों से घर-आंगन व बगिया को सजाना भी एक कला है। यहां हम पौधों को सजाने-संवारने संबंधी कुछ सुझाव दे रहे हैं जिन पर अमल करके आप पौधों को बेहतर ढंग से सजा-संवार सकते हैं।

पौधों का चयन

- जो भी पौधा आप खरीदें, यह जरूर देखें कि उसकी पत्तियों में छेद तो नहीं है या वो मुरझाई हुई तो नहीं हैं।
- फूल वाले पौधे को खरीदते समय ऐसे पौधे का चुनाव करें जिस पर फूल के साथ-साथ कलियां भी लगी हों।
- गमले के अनुपात में लगभग मध्यम ऊंचाई तक विकसित स्वस्थ पौधा चुनें। लटकने वाले पौधे गमले में सभी तरफ समान रूप से लटकें तो उत्तम होगा।
- कमरे में पौधे को रखने से पहले उसकी सड़ी-गली और पीली पत्तियां अवश्य काटें।
- पौधे तैयार करने के लिए अच्छी क्वालिटी के बीजों का चुनाव करें।

गमलों का चयन

- आजकल बाजार में तरह-तरह के गमले उपलब्ध हैं। प्लास्टिक के गमले, चीनी मिट्टी के गमले, पत्थर के गमले और मिट्टी के गमले, पर इनमें मिट्टी के गमले ही पौधों के लिए उपयुक्त रहते हैं। क्योंकि ये गमले न तो बहुत भारी होते हैं और न ही बहुत हल्के तथा अन्य गमलों के मुकाबले में इनके दाम भी कम होते हैं। साथ ही मिट्टी के बने होने के कारण इन गमलों में लगे पौधों की जड़ों को भी हवा मिलने से उनका पर्याप्त विकास होता है।
- गमले का चुनाव पेड़ के अनुरूप ही करना चाहिए। जैसे 5-10 इंच के पौधे के लिए 6 इंच का गमला लेना उचित रहेगा।
- गमला खरीदने से पहले यह जरूर देख लें कि उसमें छेद है या नहीं। वास्तव

में सभी गमलों में छेद होना बहुत जरूरी है। छेद इतना चौड़ा जरूर होना चाहिए कि छोटी उंगली आर-पार हो जाए।

- वैसे सजावटी पौधों के लिए आप महंगी किस्म के गमलों का भी चुनाव कर सकते हैं।

पौधों के लिए स्थान का चयन

- कमरे के खाली कोनों में अधिक स्थान हो तो अधिक या थोड़ी ऊंचाई के पौधों से सजावट करें। एक से अधिक पौधे लगाएं तो ध्यान रखें कि सभी पौधों की ऊंचाई भिन्न-भिन्न हो ताकि सभी की खूबसूरती का आनन्द उठाया जा सके।
- कोने में लटकते लैम्प के नीचे बैठने की व्यवस्था नहीं की जा सकती, इसलिए इस स्थान को खूबसूरत पौधे से जीवंत बनाएं।
- लम्बे लैम्प के आगे मध्यम ऊंचाई के पौधे और स्टूल पर रखे लैम्प के पास कम ऊंचाई के पौधे से सजावट करें।
- दो सोफों के मध्य भी पौधा रखें, लेकिन छोटा, ताकि उन पर बैठने वाले लोगों को एक दूसरे से बात करने में अड़चन न हो।
- टेलीफोन के रैक के नीचे या बगल में भी पौधा रखा जा सकता है। ध्यान रखें कि बगल में रखा पौधा टेलीफोन तक पहुंचने में रुकावट न बनें।
- भोजन कक्ष और बैठक के नीचे पार्टीशन के लिए भी पौधों वाले गमलों का प्रयोग किया जा सकता है।
- सजावटी पौधे टी.वी. के पास या शयनकक्ष के उपेक्षित कोने में भी रखे जा सकते हैं।
- भोजन कक्ष या स्नानघर में लगे वाशबेसिन के निकट पौधा रखने से वह स्थान भी सुंदर लगने लगेगा।
- छोटे गमलों में लगाए गए पौधे स्टूल, मेज, क्राकरी रखने वाली अलमारी, टेलीफोन रैक, फ्रिज या अपनी बैठक में बनी सजावटी सामान रखने की अलमारी के ऊपर रखें। रसोईघर की खिड़की या स्लैब पर भी इन्हें सजाया जा सकता है।
- कमरे के आकार को ध्यान में रखकर ही पौधों की संख्या निश्चित करें।
- कांटेदार पौधों को बच्चों व पालतू जानवरों की पहुंच से दूर रखें।
- विशेष अवसरों पर गमले के चारों ओर अल्पना सजाएं अथवा गमलों में सीपी और शंखों को छितराकर उन्हें अधिक आकर्षक बनाएं।
- पौधों के पास पीतल, लकड़ी, बेंत आदि का सजावटी सामान रखकर आप उनकी सुंदरता बढ़ा सकते हैं।

- बरसात के समय गमलों में अधिक पानी भरने पर फालतू पानी निकाल दें, नहीं तो पौधों की जड़ें गलने लगेंगी।
- यदि बरसात के समय गमलों में काई लग जाए तो उन्हें नारियल की जटा या खुरदरे कपड़े से साफ कर लें।
- गुलाब की क्यारियों और गमलों में बरसात का पानी इकट्ठा न होने दें।
- गुलदाउदी पौधों की अच्छी पौध लेने के लिए जुलाई के शुरू में नए पौधों को बनाने के लिए 8 सेंटीमीटर लम्बी कटिंग लगाएं।
- गुलाब को चैफरवीटिल नामक कीड़ों से बचाने के लिए मैलाथियान का छिड़काव करें।
- घर के अंदर रखे जाने वाले पौधों में पानी कम दें, क्योंकि अधिक पानी देने से कमरे में नमी बढ़ेगी, जिससे स्वास्थ्य पर बुरा असर पड़ सकता है।
- बोगनवेलिया के पौधों को फूल आते समय कम से कम पानी देना चाहिए।
- पौधों को गोबर की खाद देने से पहले खाद के ढेलों को तोड़कर या बारीक करके डालें। संभव हो सके तो गमलों में खाद छानकर डालें।
- यदि पौधे की पत्तियों की ऊपरी सतह पर सफेद पतली धारी दिखाई दे या पत्तियों पर छेद दिखाई दें तो समझिए कि आपके इन पौधों पर लीफ माइनर का प्रकोप हो गया है। इसकी रोकथाम के लिए 3 मिलीग्राम डायमेंक्रान नामक दवा को एक लीटर पानी में घोलकर छिड़काव करें।
- फुटबाल लिलि के बीजों की बुआई फरवरी-मार्च के महीने में गमलों में 5-6 सेंटीमीटर गहराई पर करें।
- यदि आप अपने घर के दरवाजे या दीवार के पास लताएं लगाना चाहते हैं तो इसके लिए जुलाई का महीना सबसे बढ़िया होता है।
- गुलाब को स्वस्थ रखने एवं अच्छे फूल लेने के लिए यह बेहद जरूरी है कि चश्मा लगाए गए भाग के निकलने वाले देशी कल्लों को बराबर काटते रहें ताकि पौधों को पूरी खुराक मिल सकें।
- कैक्टस एवं सैक्यूलेंट लगाना चाहें तो इस काम के लिए फरवरी मार्च का महीना ठीक रहता है। इसके लिए गमलों में बलुई मिट्टी, मोटी बालू, गोबर की खाद एवं पत्ती की खाद को 1: 2: 1: 1 के अनुपात में मिलाकर मिश्रण को भर लें।

फूलों का माहवारी कार्यक्रम

इस अध्याय में हम बागबानी के बारह महीनों के कार्यक्रम की जानकारी दे रहे हैं जो सभी उद्यान प्रेमियों के लिए लाभदायक सिद्ध होगी।

चैत्र

अंग्रेजी में यह माह 'अप्रैल' के नाम से जाना जाता है। इस महीने से अच्छी-खासी गर्मी पड़नी शुरू हो जाती है। इसी महीने में वृक्षों में कोंपलें फूटने लगती हैं और कोमल पत्ते लहलहाने लगते हैं।

इस महीने में केना पुष्पों की बहार होती है। गुलमोहर का वृक्ष लाल-लाल ताजे पुष्पों से भर जाता है और अमलतास के सुनहरे पीले फूल खिल उठते हैं। इसी महीने में आप गुलाब की क्यारियों और गमलों में 3-4 दिन के अंतराल से पानी देते रहें और महीने में एक बार कीटाणुनाशक दवाइयों का छिड़काव अवश्य करें।

वैशाख

वैशाख यानी कि 'मई' का महीना चमेली, बेला तथा जूही आदि पुष्पों की भीनी-भीनी महक लेकर आता है।

इस महीने में तैयार लान से खरपतवार आदि निकालकर सफाई करनी चाहिए और पौधों को नियमानुसार पानी देना चाहिए।

ज्येष्ठ

यह 'जून' का महीना है। इस महीने में गर्मी अधिक पड़ने

चमेली का फूल

लगती है। यह महीना जिनिया, कॉसमस, गुलमेहंदी आदि बीजों की बुआई के लिए ठीक रहता है।

इस महीने में अलंकृत पौधों को गर्म हवा और सीधी धूप से बचाना चाहिए। यदि वैशाख में आप अपने लॉन की सफाई नहीं कर पाए हैं तो इस महीने में कर सकते हैं।

इस माह में गुलदाउदी की कलम लगाना भी ठीक रहता है।

जिनिया का फूल

आषाढ़

यह महीना (जुलाई) ठंडी हवाओं का झोंका लेकर आता है। इस महीने में बरसात का आगमन होता है और भीषण गर्मी समाप्त हो जाती है। बागबानी के लिए श्रेष्ठ माह है।

गेंदा का फूल

यदि ज्येष्ठ में आपने गेंदा, गुलमेहंदी, पोर्टूलेका, कॉसमस तथा जिनिया आदि के बीज नहीं बोए हैं तो इस महीने अवश्य बो दें। वैसे नर्सरी आदि से इनकी तैयार पौध लाकर आप इन्हें गमले या क्यारी में

लगा सकते हैं। इस महीने में आप बेलदार फूलों के नए पौधे भी लगा सकते हैं।

श्रावण

यह अंग्रेजी का 'अगस्त' महीना है। इस महीने फूलों की बहार सभी का मन मोह लेती है। बॉलसम, जिनिया, काक्सकॉम्ब और गेंदा आदि के फूल जो सावन में खिले दिखते हैं,वो प्राय: जून-जुलाई में लगाए जाते हैं।

इस महीने एस्टर, कारनेशन, पिटुनिया और साल्विया जैसे मौसमी फूलों के बीज उगाने में कुछ अधिक समय लगता है, इसलिए इनके बीज गमलों में डाल देने चाहिए।

इस महीने लान में लगी घास में से खरपतवार और जंगली घास उखाड़ फेंकना चाहिए और आवश्यकतानुसार सिंचाई करनी चाहिए। फूलदार बेलें लगाने का यह बिलकुल ठीक समय है।

इस महीने में आप गुलदाददी और जिरेनियम के पौधों को बारिश के पानी से बचाकर रखें, क्योंकि बारिश का पानी इन पौधों को हानि पहुंचाता है।

एस्टर का फूल

भादप्रद

भादों के इस महीने को सितम्बर के नाम से जाना जाता है। इस महीने में हरसिंगार के मनमोहक फूल खिलने शुरू हो जाते हैं।

इस महीने में क्लार्किया, लूपिन, पॉपी, केलेनड्यूला, स्वीट सुलतान आदि पुष्पों के बीज गमलों या क्यारियों में बो देने चाहिए।

इस माह नरगिस के कंदों को लगाना भी ठीक रहता है।

पॉपी का फूल

आश्विन

आश्विन 'अक्तूबर' का महीना है। इस महीने में भादों में तैयार की गई मौसमी पुष्पों की पौध को क्यारियों और गमलों में लगा देना चाहिए।

स्वीट-पी के फूल

स्वीट-पी के बीजों को इस माह के दूसरे सप्ताह तक अवश्य बो देना चाहिए। ब्रायीकोम आदि के बीज भी इस महीने में बो देने चाहिए।

कार्तिक

नस्टरशियम के फूल

यह नवम्बर का महीना है। इस महीने में गुलाब की नई झाड़ी व पौधे लगाए जाते हैं। इस महीने में गुलदाउदी के फूल खिल उठते हैं।

इस महीने में श्रावण से आश्विन तक बोए जाने वाले नस्टरशियम के बीजों की पौध को नियत स्थान पर स्थानांतरित करना आवश्यक है।

मार्गशीर्ष

यह दिसम्बर का महीना है। इस महीने में अच्छी-खासी सर्दी पड़ती है। डायथन्स के फूल इसी माह में खिलते हैं। इस महीने में गुलदाउदी और गुलाब के पौधे फूलों से ढके रहते हैं।

इस महीने में लान की छटा भी देखते ही बनती है। पुष्पों की वृद्धि के लिए इस महीने में पौधों को तरल खाद अवश्य देनी चाहिए, साथ ही कीटाणुनाशक दवाइयों का छिड़काव करना चाहिए।

डायथन्स के फूल

पौष

इस महीने (जनवरी) कड़ाके की ठंड पड़ती है। इस महीने पाला पड़ता है इसलिए पौधों की विशेष रूप से देखरेख करने की जरूरत होती है। इस महीने में गुलाब के फूलों की बहार छाई रहती है।

गुलाब का फूल

माघ

अंग्रेजी में यह 'फरवरी' के नाम से जाना जाता है। वैसे इस महीने को बसंत ऋतु भी कहते हैं। इस महीने में अनेक प्रकार के फूल खिलकर अपनी छटा बिखेरते हैं।

गुलदाउदी का फूल

यह महीना कैक्टस के रोपण के लिए उपयुक्त है। दूसरे सप्ताह में अनेक प्रकार के पौधे और वृक्ष लगाए जा सकते हैं।

फाल्गुन

यह 'मार्च' का महीना है। इस महीने में सरसों के पीले-पीले फूल खिलते हैं। इस महीने में अनेक पुष्पों के बीज एकत्र किए जाते हैं, जिनमें डहलिया, स्वीट पी आदि मुख्य हैं।

डहलिया का फूल

इस महीने में लान की तैयारी करनी चाहिए, क्योंकि इन्हीं दिनों में घास तेजी से बढ़ती है। इस महीने में आप गुलाब का पौधा कलम द्वारा प्राप्त कर सकते हैं।

इसी महीने में ही बारलेरिया, टिकोमा, कोशिया, हेमेलिया, कामिनी व पीकॉक फ्लावर के बीज बो देने चाहिए।

बोगनवेलिया की कलम भी इसी महीने में लगाई जा सकती है।

फूल-पौधों के हिंदी-अंग्रेजी तथा वानस्पतिक नाम

हिन्दी	अंग्रेजी	वानस्पतिक नाम
अगस्त	अगस्त	साराका इंडिका(Saraca indica)
अमलतास	कैसिआ	कैसिआ मार्टिनाटा (Cassia Martinata)
अमलतास (पीला)	गोल्डन शावर	कैसिआ ग्रेंडिस (Cassia grandis)
अमलताल (जावा)	जावा कैसिया	कैसिआ जावानिका (Cassia jawanica)
अशोक	अशोक	पालिअल्थिया लोगोफेलिया Palyalthia Laugifalia
अम्ब्रेला ट्री	अम्ब्रेला ट्री	शफेरा Scheffera
आस्ट्रेलियन बबूल	आस्ट्रेलियन बबूल	अक्कासिआ अउरिकलि फारमिस Accacia Ouriculi Formis
अल्यूमिनियम प्लांट	अल्यूमिनियम प्लांट	पाइलिया कैडेराई Pillia cadierii
अमेजन लिली	अमेजन लिली	यूकरिस ग्रैण्डीफ्लोरा Eucharis grandiflora
आइनामेंटल	आइनामेंटल	निकोटिआना अलाटा Nicotiana Alata
एक्रोक्लाइनम	एक्रोक्लाइनम	हेलिप्टेरम रोजिअम Helipterum roseum
एस्टर चायना	एस्टर	कैलिस्टीप्लस चाइनोसिस Callisteplus chinesis
इटस एप्रन	इटस एप्रन	फाइकस रॉक्सबर्धी Ficus Roxburgliai
कवल (कमल)	लोटस	निलम्बिअम स्पेशिओसम Nelumbium speciosum
करबी (कनेर)	ओलिएंडर	निरिअम इंडिकम Nerium indicum
केवड़ा (केतकी)	स्क्रूपाइन	पैण्डानस ओडोरैटिसिम्स Pandus odoratissimus
कलियारी	ग्लोरी लिलि	ग्लोरिओसा सुपर्वा Gloriosa superva
कृष्णकमल	पैशन फ्लावर	पैसिफ्लोरा फोइटाइडा Passiflora foetida
कामलता (मालती लता)	कुंजलता	क्वामोक्लिट पिनाटा Quamoclit pinata
कचनार	कंचन	बोहिनिआ वेरिगेटा Bauhinia Viripgata
कपफ्लावर	कार्नफ्लावर	सेन्चुरिया सायनस Centaurea cyanus
कार्नेशन	कार्नेशन	डायन्थस कैरिओफाइलस Dianthus caryophullias
कुला फूल	इण्टीराईनम	एण्टीराइनम मैजस Antirrhinum majas
कैलेण्डुला	कैलेण्डुला	कैलेण्डुला ऑफिसिनैलिस Calendula officinalis

हिन्दी	अंग्रेजी	वानस्पतिक नाम
कोरिऑप्सिस	कोरिऑप्सिस	कोरिऑप्सिस टिंक्टोरिआ Coreopais Tinctoria
कैडीटफट	कैण्डीटफट	आईबेरिस अम्बलैटम Iberis umbellatum
कोन फ्लावर	कोन फ्लावर	रूडबोकिआ स्पेशिज Rudbeckia species
कोचिआ	कोचिआ	कोचिआ ट्रिइकोफाइला Kochia Trichophylla
काफिर लिली	काफिर लिली मैनिस्टा	क्लोइविआ मिनिएटा Clivia miniata
केशर	केशर	क्रोकस स्टाइवस Crocus sativns
गेंदा	मेरीगोल्ड	टेजिटिस इरिक्टा Tagetis ericta
गोल्डेन स्टार	गोल्डेन स्टार	बारटोनिया आउरिआ Bartonia Auria
गुलराइची (खरचम्पा)	पैगोडा ट्री	प्लुमेरिआ रूबरा Plumeria rubra
गुलदुपहरिया (दुपारी)	नून फ्लावर	पेंटपिटस फिनिका Pentapetes phoenicea
गुलमेहंदी	गुलमेहंदी	लैन्टाना कमारा Lentana camara
चम्पक (नागचम्पा)	आयरन वुड	मिसुआ फेरिआ Mesua ferrea
चम्पा (सोन चम्पा)	चम्पा फूल	मीकेलिआ चम्पका Michelia champaca
जयन्त (बक फूल)	जयमिचियम	सिस बैनिआ ग्रेंडीफ्लोरा Sesbania grandiflora
जुनिपर	जूनिपेरस	जूनिपेरस बरमुडिआना Juniperus Bermudiana
जलकुंभी	बाटर लैटस	पिस्टिया स्ट्रैटिओट्स Pistia stratiotes
पलाश	जंगल फायर	बुटिआ मोनोस्पर्मा Butea monosperma
झूमकलता (कृष्ण कमल)	पैशन फ्लावर	पेसिफ्लोरा फोयटिडा Pessiflora foetida
पिओनी	पिओनी	पिओनिआ सफैस्टेकोसा Paeonia saffructicosa
पिंक शावर	हार्स कैसिआ	कैसिआ ग्रैंडिस Cassia grandis
फारचुन पाम	फारचुन पाम	कैमेरॉप्स ह्यूमिटिस Chamaerops humitis
फिलोडेण्ड्रान	फिलोडेण्ड्रान	फिलोडेण्ड्रान बाईपिनेटिफाइडम Philondendran bipinnetifidum

हिन्दी	अंग्रेजी	वानस्पतिक नाम
फायर ब्रुश	फायर बुश	स्ट्रेप्टोसेलोन जैमेस्नाई Streptoselon Jamesnei
बर्डस् हेड	बर्ड्स हेड	एरिस्टोलोकिआ इलिगेंस Aristolochia elegans
बगोनिआ	बेगोनिया	बेगोनिआ मारमोराटा Begonia Marmorata
मलय जामन (सफेद जाम्ब)	मलय एप्पल	सिजाइजिअम मलय सेन्स Syzygium Malaccense
मेहन्दी	हिना	लोसोनिआ अल्बा Lawsonia alba
रूक्मिणी (थल कमल)	एक्जोरा	एक्जोरा स्पेशिस Ixora species
तादेलू	बाइलेरिया	बारलेरिया स्पेशिज Barleria species
थलकमल	थलकमल	हिबिस्कस म्यूटानिलिस Hibiscus mutabilis
थम्बार्जमा	थम्बर्जिआ	थम्बर्जिआ इरेक्टा Thumbergia erecta
थेम्पैसिया	थेस्पैरिया	थेस्पैरिया लेम्पेन्स Thesparia lampans
दूधी	दूधी	राइटिया टिक्टोरिया Wrightia tinctoria
दिवी दिवी	सिजलपिनिआ	सेजलपीनिया कोरियारिया Caesalpinia coriaria
थाव	एनोगेसिस	ऐनोगाईसिस पेण्डूला Anogesisus pendula
धतूरा	धतूरा	ब्रैगमैन्सिया सुमाविओलेन्स Bragmansia suaveolens
नाइजेलिया	नाइजेलिया	नाइजेला Nigelia डैमास्केना Demascena
नीमोसिया	नेमेसिआ	नेमेसिआ स्ट्रामोसा Nemesia strumosa
नरगिस	डैफोडिल	नारसिसस स्पेशिज Narcissus species
नागफनी	नागफनी	ओपनशिया Opuntia
नैफिडियम	नेफिडियम	नेफ्रेडियम Nephradium
यूफोबिया	यूफोर्बिया	यूफोर्बिया स्पेशिज Euphorbia species
रिकार्डिया	रिकार्डिया	रिकार्डिया स्पेशिज Richardia species
रजनीगंधा	ट्यूबरोज	पालिएन्थस स्पेशिज Palyanthus species
लार्कस्पर	लार्कस्पर	डेल्फिनियम एजेसिस Delphinium agacis

हिन्दी	अंग्रेजी	वानस्पतिक नाम
लाइनेरिया	लाइनेरिया	लाइनेरिया मैक्रोकना Linaria macroccana
ल्यूपिन	ल्यूपिन	ल्यूपिनस हैटबेगाई Lupinus hatwegi
लाइनम	लाइनम	लाइनम ग्रेन्डीफोरम Linum grandiflorum
लोबेलिया	लोबेलिया	लोबेलिया स्पेशिज Lobellia species
लेडीज लेस	लेडीज लेस	पिनपिनेला स्पेशिज Pinpinella species
लेस फ्लावर	लेस फ्लावर	ट्रेकिमीन स्पेशिज Trachymene species
वर्बीना	वर्बीना	वर्बीना हाइब्रिडा Verbena Hybrida
वाल फ्लावर	वाल फ्लावर	चैरिएंथम कैरी Cherianthum cheri
वेनेडियम	वेनाइडियम	वेनेडियम फेस्टुसम Veniduim faistawrum
सदाबहार (बारामासी)	पेरिविंकल	कैथारेंथस रोजिअस Catharenthum roseans
स्वीट एलिसम	स्वीट एलिसम	ऐलिसम मैरिटिमम Aliysum martimum
सेवन्ती	क्रिसेन्थमम	क्रिसैन्थिमम कैरीमैटम Chrysanthumum carimatum
कुफिआ	कुफिआ	क्यूफिया स्पेशिज Cuphia species
स्वीट सुलतान	स्वीट सुलतान	सैन्टोरिया मास्केटा Centaurea Maschata
स्वीट विलियम	स्वीट विलियम	डायेन्थस बारबेटस Dianthus barbatus
स्वीट पी	स्वीट पी	डायेन्थस ओडोरेटस Dianthus odoratus
स्टाक	स्टाक	मेथियोला स्पेशिज Mathiala species
सैल्विया	सैल्विया	सैल्विया सप्लेन्डेन्स Salvia splendens
सोपवर्ट	सोपवर्ट	सैपोनेरिआ स्पेशिज Saponaria species
स्पाइडर प्लान्ट	स्पाइडर प्लान्ट	एमरन्थस काउडेटस Amaranthus caudatus
सूर्य मुखी	सनफ्लावर	हेलियेन्थस एन्मस Halianthus annums
हेलिक्राइसम	हेलिक्राइसम	हेलिक्राइसम ब्रैकटिलेटम Halichrysum bratilatum
हेलीहाक	हॉलीहाक	एल्थिआ रोजिया Althea rosea

शीतकालीन फूलों की तालिका

यह सभी पौधे जून से जुलाई के मध्य में लगाए जाते हैं।

क्रम	पुष्प	पौधों के मध्य दूरी से.मी.में	ऊंचाई से.मी.में	विवरण
1.	एमेरन्थस Amaranthus	30	45-90	पत्तियों व पुष्पों का रंग लाल होता है।
2.	बालसम Balsam	20	40	सफेद, लाल, नीले, आदि कई रंगों के ये फूल वर्षा ऋतु में खिलते हैं।
3.	कॉक्सकोम्ब Cocks comb	25-30	15-25	ये पुष्प सफेद, पीले व नारंगी आदि रंगों के होते हैं।
4.	कॉसमोस Cosmos	35-40	100-120	ये पुष्प सफेद, गुलाबी, लाल, पीले आदि रंगों के होते हैं।
5.	सनफ्लॉवर Sunflower	30	90-180	ये पुष्प पीले तथा नारंगी रंगों के होते हैं।
6.	गिलार्डिया Gillardia	30	75	ये पुष्प सफेद, लाल, गुलाबी आदि रंगों के होते हैं।
7.	गोमफ्रीना Gomphrena	30	75	ये पुष्प सफेद, गुलाबी व लाल रंग के होते हैं।
8.	पोर्टुलेका Portulaca	15	15	ये पुष्प सफेद, पीले व लाल रंग के होते हैं।
9.	ट्यूरेनिया Turania	10	25-30	ये पुष्प नीले, सफेद व पीले रंग के होते हैं।
10.	टिथोनिया Tithonia	30	100	ये पुष्प गहरे पीले रंग के होते हैं।
11.	जिनिया Zinnia	80	75-100	ये पुष्प गुलाबी, सफेद, पीले, नीले और मिश्रित रंगों के होते हैं।

ग्रीष्मकालीन फूलों की तालिका

(यह पौधे सितम्बर से अक्टूबर के मध्य में लगाए जाते हैं)

क्रम	पुष्प	पौधों के मध्य दूरी से.मी.में	ऊंचाई से.मी.में	विवरण
1.	एन्टिरहिनम Antirhinum	30-90	25	लाल, पीले, सफेद रंग के ये पुष्प क्यारियों व गमलों में लगाए जाते हैं।
2.	एमेरेन्थस Amaranthus	120-150	90	इन पुष्पों की पत्तियों का रंग लाल, पीला, नारंगी आदि होता है।
3.	एस्टर Aster	15-60	22	ये पुष्प गुलाबी, नीले, पीले व सफेद रंग के होते हैं।
4.	कैलेन्डुला Calendula	30-35	25	ये पुष्प पीले, नीले व नारंगी रंग के होते हैं।
5.	कैन्डीटफ्ट Candytuft	25	20	ये पुष्प सफेद व गुलाबी रंग के होते हैं।
6.	कॉर्नेशन Carnation	30	15	ये पुष्प सफेद, पीले व गुलाबी रंग के होते हैं।
7.	क्राईसेन्थीमम Chrysanthemum	45-60	30	ये पुष्प अनेक रंगों में होते हैं।
8.	कॉर्नफ्लॉवर Corn flower	30-60	30	ये पुष्प गुलाबी व नीले रंग के होते हैं।
9.	कॉसमॉस Cosmos	60-120	23	ये पुष्प गुलाबी, सफेद व लाल रंग के होते हैं।
10.	कोरिओप्सिस Coreopsis	30-60		ये पुष्प लाल व पीले रंग के होते हैं।
11.	डहेलिया Dahila	90-120	30	ये पुष्प अनेक रंगों में होते हैं।
12.	डायथन्स Daithuns	30	30	नारंगी, लाल, पीले तथा भिन्न-भिन्न रंग के ये पुष्प गमलों में लगाए जाते हैं।
13.	हॉलीहॉक Hollyhock	120-180	45	ये पुष्प सफेद, गुलाबी, लाल तथा अन्य कई रंगों के होते हैं।

14. लार्कस्पर Larkspur	20	20	ये पुष्प नीले, गुलाबी व बैंगनी रंग के होते हैं।
15. लाईनेरिया Linaria	50	20	ये पुष्प हल्के व गहरे रंगों के होते हैं।
16. नस्टरशियम Nasturtium	20	30	ये पुष्प कई रंगों में होते हैं।
17. पिटूनिया Petunia	50	30	सफेद, जामुनी, लाल आदि रंगों के ये पुष्प गर्मी में खिलते हैं।
18. फ्लॉक्स Phlox	25-30	20-30	ये पुष्प मधुर गंध वाले तथा कई रंगों के होते हैं।
19. पॉपी Poppy	60-90	30	सफेद, गुलाबी, नीले व लाल रंग के ये पुष्प बेहद दिलकश होते हैं।
20. साल्विया Salvia	30-45	45	ये पुष्प लाल, गुलाबी व नीले रंगों के होते हैं।
21. स्वीट पी Sweet pea	150-200	20	ये पुष्प कई रंगों में होते हैं तथा बेहद सुगंधित होते हैं।
22. स्वीट सुलतान Sweet sultan	60-100	30	ये पुष्प सफेद, नीले, जामुनी व पीले रंगों के होते हैं।
23 वरबीना Verbena	24-30	25-30	ये पुष्प सफेद, गुलाबी, जामुनी व लाल रंगों के होते हैं।